Freude am Reise

NELLES G

INDIEN
SÜDINDIEN

Autoren:
Shalini Saran, R. Nagaswamy, Shiraz Sidhva,
Varsha Das, Geeta Doctor, J. Inder Singh Kalra, Mamta Saran,
Leela Samson, Ashis Banerjee, Poonam Kulsoom

Ein aktuelles Reisehandbuch
mit 118 Abbildungen und
28 Kartenausschnitten

Liebe Leserin, lieber Leser,

AKTUALITÄT wird in der Nelles-Reihe groß geschrieben. Unsere Korrespondenten dokumentieren laufend die Veränderungen in der weltweiten Reiseszene und unsere Kartografen berichtigen ständig die auf den Text abgestimmten Karten. Da aber die Welt des Tourismus schnelllebig ist, können wir für den Inhalt unserer Bücher keine Haftung übernehmen (alle Angaben ohne Gewähr). Wir freuen uns über jeden Korrekturhinweis! Unsere Adresse: Nelles Verlag, Schleißheimer Str. 371 b, D-80935 München, Tel. (089) 3571940, Fax (089) 35719430, E-Mail: Info@Nelles-Verlag.de, Internet: www.Nelles-Verlag.de

LEGENDE

✱	Sehenswürdigkeit	Kargil	im Text genannter Ort	▥	Staatsgrenze
▪	Öffentliches bzw. bedeutendes Gebäude	✈	Internationaler Flughafen	▭	Verwaltungsgrenze
■	Hotel	✈	Flugplatz	▰	Schnellstraße
○	Markt	🐘	Wildtierreservat	═	Fernverkehrsstraße
✝	Kirche	♣	Nationalpark	═	Landstraße
☾	Moschee	6	Straßennummer	─	Nebenstraße
♆	Hinduistischer Tempel	Nanda Devi 7817	Berggipfel (Höhe in Meter)	═	Eisenbahn
♠	Buddhistischer Tempel			\ 18 /	Entfernung in Kilometer

INDIEN – Südindien
© Nelles Verlag GmbH, 80935 München
All rights reserved

Sechste aktualisierte Auflage 2002
ISBN 3-88618-344-0
Printed in Slovenia

Herausgeber:	Günter Nelles	**Redaktion:**	Susanne Braun
Chefredakteur:	Berthold Schwarz	**Kartographie:**	Nelles Verlag GmbH,
Project Editor:	Shalini Saran	**Lithos:**	Priegnitz, Pinar de Campoverde
Übersetzung:	E. Scholz, C. Sühs	**Druck:**	Gorenjski Tisk

- S10 -

INHALTSVERZEICHNIS

INSELN WIE SMARAGDE

SPEZIALTHEMEN

FEATURES

REISE – INFORMATIONEN

INDIEN

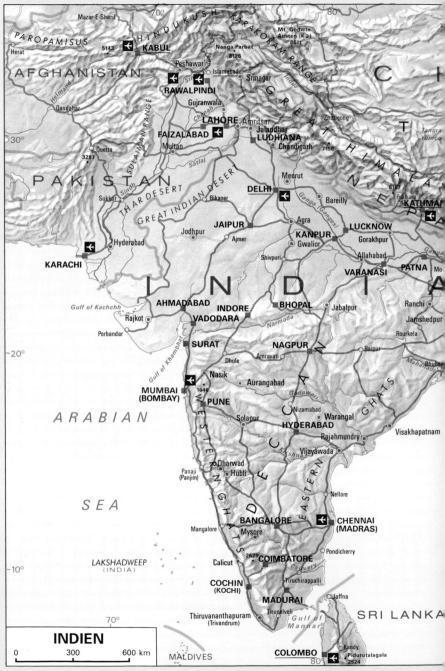

INDIEN

| 0 | 300 | 600 km |

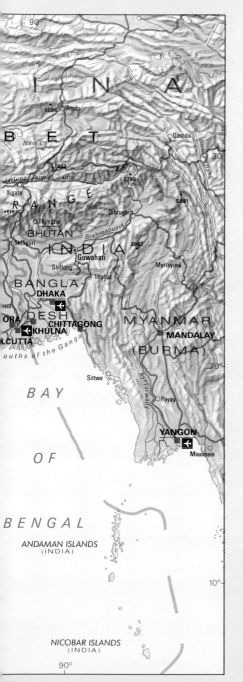

KARTENVERZEICHNIS

Hinweis: In einigen Fällen ist die Schreibweise der Ortsnamen in den Karten nicht identisch mit der im Text, weil für die Kartennamen die UNO-Richtlinien zugrunde gelegt wurden, während im Text die im Deutschen gebräuchliche Schreibweise verwendet wurde.

„The external boundaries of India, as depicted here and in other maps in this book, are neither authentic nor correct."

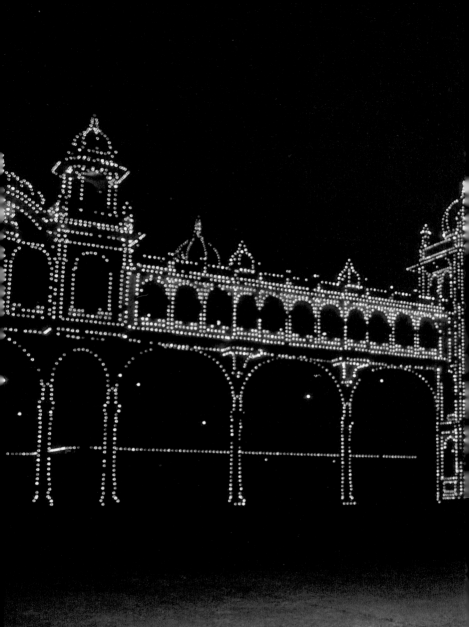

STREIFZUG DURCH DIE INDISCHE GESCHICHTE

Südindien ist der Teil des Subkontinents, der wie ein Dreieck in den Ozean hineinragt. Er wird begrenzt durch das Arabische Meer, den Indischen Ozean und den Golf von Bengalen, die die jeweilige West-, Süd- und Ostgrenze bilden, und im Norden durch das hohe Vindhya-Gebirge, durch dessen West-Ost-Achse die Halbinsel in zwei Gebiete geteilt wird. Im Gegensatz zu Nordindien ist Südindien relativ selten von fremden Eroberern überfallen worden; bis im 16. und 17. Jh. die europäischen Seemächte an ihre Küste kamen, festen Fuß faßten und allmählich die Oberherrschaft errangen. Seehandelsbeziehungen mit anderen Ländern jenseits der Meere existieren zwar seit über 2000 Jahren, aber die Kontakte waren hauptsächlich Handelsbeziehungen, und die Veränderungen, die sie für das Leben des Volkes brachten, waren von geringer Bedeutung.

Von weit größerer Bedeutung für den Lebensstil der Südinder waren die Einflüsse der Indoarier und der von ihnen dominierten Kultur, die von der Gangesebene ab 1500 v. Chr. auch in den Süden gelangte, in dem sich zunächst Stammesfürstentümer entwickelt hatten. Als diese sich langsam in Staaten verwandelten, nahmen sie die fortgeschrittene Entwicklung Nordindiens gerne als Vorbild.

Die Topographie

Die Form Südindiens gleicht einem Dreieck. Südlich des Vindhya-Gebirges fließen zwei mächtige Flüsse – die Nar-

Vorherige Seiten: Bharata-Natyam-Tänzerinnen. Ein Fischerboot aus Weidengeflecht, Karnataka. Dorfszene in der Nähe von Poona. Chowpatty Beach (Bombay). Maharaja-Pracht in Mysore. Links: Relief-Figur aus dem 8. Jh., Pattadakal.

mada, die westwärts in das Arabische Meer mündet, und die Mahanadi, die ostwärts fließt; ihre Fluten ergießen sich bei Orissa in den Golf von Bengalen. Diese beiden Flüsse und das Vindhya-Gebirge werden als die natürliche und traditionelle Nordgrenze Südindiens angesehen, zumal diese zwei in ihrer Kultur abweichende Regionen trennt. Zwei weitere Gebirge sind an der Bildung des Dreiecks beteiligt: die West-Ghats, die nördlich von Bombay beginnen und entlang der Westküste bis hinab zur Spitze des Subkontinents verlaufen, und die Ost-Ghats. Diese Bergkette erstreckt sich von Orissa an der Ostküste bis hinunter nach Madras, wo sie in südwestlicher Richtung abknickt und schließlich in den Nilgiri-Bergen mit den West-Ghats zusammenstößt. Dieses Gebirge erreicht im Norden eine Höhe von 700 Metern und ist in den Nilgiri-Bergen fast 3000 Meter hoch; nur wenige Bergpässe verbinden den schmalen Küstenstreifen mit dem südindischen Hinterland.

Die Ost-Ghats sind relativ niedrig und von unterschiedlicher Höhe. Zwischen den beiden Gebirgen liegt das Dekkan-Hochland (Dekkan ist vom Sanskritwort dakshin abgeleitet und bedeutet südlich). Die meisten der großen Flüsse Südindiens, wie beispielsweise die Godavari, die Krishna und die Kaveri entspringen im Westen des Landes und fließen in östlicher Richtung über das Hochland, durch die Täler der Ost-Ghats hindurch, bis sie in den Golf von Bengalen münden. Seit alters her heißt die Ostküste Koromandel (Cholamandala, „das Gebiet der Cholas") und die Westküste Malabar.

Der Südwest-Monsun bringt starke Niederschläge in die West-Ghats, wo sich die Wolken in Kerala und in der Konkan-Region abregnen. Die Gebiete unmittelbar östlich des Gebirges hingegen sind recht niederschlagsarm. Von Oktober bis Dezember zieht der Nordost-Monsun mit seinen gefürchteten Wirbelstürmen die Ostküste entlang; dennoch ist die Koromandel-Küste im Vergleich zur Westküste regenärmer. Alles in allem ist das Klima Südindiens einheitlich und gemäßigt. Die Temperaturen liegen zwischen 20 °C und 30 °C, können allerdings im Landesinneren auf 40 °C steigen.

Schon seit über 2000 Jahren ist die Südwestküste Indiens bekannt für ihren Reichtum an Gewürzen, namentlich dem Pfeffer, der einmal kostbarer als Gold war. Dichte Wälder bedecken die Berge der West-Ghats; Kennzeichen der Malabar-Küste sind das Teak- und Rosenholz, das des Mysore-Hochlandes ist Sandelholz. Das Nilgiri-Gebirge eignet sich für Tee- und Kaffeeplantagen, während man auf dem fruchtbaren Boden des südlichen Dekkan-Hochlandes, in Tamil Nadu und Kerala ausgedehnte Reisfelder findet. Außerdem wird in Südindien Zuckerrohr, Baumwolle und Tabak angebaut. Trotz allem ist der größte Teil des Hochlandes zu felsig, um landwirtschaftlich genutzt zu werden.

Die Eisenzeit

Südindien ist seit dem Paläolithikum von Menschen besiedelt. Überall konnten Steinwerkzeuge der damaligen Bevölkerung gefunden werden, die allerdings jünger sind als die der nordindischen Frühbevölkerung. Eine plötzliche Veränderung erfuhr Südindien um das erste Jahrtausend v. Chr., als immer mehr Eisenwerkzeuge und -waffen in Umlauf kamen. Diese Phase fiel in etwa zusammen mit der Schlußphase der Harappa-Kultur in Nordindien, die ihre Blütezeit zwischen 3000 und 2000 v. Chr. erlebt hatte. Inwieweit die Menschen jener Indus-Kultur mit der indischen Urbevölkerung, den Drawidas, verwandt waren, hat die Wissenschaft noch nicht klären können; auch die Schrift der Harappa-Kultur ist noch nicht entziffert.

Rechts: Ein Tempel-Brahmane mit dem Vishnu-Symbol auf der Stirn.

Der Gebrauch eiserner Dreizacke, Speere und Schwerter und der Einsatz von Pferden brachte eine gewisse Überlegenheit im Kampf mit sich und erleichterte eine schnelle Besiedlung. Der Ursprung des Volkes jedoch, das in solch großer Zahl in den Süden strömte, ist noch immer nicht erforscht. Es gibt neben dem Gebrauch von Eisenwerkzeugen und Pferden einen weiteren Aspekt, in dem sich die Eisenzeitmenschen von ihren Vorgängern im Süden und ihren nordindischen Zeitgenossen unterschieden: Sie hinterließen der Nachwelt eine Unzahl an Megalithen, Großsteingräber, die in ihrer Form völlig unterschiedlich sein können. In einigen Gräbern lagen Skelette, während man in anderen Gedenkstätten Töpferwaren und andere Gegenstände fand. Der Brauch, Megalithgräber zu errichten, war in Südindien dermaßen verbreitet, daß man heute noch auf Tausende von ihnen stößt.

Die Menschen, die sich dank der Eisenwerkzeuge in Südindien behaupten konnten, sind wahrscheinlich identisch mit den Drawidas, also der Urbevölkerung Nordindiens, von der man annimmt, daß sie aus dem Kaukasus stammt und sich über Belutschistan und den Punjab südwärts ausbreitete. Für diese These sprechen die erwähnten Megalithmonumente und die Sprache, Brahmi, die der Sprache der Drawidas in Belutschistan ungemein ähnlich ist. Ein anderes Merkmal dieser Menschen war die Herstellung von bestimmten Töpferwaren, die rote Außenwände und schwarze Innenwände hatten. Dieselbe Keramikart kennt die Archäologie auch aus dem Ägypten des dritten Jahrtausends v. Chr., weshalb einige Wissenschaftler die Einwanderung der Eisenzeitmenschen nach Südindien über den Indischen Ozean in Erwägung ziehen.

Untersuchungen der Skelette ergaben, daß damals bereits verschiedene Völker existierten; von den Proto-Australoiden, die lange Köpfe und breite Nasen hatten,

Geschichte und Kultur

stammen die heute noch lebenden Ethnien der Chencus, Malayen und Kurumbas ab. Andere in Indien vertretene Völker, seien es negroide, proto-mediterranoide oder armenoide, lassen verschiedene Einwanderungswellen vermuten.

Die Indoarier in Südindien

Die geschichtlichen Quellen legen nahe, daß die Einbindung Südindiens in die indoarische Kultur weitgehend auf friedlichem Wege geschah. Einerseits expandierten die arischen Einwanderer ab 1500 v. Chr. von Nordindien immer weiter in die kaumbesiedelten Gebiete Zentralindiens hinein, andererseits wurden Brahmanen und andere Spezialisten von aufstrebenden südindischen Stammesfürsten eingeladen, denen sie zivilisatorisches Wissen brachten über Religion, Gesellschaftsordung, Ackerbau etc. Diese Ausbreitung war ein langsamer Prozeß, der sich über Jahrhunderte hinzog und der in Verbindung mit den einheimischen Kulturen verschiedene Regionalkulturen

hervorbrachte; Mythen in den alten Sanskrit- und Tamiltexten erzählen davon. Uns heute erscheint der Wandel, der damals stattfand, tiefgreifend; das liegt jedoch auch daran, daß alle unsere Schriftquellen von Brahmanen stammen, die sich selbst als Kulturbringer sahen und die einheimische Komponente vernachlässigten. Auch die Schriftsprache, das Sanskrit, stammte aus dem Norden, genau wie alle religiösen Schriften, wie zum Beispiel die Veden, die die südindische Bevölkerung mit einer für sie völlig andersartigen Weltanschauung und einer neuen Götterwelt konfrontierten – mit Göttern wie Agni, Varuna, Rudra (Shiva) und Prajapati (Vishnu). Bald jedoch fand ein Anpassungsprozeß an die einheimischen Bedingungen statt, viele der heute wichtigen Götter, wie z. B. Shiva, haben ihren Ursprung in der Stammeskultur, von wo sie als beim Volk beliebte Götter nach und nach auch in den schriftlichen Hochhinduismus Eingang fanden. Es entstand eine unverwechselbare Kultur, die bis heute fortbesteht.

Die gesellschaftliche Aufspaltung in Kasten geht ebenfalls auf die Indoarier zurück: Die eingewanderten Brahmanen stellten sich getreu den Schriften an die Spitze und gestanden den einheimischen Fürsten und Kriegern den zweithöchsten, den Kshatriya-Status zu. Die meisten anderen Bewohner Südindiens mußten sich mit der Zuweisung zur untersten Stufe, der Shudra-Kaste, zufriedengeben. Diese Einteilung ist jedoch sehr schematisch. Heute gibt es Tausende von Kasten, die oft nur auf lokaler oder regionaler Ebene bestehen.

Neben den Veden brachten die Arier zwei weitere bedeutsame Schriften mit, zwei Epen: das *Mahabharata* und das *Ramayana*, die auch heute noch nicht aus dem indischen Geistesleben wegzudenken sind. Das Ramayana, das die Geschichte des Prinzen Rama, seine Verban-

Oben: Das antike, eng mit dem Ramayana verknüpfte Pampatira, Hampi. Rechts: Eine buddhistische chaitya (Gebetshalle) in den Kanheri-Höhlen bei Bombay.

nung aus dem Ayodhya-Reich und seinen Sieg über den Dämonen-Herrscher von Sri Lanka erzählt, stellt in poetisch verbrämter Form die Ausbreitung nordindischer Kultur nach Südindien dar. Der Einfluß der Indoarier in Indien war nachhaltig, doch wirkte er sich im Süden anders als im Norden aus. In die Indus- und Ganges-Ebenen drangen immer wieder neue, seit dem 10. Jh. n. Chr. besonders muslimische Völkerschaften ein und beeinflußten hier die kulturelle und gesellschaftliche Entwicklung. Die Regionen südlich des Vindhya-Gebirges jedoch blieben relativ verschont, so daß die hinduistischen Regionalkulturen sich hier in Ruhe entwickeln konnten.

Buddhismus und Jainismus

Zwei weitere Ereignisse spielten sich in Nordindien ab, die nachweislich starken Einfluß auf den Süden hatten. Ende des 6. Jh. v. Chr. hörten die Menschen der Ganges-Ebene die Worte des Prinzen Siddharta, der in der ganzen Welt als

Buddha, der Erleuchtete, bekannt ist. Er forderte die Menschen auf, einen neuen Lebensweg zu beschreiten, um den ewigen Kreislauf von Tod und Wiedergeburt, die Ursache immerwährenden Leidens, zu durchbrechen. Seine Lehre richtete sich an jeden Einzelnen, ungeachtet seiner Kastenzugehörigkeit und unabhängig von den brahmanischen Priestern; sein eigener Lebensweg und die Weisheit, die aus seinen Lehren sprach, zog viele Menschen an. Damit seine Lehre Unterstützung fand und überall verbreitet werden konnte, gründete Buddha einen Mönchsorden, den Sangha.

Mahavira, der etwa um das Jahr 540 v. Chr. geboren wurde, war ein Zeitgenosse Buddhas und Gründer des Jainismus. Diese Glaubensrichtung ist strenger asketisch ausgerichtet, und das Fundament des Jainismus ist das Bekenntnis zur Gewaltlosigkeit. Ihre Anhänger glauben, daß nur Gewaltlosigkeit und einfachste Lebensweise die menschliche Seele reinigt; das ganze Streben der Jainas gilt der Reinigung der Seele, kraft derer der

Mensch ewige Seligkeit erlangen wird. Da die Anhänger des Jainismus den Begriff der Gewaltlosigkeit (*ahimsa*) sehr weit auslegten, Bauern aber z. B. beim Pflügen Würmer töten, blieben ihnen neben dem Handel nur noch wenig andere Berufe, die sich mit ihrem Glauben vereinbaren ließen.

Mönche

Mönche, Händler und Krieger wanderten auf denselben Wegen in den Süden. Es gibt Legenden, die die Ausbreitung des Buddhismus und Jainismus erklären. Wichtig für den Jainismus war die Südindienreise eines ihrer Mönche, Bhadrabahu, der von Chandragupta begleitet wurde, einem Herrscher der Maurya-Dynastie im 3. Jh. v. Chr. Sie gelangten nach Sravanabelgola in Karnataka, wo sie beide starben und das bis heute ein Zentrum des Jainismus ist. Dieser Glaube wirkte nachhaltig auf die Händler und Kaufleute ein, dank denen sich der Jainismus bis in die abgelegensten Regionen Südindiens,

SÜDINDIEN

einschließlich Tamil Nadu, ausbreiten konnte. Viele Kaufleute gaben den jainistischen Glaubenszentren, die sich um die wichtigsten Städte des ursprünglichen Tamilen-Reiches konzentrierten, großzügige Spenden.

Auch die Lehre Buddhas fand in der Schicht der Händler und Kaufleute ihre größte Resonanz und erlebte im 3. Jh. v. Chr. während der Herrschaft Ashokas einen Aufschwung.

Ashokas Wandlung

Schon in den frühen Jahren seiner Herrschaft regierte Kaiser Ashoka über ganz Indien – abgesehen von einem Teil Tamil Nadus. Die Herrschaft über fast den gesamten Subkontinent war in der Geschichte Indiens einmalig und wurde erst 2000 Jahre später unter dem Mogulherrscher Aurangzeb wieder erreicht. Die Eroberung Kalingas (im heutigen Orissa) löste die entscheidende Wende in der Politik Ashokas aus, woraufhin sich das religiöse Empfinden der ganzen Gesellschaft änderte.

Das Blutvergießen im Krieg um Kalinga hatte Ashoka nachdenklich gemacht. Er entschied, ab sofort neue Gebiete nicht mehr durch Kriege, sondern nur kraft Überzeugung und mit Hilfe des Buddhismus, zu dessen Anhängern er gehörte, zu gewinnen. Nachdrücklich wies er in seinen Verordnungen darauf hin, daß er keinen Krieg mehr führen werde. Die Boten, die seine Edikte im ganzen Lande verbreiteten, propagierten gleichzeitig den *dharma* Buddhas, die Lehre von einem Leben in Rechtschaffenheit und religiöser Toleranz. In dieser Epoche entstanden so eine Anzahl buddhistischer Stupas in Maharashtra, Karnataka und Andhra.

Die Edikte Ashokas fand man in Stupas – diese Bauwerke dienen der Aufbewahrung von Reliquien – in Andhra und Karnataka. Er selbst baute einen großen Stupa in Kanchipuram bei Madras. Den Verordnungen kann man entnehmen, daß der südliche Subkontinent, der von den Cholas, Pandyas, Kerala putras und Satya putras regiert wurde, Ashoka wohlgesonnen gegenüberstand.

Freilich konnte der Buddhismus in den Gebieten, die nicht unmittelbar Ashokas Herrschaft unterstanden, nicht eine so große Bedeutung erlangen wie in dem von ihm regierten Großteil des Landes. Dementsprechend findet man, verglichen mit Andhra, Karnataka oder Orissa, nur wenig frühbuddhistische Kunst südlich von Kanchipuram.

Als Ashoka starb, hatte der Buddhismus enormen Einfluß erlangt. In Dhauli im Bundesstaat Orissa fand man elf Edikte Ashokas, von denen eines die entscheidende Erklärung des Herrschers enthält: „Devanamapriya (Ashoka), den Eroberer von Kalinga, plagt das schlechte Gewissen. Er fragt sich, ob die Eroberung Kalingas tatsächlich ein Gewinn war angesichts des Mordens, des Blutvergießens und der Vertreibung der Menschen. Das betrübt Devanamapriya und er bedauert, was geschehen ist. Der Verlust von Hunderten, ja Tausenden von Menschen, die während des Krieges um Kalinga getötet oder verschleppt worden sind, schmerzt ihn. In Zukunft wird er selbst den Menschen gegenüber, die ihm nicht wohlgesonnen sind, Toleranz üben. Er hofft inbrünstig, daß sich keine Menschen mehr verletzen und daß sich jeder selbst beherrschen kann, daß man sich gegenseitig achtet und glücklich miteinander lebt. Für ihn, Devanamapriya, zählt ein rechtschaffenes Leben als höchstes Gut."

Neben der Verbreitung des Buddhismus ist Ashoka auch für die Einführung der Brahmi-Schrift verantwortlich, die für Dokumente benutzt wurde. Ihren Ursprung hat die Wissenschaft noch nicht eindeutig geklärt; da Ashoka mit Gebieten, die heute in etwa dem Iran entsprechen, in Verbindung stand, nimmt man

Rechts: Stille umgibt diesen schlafenden Buddha in den Ajanta-Höhlen.

eine Verwandschaft mit dem Aramäischen an. Wo auch immer die Herkunft liegen mag, nach der piktographischen Schrift der Indus-Kultur war dies die zweite Schrift auf dem Subkontinent. Sie wurde schließlich in ganz Indien geschrieben, von Kashmir im Norden bis nach Kanniyakumari im Süden. Sie bildet die Basis für alle heute noch verwendeten Schriften Indiens einschließlich des Tamil und des Malayalam.

Die Satavahana-Dynastie

Nur kurze Zeit nach der Herrschaft Ashokas, der der Maurya-Dynastie angehörte, erklärte das Geschlecht der Satavahanas seine Unabhängigkeit. Sie regierten über Maharashtra, Madhya Pradesh, Karnataka, Andhra und die Grenzgebiete von Kalinga vom 2. Jh. v. Chr. bis zum 2. Jh. n. Chr. Unter ihnen kam es zu einer Blütezeit der Kunst, der Literatur und der Philosophie. Die Satavahana-Könige waren Anhänger des Hinduismus, dessen Glaubensquellen die Veden sind, und sie führten Opferrituale ein, unter anderem das *Asvamedha*, das Pferdeopfer. Ihre Weltanschauung war jedoch sehr offen, und dem Buddhismus gegenüber waren sie tolerant eingestellt. Sie ließen z. T. ihre Ehefrauen Stiftungen an buddhistische Klöster durchführen, sicher nicht ganz ohne politische Absicht. Ihre erste Hauptstadt dieser Dynastie war Paithan (Prathishtanapura) in Maharashtra, sie wurde jedoch bald nach Dhanyakataka (Amaravati) in Andhra Pradesh verlegt. Am Hof sprach man aus dem Sanskrit abgeleitete Prakritdialekte, die später zu einem vornehmen Ausdrucksmittel der Literatur – genannt Maharashtri – wurden. Die neueingeführte Brahmi-Schrift gab den Satavahanas und ihren Händlern die Möglichkeit, königliche Erlasse zu dokumentieren. Was vorher nur dem königlichen Geschlecht vorbehalten war, wurde nun für alle verfügbar, und die vielen Schriftstücke dokumentieren noch heute

die Weltanschauung dieser Menschen.

Die Satavahanas förderten den Handel mit der westlichen Welt, namentlich dem römischen Reich, mit dem sie auch um die Kunstfertigkeit in der Münzprägung wetteiferten. Auf die Vorderseite aller Münzen kam das Porträt eines Herrschers und auf die Rückseite das Reichsemblem, im Falle Indiens ein Pferd oder ein Elefant. In Nordindien manifestierte sich in der buddhistischen Kunst allmählich der Einfluß Griechenlands, später dann auch in Südindien, wo bereits die römische Bildhauerei die buddhistische beeinflußt hatte. Bei der Betrachtung der Skulpturen fällt Sie ließen z. T. ihre Ehefrauen Stiftungen an buddhistische Klöster durchführen, sicher nicht ganz ohne politische Absicht. Die auf, daß offenbar der römische Kleidungsstil die Mode an den indischen Höfen beeinflußt hatte.

Während der Herrschaft der Satavahanas erreichte die buddistische Kunst ihren Höhepunkt in Maharashtra. Es wurden zahlreiche buddhistische Klöster (*viharas*) und Gebetshallen (*chaityas*) in den Bergen von Maharashtra gegründet, unter anderem in Ajanta, Kanheri, Bhaja und Kondane. Die buddhistischen Mönche, für die die ersten Höhlen geschaffen wurden, gehörten der Hinayana-Glaubensrichtung an. Sie stellten Buddha zunächst nur in Form von Symbolen dar, erst in den späteren Höhlenklöstern und Gebetshallen wurde Buddha in seiner menschlichen Gestalt abgebildet. Nie wurden die Arbeiten an diesen Glaubenstätten ganz fertiggestellt, immer wieder wurden Änderungen vorgenommen, und so baute man insgesamt über 800 Jahre daran. An ihnen können wir heute die buddhistische Architektur, Bildhauerei und Malerei verschiedener Epochen studieren. Die wohl berühmtesten Malereien sind die in den Höhlen von Ajanta, die in zwei verschiedene Epochen fallen. Die Malereien der ersten Epoche sind in den ersten zwei Jahrhunderten v. Chr. unter der Schirmherrschaft der Satavahanas entstanden, während die späteren, aus dem fünften und 6. Jh. n. Chr, auf die Vakataka-Dynastie zurückgehen.

Der große Stupa von Dhanyakataka (heute Andhra Pradesh) wurde als Mahachaitya bekannt. Während die buddhistischen Stupas in ganz Indien eine ähnliche Struktur haben, heben sich die Stupas in Andhra Pradesh von diesen durch ein auffälliges Merkmal ab: An den fünf Haupteingängen errichtete man je eine Säule, *ayaka*-Säulen genannt. Sie symbolisieren die fünf Lebensstationen von Buddha: seine Geburt, seine Zeit des Suchens und der Entsagung, seine Erleuchtung, seine erste Predigt und seinen Eintritt ins Nirwana. Der typische Stupa ist kuppelförmig, und der kreisrunde Grundriß soll an das Rad des rechtschaffenen Lebens, das sinnbildlich für Buddha steht, erinnern. Der Stupa beherbergt entweder ein Relikt Buddhas, einen von ihm benutzten Gegenstand oder aber eine kleine Gedenkschrift. Die Relikte werden neben goldenen Blättern, wertvollen Edelsteinen oder buddhistischen Emblemen in kristallenen Schatullen aufbewahrt, die wiederum in steinernen Kästen lagern. An den Seitenwänden weisen Gravuren auf die Art des Inhalts und auf den Stifter hin. Der eigentliche Stupa besteht aus Ziegelsteinen; seine Außenseite ist mit Steinplatten verkleidet und wird von einem hölzernen oder steinernen Zaun umfriedet, auf dessen Innenseite reliefartig Szenen aus dem Leben des Buddha oder aus buddhistischen Legenden dargestellt werden. Die meisten der geschnitzten Friese tragen Stifterinschriften, die einen tiefen Einblick in die zeitgenössische Gesellschaft geben. Der Stupabau erlebte seine Blütezeit unter den Satavahanas in Amaravati.

Zahlreiche buddhistische Stupas und Skulpturen entstanden in den ersten drei Jahrhunderten n. Chr., als in Andhra Pradesh der Buddhismus vorherrschte. Die Klöster wurden zu religiösen Zentren, die Gelehrte aus ganz Indien, China, dem Nahen Osten und Sri Lanka anlockten. Dort

Links: Detail einer Skulptur im Mallikarjuna-Tempel, Pattadakal.

wurde buddhistische Philosophie gelehrt, die Beschaffenheit der Wirklichkeit und das Entkommen aus einem als leidvoll empfundenen Dasein. Obwohl der Buddhismus allmählich zurückging und in späteren Jahren ganz verschwand, beeinflußt sein Erbe auch weiterhin die Menschen in Andhra Pradesh.

Die literarischen und philosophischen Schriften, die uns erhalten geblieben sind, offenbaren die Epoche der Satavahana-Dynastie als eine schöpferische Periode. Wenigstens vier Schriften müssen erwähnt werden.

Als erstes zu nennen sind die *Sattasai* von Hala, der seine 700 Verse im 2. Jh. v. Chr. schrieb, meisterhafte Gedichte über die Liebe und andere weltliche Themen, die das einfache Leben der Landbevölkerung aufgreifen, ohne dabei den Reiz des Stadtlebens zu vernachlässigen. Die Sattasai, die in Maharashtri-Prakrit geschrieben sind, stellen ein hervorragendes Beispiel für die Literatur des alten Indien dar.

Die zweite Sammlung von Geschichten bildet das sogenannte *Panchatantra*, das in Sanskrit geschieben ist, ursprünglich als eine Art „Knigge" für die Fürsten gedacht. Die fesselnd geschriebenen Erzählungen und Märchen, aufgezeichnet von Hof-Dichtern, schildern das Leben der damaligen Zeit. Diese literarische Sammlung wurde noch vor 570 n. Chr. ins Pahlavi übersetzt, später ins Syrische und Arabische. In Indien tauchten im Laufe der Jahrhunderte diese Erzählungen immer wieder in gekürzter Form auf.

Auf wiederum nur einen Autor geht das dritte Beispiel, die *Brhad Katha*, zurück, die der Dichter Gunadhya in Paisaci Prakrit geschrieben hat. Er wurde in Paithan, der Hauptstadt der Satavahanas, geboren, und man sagt, er sei ein Günstling der Satavahanas gewesen. Angeregt wurde er durch das Ramayana, durch buddhistische Legenden und durch Seefahrer- und Abenteuergeschichten aus fernen Ländern. Leider ist der Originaltext verschollen, doch sind uns Abschrif-

ten erhalten geblieben. Das vierte Beispiel ist eine philosophische Abhandlung des buddhistischen Denkers Nagarjuna. Diese vier literarischen Werke sind wertvolle Zeugnisse einer besonders schöpferischen Epoche des Dekkan-Hochlands.

Die Regierungszeit der Satavahanas war auch in jeder anderen künstlerischen Hinsicht fruchtbar. Besonders die Bildhauerei erlebte eine Blütezeit, namentlich in Amaravati, wo der bedeutendste Stupa vergrößert und neu gestaltet wurde. Die damalige Darstellung des menschlichen Körpers bleibt unübertroffen. Auf einzigartige Weise wußten die Künstler die fließenden Linien des Körpers herauszuarbeiten. Durch ihre Figurenkomposition und die Ausnutzung des Raumes erreichten sie eine realistische Darstellung, in der sich das Seelenleben und der Gefühlszustand des Abgebildeten offen dem Betrachter zeigen – sei es in dem fröhli-

chen Treiben der Zwerge oder in der alles überragenden Buddhafigur. Die Skulpturen erinnern an Elfenbeinschnitzereien. Auch von den Eingängen der Stupas in Sanchi, die ebenfalls unter der Ägide der Satavahanas geschaffen wurden, kennt man diese Art von Steinmetzkunst.

Die Sangam-Epoche

Das Zeitgeschehen in Südindien zwischen dem 2. Jh. v. Chr. und dem 2. Jh. n. Chr. wird, nach dem Entstehen der ältesten überlieferten Tamil-Dichtung (siehe Seite 32), Sangam-Epoche genannt.

Der südlichste Teil Indiens – gemeinhin das Land südlich des Thirupati-Gebirges (nördlich von Madras) bis hin zur Westküste – wurde in dieser Zeit von drei Königshäusern regiert: den Cheras, den Cholas und den Pandyas.

Die Cholas regierten im Osten, die Cheras im Westen und die Pandya-Dynasten im südlichen Teil Tamils. Die Hauptstadt der Cheras lag nahe Karur im Trichur-Gebiet, doch ihre Herrschaft

Oben: Kämpfende Krieger, Detail eines Tempelfrieses im Hoysala-Stil.

breitete sich durch die Palghat-Schlucht in den West-Ghats bis zur Westküste aus. Nach dem 7. Jh. n. Chr. beschränkte sich ihr Einfluß hauptsächlich auf die Westküste, wo eine eigenständige Regionalkultur entstand. Während der Sangam-Epoche pflegten die Cheras enge Beziehungen zu den Satavahanas des Dekkan-Hochlandes.

Die Hauptstadt der Cholas hieß Uraiyur, heute ein Vorort Trichurs. Der bekannteste Herrscher der frühen Chola-Dynastie war Karikala, der das Königreich bis nach Kanchipuram erweiterte. Mit den Herrscherhäusern in den Nachbarstaaten betrieb er eine geschickte Heiratspolitik – spätere Nachkommen dieser Häuser brüsteten sich als Abkömmlinge Karikalas. Er war ein Anhänger des Hinduismus und dessen Opferrituale. Eine der Glanzleistungen Karikalas war der Bau eines Deiches entlang des Flusses Kaveri, der einer kontrollierten Bewässerung der angrenzenden Felder diente. Die dadurch erhöhten landwirtschaftlichen Erträge bzw. Gewinne füllten wiederum die königlichen Schatzkammern. Der Haupthandelshafen des Chola-Königreiches lag an der Mündung des Kaveri: Kaveripumpattinam, das auch Poompuhar genannt wurde.

Die Pandya-Dynastie

Die Pandya-Herrscher regierten mehr als 1500 Jahre lang die Südspitze Indiens; ihre Herrschaft begann wenige Jahrhunderte v. Chr. und währte bis zum 13. Jh. – in der Geschichte Indiens eine einmalige Tatsache.

Die Hauptstadt der Pandya war Madurai. An der Mündung der Tamraparni lag Korkai, der bedeutenste Hafen des Reiches, der sogar im Mahabharata erwähnt wird. Bekannt wurde er durch seine kostbaren Perlen. Gleich den anderen Dynastien des Tamil waren auch die Pandyas Anhänger des Hinduismus, und einer ihrer Könige praktizierte so viele Opferrituale, daß er den Ehrentitel Palyagasala bekam.

Wie bereits weiter oben angesprochen, fiel der Buddhismus südlich des Dekkan-Hochlandes auf weniger fruchtbaren Boden, der Jainismus hingegen konnte an den fürstlichen Höfen Fuß fassen. In den Urkunden werden jainistische Mönche erwähnt, die im Umland der Hauptstädte in Steinhütten lebten. Sie erhielten immer wieder Schenkungen von den Pandyas, die selbst Hindus waren. Da die sittenstrengen Werte der Jainas ihren Anhängern eine nur beschränkte Berufswahl ließen, wurden die Jainisten häufig Kaufleute, die mit Gold, Metall, Getreide oder Baumwolle handelten.

Aufgabe des Königs war es, das Reich nach außen hin zu schützen und innerhalb der Grenzen für ein harmonisches Zusammenleben zu sorgen. Aber eigene politische Vorstellungen konnte er nur selten in die Tat umsetzen, denn die Landespolitik machten Minister und Ratgeber, indem sie den König geschickt beeinflußten. Diese Ratgeber, zu denen hervorragende Poeten gehörten, waren häufig angesehener als der König selbst.

Jede Stadt, jedes Dorf, jeder Tempel und jeder Palast wurde zunächst von Architekten entworfen und dann von Facharbeitern, die die detaillierten Angaben auf den ausgearbeiteten Plänen verstanden, ausgeführt. Jede einzelne Siedlung hatte ihre öffentlichen Plätze, auf denen sich die Bevölkerung zum Müßiggang traf und wo die Probleme der Politik und des Alltags besprochen werden konnten. Die Gesellschaftsordnung war streng hierarchisch: Jede soziale Schicht und Zunft lebte in ihrem eigenen Viertel. Der Handel florierte, und der Kaufmannsstand war wohlhabend. Die Menschen waren sich darüber im klaren, daß der Wohlstand unmittelbar von der Landwirtschaft und damit natürlich von der Arbeit der Bauern abhängig war. Dementsprechend wurde das Bauerntum gewürdigt und die Landwirtschaft effizient organisiert.

Staatliche Finanzverwalter trieben Steuern und Zölle ein. Für Bewässerungsstaubecken waren Wächter verantwortlich, die den einwandfreien Zustand der Dämme überwachten; Hochwasserzeiten waren Krisenzeiten. Im Heer wurden Elefanten, Pferde sowie Streitwagen eingesetzt, und der König persönlich führte das Heer in die Schlacht.

Die Tempel wurden den hinduistischen Göttern geweiht; tagtäglich wurden ihnen Opfer gebracht, und ihre Statuen wurden nachmittags in einer Prozession durch die Straßen getragen. Bevor eine neue Siedlung angelegt wurde, mußte der Tempel errichtet sein.

Die Sangam-Literatur

Der Alltag dieser Gesellschaft wurde lebensnah in einer Schriftensammlung festgehalten, die man unter der Bezeichnung Sangam-Literatur kennt. Sie beinhaltet insgesamt 2239 längere und kürzere Gedichte, verfaßt von Dichtern und Dichterinnen, von denen einige sogar Könige waren. Die Themen der meisten Verse sind weltlicher Natur und beschreiben Heldentaten, Eroberungen und Wohltaten der Könige und Adligen, deren tatsächliche Existenz man heute anhand anderer Urkunden nachweisen kann. Die faszinierenden Verse, nachweisbar vom 2. Jh. v. Chr. bis zum 2. Jh. n. Chr. geschrieben, geben ein lebendiges Bild der damaligen Gesellschaft wider. Eine Gruppe von tamilischen Dichtern, der sogenannte Tamil Sangam, lebte am Hofe der Pandyas, wo sie gemeinsam beurteilten, ob die Gedichte den klassischen Regeln entsprachen. Dies war eine Bedingung für jeden Poeten, um anerkannt zu werden.

Man kennt drei Sangam-Dichterschulen, wobei die Gedichte der ersten beiden verloren gegangen sind, die Sammlung der dritten jedoch existiert noch heute. Die Sangam-Literatur, entstanden vom 3. Jh. v. Chr. bis zum 3. Jh. n. Chr., bildet einen Meilenstein der indischen Kultur, so

Oben: Ein farbenfrohes Opfer an Shiva im Mahakuta-Tempel, Karnataka.

daß man von der Sangam-Epoche spricht.

Unter den Sprachen Indiens hat neben dem Sanskrit auch das Tamil eine eigenständige Literatur geschaffen, die mittlerweile auf eine zweitausendjährige Geschichte zurückblicken kann, von der allerdings vieles verloren gegangen ist. Das Thema zahlreicher Verse ist die Liebe, wobei die Handlung in die jeweilige Landschaft eingebunden wurde. Die Literaturwissenschaft unterscheidet zwei Kategorien von Sangam-Gedichten: Auf der einen Seite stehen die *Puram*, eine Sammlung von Heldengedichten, und auf der anderen Seite die *Aham*, in der die Gefühle der Helden und Heldinnen Mittelpunkt der Dichtung sind. Eine frühere Klassifizierung hatte die Verse nach der jeweiligen Landschaft, in der die Handlung spielte, unterschieden: Man unterteilte in die Dichtung der Berge, der Wälder, der fruchtbaren Ebenen, der Küste und der Wüsten. Der Hintergrund jeder Liebesgeschichte der Aham-Dichtung wechselt und kann von jeder der fünf Landschaften gebildet werden. Die Handlung selbst aber bleibt in ihren Grundzügen dieselbe. Es ändern sich nur die Fauna und Flora, das Brauchtum, und eine andere regionale Sozialordnung modifiziert das Geschehen.

Das Tamil wurde durch den Weisen Agastya, der vor langer Zeit in den Süden kam, verbessert. Eine Grammatik aus den vorchristlichen Jahrhunderten, die *Tolkappiam*, ist uns erhalten geblieben. Sie geht auf das Tamil in drei Aspekten ein: auf die Silben, die Wörter und ihre Semantik. Nennenswert ist auch ein Werk namens *Thirukkural* des Heiligen Thiruvalluvar, das etwa im 1. Jh. v. Chr. geschrieben wurde. In über 3300 Versen greift der Autor die Politik, das Verhalten der Menschen und die Liebe als Themen auf. In gewisser Weise stellt das Thirukkural eine Sammlung von Verhaltensregeln dar, die die Menschen Südindiens in den nächsten 2000 Jahren nachhaltig beeinflussen sollte.

Kontakt mit den Römern

Ein wichtiger Kontakt mit einer Gesellschaft außerhalb des Subkontinents war der mit dem römischen Imperium in den ersten zwei Jahrhunderten n. Chr. Die Römer selbst nannte man „Yavanas" nach den Ioniern, die damals in Ägypten siedelten. Seit Beginn des christlichen Zeitalters kamen Schiffe nach Barygaza (Broach) in Gujarat, um von dort die Westküste bis zum Königreich der Chera entlangzusegeln. Danach umschifften sie Kap Komorin, kamen durch Colchi und gelangten schießlich an die Küste der Chola-Dynastie mit ihrem Hafen Poompuhar. Viele der römischen Münzen und Kunstgegenstände in Indien wurden im Süden, einschließlich dem Hochland von Dekkan, gefunden. In mindestens drei Schriften der europäischen Antike, u. a. bei Plinius, wird von römischen Schiffen gesprochen, die Waren nach Indien transportierten und von dort mit Pfeffer, Halbedelsteinen oder anderen Waren wiederkehrten. Dort heißt es auch, daß in Rom der Devisenabfluß wegen des Bedarfs an Luxusgütern zeitweilig bedrohliche Ausmaße annahm. Auch in der indischen Literatur finden sich Hinweise auf die „Yavanas". Römische Waren und Münzen hat man auch in Tigara (Ter) in Maharashtra gefunden, nahe der Hauptstadt der Satavahanas.

In Tamil Nadu fand man an den Standorten der alten Haupt- und Hafenstädte römische Silber- und Goldmünzen. Der berühmte Archäologe Sir Mortimer Wheeler grub in Arikamedu eine römische Siedlung aus, wo auch mediterrane Töpferwaren, Weingefäße und andere Gebrauchsgegenstände ans Tageslicht kamen. In Rameswaram fanden die Archäologen Töpferwaren, die in Tunesien während der römischen Herrschaft hergestellt wurden. Die Sangam-Dichtung berichtet von römischen Söldnern, die den tamilischen Königen als Leibwache dienten und Städte wie Madurai bewachten.

SÜDINDISCHE REICHE UM 850 N. CHR.

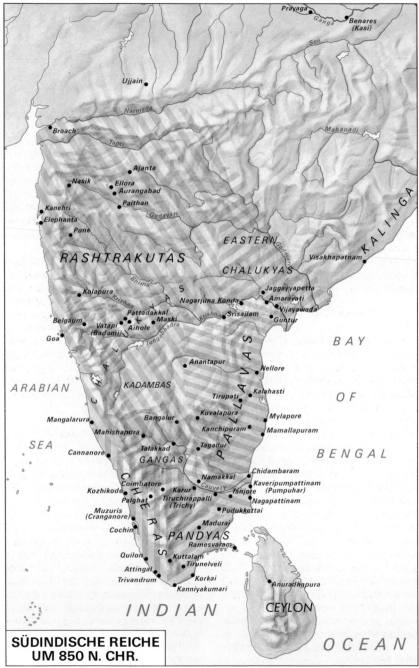

Die meisten Römer blieben jedoch nur so lange, bis das Handelsgeschäft mit den südindischen Kaufleuten abgeschlossen war.

Es existierte also schon damals eine direkte Seeverbindung zwischen dem Abendland und Südindien. Dank der Monsunwinde, die die Segler geschickt zu nutzen wußten, schaffte man die Überfahrt vom Roten Meer nach Muziris in etwa 40 Tagen.

Unbestreitbar beeinflußten die Yavanas stark die zeitgenössische tamilische Kunst, von der uns leider kaum ein Kunstwerk erhalten geblieben ist – vergleicht man die Quantität der Funde mit denen des Dekkan-Hochlandes. Möglicherweise – die Wissenschaft ist sich diesbezüglich uneins – hängt dies mit dem damals geringen Einfluß des Buddhismus in Tamil zusammen.

Monarchien entstehen

In den drei Jahrhunderten, die der Epoche der Satavahanas und der Sangams folgten, veränderte sich die politische und kulturelle Landschaft Südindiens. In Maharashtra errichteten die Vakatakas, die eng mit der Gupta-Dynastie des Nordens verbunden waren, ihre Herrschaft. Als Anhänger des Buddhismus förderten sie die Anlegung weiterer Höhlenklöster und Gebetshallen, von denen die schönsten in Ajanta entstanden sind. Von den Chalukyas stammen die Höhlentempel von Elephanta, in denen die ehrfurchtgebietende Skulptur, die Shiva in seiner dreifachen Gestalt darstellt, und zahlreiche riesige Reliefs, die Mythen veranschaulichen, als herausragende Leistung jener Epoche zu bewundern sind. Doch bahnte sich bereits ein Wandel an. Die vorher maßvoll gearbeiteten Skulpturen der Bildhauerei werden kraftvoller, bewegter und versuchen Größe und Erhabenheit auszudrücken.

Zu dieser Zeit tauchten in Karnataka zwei bis dahin unbekannte Herrscherge-schlechter auf: Im nordöstlichen Gebiet regierten die Kadambas und in der Region Mysore-Bangalore die Gangas. Der Gründer der erstgenannten Dynastie war Brahmane und wollte als gläubiger Hindu nach Kanchipuram pilgern, um dort aus dem Veda zu lernen. Als er jedoch die Grenze passieren wollte, bekam er handfesten Ärger mit den Grenzsoldaten und beschloß daraufhin, sein eigenes Königreich zu gründen. Die Kadambas verloren ihren Einfluß im 6. Jahrhundert durch den Aufstieg der Chalukyas. Die Gangas vermochten sich durch geschickte Heiratspolitik mit ihnen übergeordneten Mächten 800 Jahre lang zu halten. Ihr Machtgebiet reichte von den Ufern des Ganges bis nach Kaveri.

In Andhra Pradesh standen die Ikshvakus von Vijayapuri ganz in der Tradition ihrer Vorgänger. Sie förderten den Bau von Tempeln, die den hinduistischen Gottheiten gewidmet wurden. Diese Epoche war gekennzeichnet durch vedische Opferrituale, hinduistische Tempelanlagen und buddhistische Stupas mit ihren reliefartigen Verzierungen. Als dann der Buddhismus im Dekkan allmählich seinen Einfluß verlor, wurde die Kunst etwas schwerfälliger.

Tamilische Epen

Die Geschichte Tamils nach der Sangam-Epoche hat leider noch nicht in all ihren Einzelheiten erforscht werden können. Ein vages Bild offenbaren uns zwei großartige Epen jener Zeit: das *Silappadhikaram* und das *Manimekhalai*.

Das Silappadhikaram ist ein episches Gedicht, das von Ilangaodigal, einem Prinzen der Chera, geschrieben wurde und in den Königreichen der Chola, Pandya und Chera spielt. Es schildert das Leben der untadeligen Kannagi, der Ehefrau eines Kaufmanns, der sich in eine Tänzerin verliebt hatte. Nach der Romanze mit der Tänzerin kehrt der Kaufmann zu seiner Frau zurück und fällt durch seinen

35

Wohlstand im Reich der Pandyas auf. Da wird er zu Unrecht des Diebstahls eines Fußkettchens der Königin angeklagt und zur Strafe geköpft. Seine Ehefrau sinnt auf Rache, brennt die Stadt Madurai nieder und erreicht das Reich der Chera, wo sie Selbstmord begeht, um ihrem Gatten in den Himmel zu folgen. Der Chera-Herrscher Sunguttuvan, der von dieser Geschichte hörte, widmete der untadeligen Kannagi einen Tempel. Die Silappadhikaram ist Dichtung in Vollendung, menschliche Gefühle werden in ihrer ganzen Erhabenheit gezeigt. Dieses Epos bildet eine Fundgrube, will man sich ein Bild der damaligen Gesellschaft machen. Der Autor erzählt vom Leben der Kaufleute, Bauern, Jäger, Könige und deren Beamten, Priestern und Weisen, kurzum über das der Menschen aller gesellschaftlichen Schichten. Er berichtet über Politik und Religion, ohne Partei zu ergreifen,

Oben: Gläubige und Musikanten im Srinangam-Tempel, Tamil Nadu. Rechts: Der Chalukya Papanatha-Tempel aus dem 7. Jh.

und über den Glauben, ohne jede Bigotterie. Dennoch greift er seiner Zeit voraus, indem er in frommen Hymnen die hinduistische Götterwelt preist: Die folgenden Jahrhunderte sollten von tiefer Religiosität erfaßt werden. Darüber hinaus macht er detaillierte Angaben über die Errichtung von Tempeln, er spricht von den kulturellen Leistungen seiner Zeitgenossen, namentlich im Bereich der Musik und des Tanzes, die eine bedeutende Rolle gespielt haben.

Im Handlungsmittelpunkt des Manimekhalai-Epos, das mehr buddhistischer Natur ist, steht die buddhistische Nonne Manime Khalai, Tochter der Tänzerin aus der vorigen Geschichte. Insofern stellt dieses Epos eine Huldigung an das Silappadhikaram dar, doch im Gegensatz zu diesem ergreift das Manimakhalai Partei für den Buddhismus, der seinerzeit in Tamil Nadu erstarkte.

Neben diesen beiden Epen wurden noch weitere buddhistische, in Prakrit geschriebene Texte verfaßt, in deren Mittelpunkt das Leben Buddhas steht. Geistiges

Zentrum des Buddhismus war die Hafenstadt Kaveripumpattinam. Hier entstanden die *Jataka*-Erzählungen, hier fand man die *chaitya*- und die *vihara*-Erzählungen, wobei die ersteren eindeutig vom Einfluß des Fernen Ostens geprägt wurden.

Ein wichtiges politisches Ereignis am Ende des 3. Jh. n. Chr. war die Entstehung des Königreiches Pallava mit der Hauptstadt Kanchi. Das Herrschaftsgebiet umfaßte in etwa Tamil Nadu und die südlichen Gebiete von Andhra Pradesh und Karnataka. Seine Regenten bestimmten in den kommenden Jahrhunderten das kulturelle und politische Leben Südindiens.

Eine neue Epoche beginnt

Von 600 bis 900 n. Chr. erlebte Südindien eine neue Religiosität und sowohl einen geistigen wie auch künstlerischen Aufschwung mit sehr unterschiedlichen Schwerpunkten in den einzelnen Regionen. In Tamil Nadu wuchs mehr die neue Religiosität und Intellektualität, während sich die Kunst überall im Süden veränderte. Bemerkenswert ist die Tatsache, daß die religiöse und intellektuelle Erneuerung grundsätzlich vom einfachen Volk ausging, nur der Wandel in der Kunst erklärte sich aus der Förderung durch die Königshäuser. Bereits zu Beginn des 6. Jh. existierten in Tamil Nadu Hunderte von Tempeln, die zur Hauptsache den Göttern Shiva und Vishnu geweiht wurden. Über 300 Tempelschulen der Shivaiten und 108 der Vishnuiten waren mit Beginn des 7. Jh. aktiv.

Es änderte sich auch die Gottesvorstellung; in einer Gottheit sah man nun ein personifiziertes, allmächtiges Wesen, das all seine Gnade jenen schenkte, die ihr Leben nach seinen Geboten ausrichteten. Die sogenannte Bhakti-Bewegung entstand, eine Bewegung von tiefer Frömmigkeit. Zu den Anhängern dieser Glaubensrichtungen gehörten Asketen und Wanderprediger, Männer wie Frauen aller Schichten, die von den Gläubigen verehrt wurden. Nandan und Thiruppanalvar, nur um zwei solcher wandernder Mystiker zu nennen, wurden von den hinduistischen Königen und den Menschen aller Schichten angebetet und gleichsam vergöttert.

Innerhalb der Bhakti-Bewegung wurde die emotionale Beziehung zu einer persönlichen Gottheit betont, das einem Liebesverhältnis gleichkommen konnte und das durch die ständige Beschäftigung mit Gott aufrechterhalten wurde. Da die höchsten Gebote der Bhakti-Bewegung emotional betonte Demut vor und Liebe zu einem Gott waren, stand sie dem Buddhismus und Jainismus konträr gegenüber. Daraufhin verlor der Buddhismus noch mehr von seinem ohnehin schon schwachen Einfluß in Tamil Nadu.

Beim Jainismus lagen die Verhältnisse anders, denn seine Anhänger lebten in der gutsituierten Geschäftswelt oder an den Fürstenhöfen, ja viele Könige waren Jainas. Ausnahmen bestätigen die Regel, so wurden Mahendra (590-630 n. Chr.) und der Pandya-König Arikesari später Anhänger der Bhakti-Schule und konvertierten zum Hinduismus. Wie stark auch immer die Bhakti-Bewegung sein mochte, den Einfluß des Jainismus vermochte sie nur zu schwächen, nicht aber gänzlich aus Tamil Nadu zu verdrängen.

Demut und Wissen

Die Shivaiten und die Vishnuiten huldigten jeweils einem anderen hinduistischen Gott als dem höchsten aller Götter: die Shivaiten Shiva und die Vishnuiten Vishnu. Es existierten zwei Arten der Verehrung, einmal durch das Ausüben von Ritualen, zum zweiten durch die liebende Hingabe, die keine feste Form kannte. Beide Möglichkeiten der Huldigung wurden von der Bhakti-Bewegung anerkannt. Die Vishnuiten verglichen die Seele des Menschen, egal welchen Ge

Rechts: Bettelmönche vor dem Eingang der Kanheri-Höhlen bei Bombay.

schlechts, mit einer Frau, die sich mit Gott zu vereinen trachtet – Gott wurde als Liebhaber personifiziert. So erhielt die metaphysische Ideenwelt des Hinduismus eine sehr erotische Komponente. Zwar akzeptierten beide Schulen die zwei Arten der Religiosität, doch wurden sie unterschiedlich gewichtet. Die Vishnuiten betonten den Weg der Liebe, während die Shivaiten ein Leben in Demut vor Gott führten.

Von der Liebe sprechen die Hymnen der vishnuitischen Heiligen, der Alwaren. Von den zwölf Heiligen sind insgesamt 4000 Verse aufgezeichnet worden, bekannt als die „Viertausend Hymnen". Diese Hymnen dienten den Gläubigen als Gedächtnisstütze und wurden beim Gottesdienst, sei es daheim oder im Tempel, rezitiert. Das unterschiedliche Verständnis des Weges der Liebe spiegelt sich in den ausgefeilten Versen ihrer einzelnen Autoren wieder. Periyalvar beispielsweise sah seinen Gott als Kind einer frommen Frau, und seine Lobgesänge sind von geradezu mütterlicher Inbrunst; die beiden Inkarnationen Vishnus als Rama und Krishna kommen dieser Anschauung sehr entgegen, denn sie sind zwei sehr menschliche Gestalten, die auch Fehler machen. Nammalvar, der die meisten Verse niedergeschrieben hat, betonte die weiblichen Gefühle der Liebe gegenüber als das Sehnen der menschlichen Seele. Andal, eine weibliche Heilige, träumte in ihren Versen von einer Heirat mit ihrer Gottheit, also von einer Vereinigung eines menschlichen Wesens mit Gott. Ihre bewegten Verse werden heute noch wie vedische Hymnen bei einer vaishnavitischen Heirat gesungen.

Die Shivaiten verehren die Lieder vier ihrer bedeutendsten Heiligen. Die insgesamt 7000 Verse von Appar, Sambandar und Sundarar werden unter dem Sammelbegriff *Tevaram*-Hymnen zusammengefaßt. Die Sammlung der Verse Manikkavacakars, eines Ministers des Pandya-Königs in Madurai, heißt *Thiruvacakam*.

Seine Verse werden heute noch gesungen, eingebunden in traditionelle Musik, die als *pans* bekannt ist. Appar, der Sohn eines Bauern, glaubte, daß die unbedingte Liebe zu seiner Gottheit zu einem furchtlosen Leben führen würde. Seinem Glauben nach lebte und gehorchte er nur seinen eigenen Gesetzen, ohne sich je der Obrigkeit zu beugen.

Die Bhakti-Bewegung führte in der indischen Kultur zu einer einmaligen Veränderung. Sie beschränkte sich keineswegs nur auf Südindien, doch war ihr Einfluß hier viel offensichtlicher: Südindien wurde ein Land der Tempelanlagen und -städte.

Für einen neuen geistigen Aufschwung sorgte der Mönch und Philosoph Sankara, der in der Tradition des Veda stand. Er interpretierte die Upanischaden, den Schlußteil der vier Veden, neu. Da er in diesem Schriftstück die Weisheit eines übergeordneten Gottes manifestiert sah, konnte seiner Meinung nach die Erlösung vom irdischen Dasein nur im Kennen der Weisheit liegen. Er glaubte, daß sich hinter den vielfältigen Erscheinungsformen des Lebens und den unzähligen Seelen ein höheres, allen Daseinsformen übergeordnetes Wesen verbirgt: *Brahman*. Alle Erscheinungen auf dieser Welt stellen lediglich Projektionen des Brahman dar. Die Seele des Individuums, *Atman*, und die Seele des Universums, Brahman, sind eins nur im Augenblick der Wahrheit. Die Existenz dieser Welt ist eine Illusion, eine Scheinwelt (*maya*), deren Wesen wir aufgrund unserer ungenügenden Wahrnehmungsfähigkeit nicht erkennen können.

Sankara stellte die in Kasten unterteilte Gesellschaftsordnung Indiens nie in Frage, da sie ohnehin nur ein Teil der Scheinwelt war. Im Grunde genommen sei jeder einzelne oder seine Seele, atman, eins mit der Allseele brahman, nur, so glaubte Sankara, erkennen das die wenigsten. Sankara hielt die altvedischen Rituale für brauchbare Mittel, um den Geist zu disziplinieren. Wollte man das Einssein mit brahman erkennen, mußte man die Upanischaden, die Bhagavadgita und die *Brahmasutras* kennen – und verstehen,

wie er sie verstand. Neben seinen Kommentaren zu den wichtigsten Teilen der Veden, stammen aus seiner Feder noch verschiedene Lobeshymnen und kleinere philosophische Abhandlungen. Trotz seines hohen Intellekts versuchte er auch den einfachen Menschen seine Erkenntnis begreiflich zu machen. Er reiste durch Indien, immer auf der Suche nach einer Zuhörerschaft. Keine religiöse oder philosophische Schule Indiens ist ohne seinen Einfluß denkbar. Sankara war eine der bedeutendsten Persönlichkeiten der indischen Geschichte.

Sakrale Architektur

Das dritte wichtige Ereignis dieser Epoche war der Machtgewinn der Könige. Die Kaufleute verloren ihre einflußreiche Stellung, wovon im allgemeinen Offiziere und das Militär profitierten. Die Monarchen förderten die Kunst und die

Oben: Dieser reich verzierte Gopuram ist charakteristisch für südindische Tempel.

Monumental-Architektur. Im Süden eroberte die Pallava-Dynastie weite Territorien und errichtete hier ihre starke Herrschaft; weiter südlich regierten weiterhin unangefochten die Pandyas in Madurai. Am Ende des 6. Jh. errichteten die Chalukyas ihren Hauptsitz in Vatapi (Badami) und regierten über Maharashtra, Karnataka, Andhra und Gebietsabschnitte von Kalinga. Der bedeutendste Herrscher dieser Dynastie war Pulakesin II. (609-642 n. Chr.), der Vengi in Andhra eroberte und dort seinen Bruder als Statthalter einsetzte – damit legte er das Fundament für das spätere Ost-Chalukya-Reich. Da die Pallavas und die Chalukyas ständig miteinander im Krieg lagen, schwächten sie sich mit der Zeit gegenseitig so sehr, daß sie schließlich untergingen und andere Dynastien an ihre Stelle traten: Die Rashtrakutas lösten im 8. Jh. die Chalukyas ab, und ein Jahrhundert später konnten sich auch die Pallavas nicht mehr an der Macht halten.

Mochten die Königshäuser untereinander auch noch so zerstritten sein, eines hatten sie doch gemeinsam – sie unterstützten das Herausmeißeln von Höhlentempeln und den Bau von Tempelanlagen. Die schönsten Höhlen der Chalukya-Herrscher liegen in Badami und Aihole. Ihre Nachfolger, die Rashtrakutas, konzentrierten sich auf Ellora; sie förderten die sakrale Architektur unabhängig vom jeweiligen Glauben. Die Pallavas bauten schlicht, ihre Höhlen findet man im ganzen Land; die berühmtesten Tempel befinden sich in Mamallapuram, deren Bau- und Steinmetzkunst einen ihnen gebührenden Platz in der Weltkunstgeschichte eingenommen haben. Die Pandyas errichteten zwar die meisten Tempelanlagen, vernachlässigten dafür aber die Bildhauerei, die nach dieser Epoche kaum noch Bedeutung erlangte.

Es ist interessant, daß die Höhlentempel nach dieser Zeit vollkommen verschwanden. Der Tempel hatte sich als neue Ausdrucksform sakraler Architektur durchgesetzt, unterstützt und gefördert von den Herrschern, die die Tempel mitunter auch als Denkmäler für errungene Siege benutzten. Am Ende der Epoche hatte jede Region ihren eigenen Stil entwickelt – gemäß den landschaftlichen Besonderheiten und dem andersgearteten Drang, sich mitzuteilen.

Die hinduistischen, buddhistischen und jainistischen Klosterhöhlen bei Ellora, der Hauptstadt der Rashtrakutas, sind weltberühmt. Obwohl einige von ihnen auf ein früheres Datum zurückgehen, werden die meisten von ihnen der Rashtrakuta-Epoche zugeschrieben. Die dicht beieinander liegenden Höhlen wurden von Buddhisten, Hindus und Jainas geschaffen. Es ist jedoch nicht sicher, ob diese je zur selben Zeit bewohnt waren. Schätze sakraler Baukunst sind die buddhistischen Vishvakarma-Höhlen, der hinduistische Kailash-Tempel und die jainistische Indrasabha-Anlage. Der Kailash-Tempel wurde von Rashtrakuta Krishna geschaffen und steht eindeutig unter drawidischem Einfluß. Viele Kunsthistoriker vergleichen die Bildhauerei von Ellora mit der Bildhauerei der Chalukyas – vornehmlich mit der von Pattadakal.

Obwohl man auf der einen Seite, angesichts der unterschiedlichen Stilrichtungen, eine gewisse künstlerische Freiheit annehmen muß, so war man dennoch an einen aufgezeichneten Kodex, *Agamas*, gebunden, in dem Vorschriften für den Tempelbau und die Rituale festgehalten waren. Aus vier Teilen bestehend, behandelten die Agamas die Riten, die Festlichkeiten in den Tempeln, das Yoga und das Jnana, d.h. das metaphysische Konzept der Riten. Einige Teile des Kodex sind uns erhalten geblieben, anhand derer man sich im Vergleich mit zeitgenössischen Bauwerken deutlich vor Augen führen kann, bis zu welchem Grad man sich an die Vorschriften halten mußte oder hielt. Die Agamas enthielten zwar strikte Vorschriften, durch die es zu einer gewissen Vereinheitlichung kam, doch ließen sie auch ausreichend Spielraum für Variationen, den die Baumeister geschickt auszunutzen wußten.

Blütezeit der Kunst

Die Agamas enthielten nicht nur Vorschriften für die Tempelarchitektur, sondern förderten auch die Schulung von Musikern und Tänzern, die die Rituale innerhalb der Tempelanlagen ausführen sollten. So tanzten während der täglichen Rituale und Festlichkeiten ausgewählte Tänzerinnen, denen noch andere Aufgaben zufielen wie etwa das Flechten von Blumengirlanden. Es gab verschiedene Tanzformen, die im wesentlichen alle auf eine Abhandlung des Brahmanen Bharata zurückgingen. Diese traditionellen Tänze beeinflußten und inspirierten neue Arten der Dichtung; das Drama, eine Spielart des traditionellen Tanzes, wurde in den Tempelanlagen aufgeführt. Selbst einige Herrscher waren große Komponisten und Choreographen. Ein hervorragendes Bei-

spiel ist der Pallava-Herrscher Mahendra-varman, der in der Baukunst, der Malerei, der Musik, dem Tanz und der Literatur genauso zu Hause war wie in der Philosophie. Unter seinen Werken befinden sich zwei Tanzdramen, in denen er sich über die Verfehlungen der Bettelmönche lustig macht. Zum Beispiel verspottete er einen Mönch, einen Betrunkenen und einen Wüstling, die in den Straßen von Kanchi-puram herumlärmten. In ihrer Mitte befand sich auch eine betrunkene Frau und ein buddhistischer *bikshu* (Bettelmönch), der die Frau mit lustvollen Blicken betrachtete. Diese Possen aus der Feder eines Monarchen sind einzigartige Zeugnisse der indischen Literaturgeschichte, ja der Geschichte des Dramas schlecht-hin, wenn man bedenkt, daß sie seit über 1300 Jahren in den Tempeln von Kerala aufgeführt werden.

Oben: Hinreißendes Detail aus einem der Fresken von Ajanta. Rechts: In den Hoysala-Tempeln finden sich häufig Reliefs mit Tierfiguren.

Der Niedergang des Buddhismus

Obwohl der Kaiser von China im 8. Jh. n. Chr. die Erlaubnis erhalten hatte, in Tamil Nadu einen buddhistischen chaitya für die chinesischen Reisenden zu errichten, kann das nicht darüber hinwegtäuschen, daß der Buddhismus in Indien zunehmend an Bedeutung verlor. Lediglich in Orissa konnte er sich, seit dem 3. Jh. v. Chr., der Zeit Ashokas, bis zum Ende des 16. Jh. halten. Zeugnisse dieser Tatsache sind die über ganz Orissa verteilten buddhistischen Skulpturen. Ein Zentrum des Mahayana-Buddhismus, mit Arya Avalokitesvara als der Gottheit, entstand im 6. Jh. nahe Jayarampur. Mitte des 7. Jh. lebten bereits Tausende von Mönchen in über 100 Klöstern. Der chinesische Pilger Hsüan Tsang berichtete in dieser Zeit von regen Aktivitäten der Buddhisten in den Bergklöstern von Pushpagiri, genauso wie in Lalitgiri oder Udayagiri im Distrikt Cuttakk. Außerdem beschreibt er noch Stupas aus der Zeit Kaiser Ashokas. Ein Herrscher der Bhaumakara-Dynastie

übersandte dem chinesischen Kaiser Te-Tsong (795 n. Chr.) ein buddhistisches Manuskript mit seiner Unterschrift. Die Bhaumakara-Herrscher sind bekannt dafür, etliche Klöster und auch Anbetungsstätten mit buddhistischen Statuen gebaut zu haben.

Vom 6. bis zum 10. Jh. n. Chr. war Ratnagiri im Distrikt Cuttack ein Zentrum des Buddhismus. Auf einer Hügelkuppe blühte das mönchische Leben in einem Kloster, dem sogenannten Ratnagiri Mahavihara. Eine große Anzahl ausgegrabener Skulpturen und Inschriften bezeugt, daß die hier lebenden Gelehrten aus den entlegensten Regionen Mönche anzogen, die den buddhistischen Glauben bis weit ins 16. Jh. hinein wach hielten. Neben dem Hauptstupa fand man einige Klöster und acht Ziegelsteintempel im für Orissa typischen Stil, Manjushri und anderen buddhistischen Gottheiten geweiht. Daneben entdeckte man noch wunderschöne Bronzefiguren, die Buddha, Lokeshvara und Maitreya darstellen.

Orissa war auch das traditionelle Zentrum des Mahayana-Buddhismus; verschiedene Bauten, die das bezeugen, findet man im ganzen Land verteilt. Erwähnenswert ist die große, einst florierende, Bronzegießerei, in Achyutrajpur im Distrikt Puri. Unter rund 100 Bronzestandbildern von höchster bildhauerischer Qualität (9. bis 11. Jh. n. Chr.) befinden sich allein 75 Skulpturen aus der Vajrayana-Schule, die den Buddha und buddhistische Gottheiten, wie z. B. Tara, Vajrasattva und andere darstellen. Nach dem 17. Jh. verschwand der Buddhismus jedoch selbst in Orissa.

Mit dem Niedergang des Buddhismus fiel den Monarchen eine neue, einflußreichere Rolle zu. Die sittlichen Werte, nach denen sich die Menschen im öffentlichen wie im privaten Bereich zu richten hatten – der König war hiervon nicht befreit –, waren in den *Dharmasastras* niedergeschrieben, einem von indischen Weisen geschriebenen Gesetzestext. Der König war nur der Ausführende, nicht der Urheber dieser Gesetze. Die königlichen Schatzkammern wurden durch verschiedene Steuern aufgefüllt; besteuert wurden unter anderem landwirtschaftliche Erzeugnisse und Handelsgüter. Obwohl verschiedene Herrscher das Land regierten und unterschiedliche Dialekte gesprochen wurden, ähnelte sich das Alltagsleben kraft der bindenden Gesetze der Dharmasastras im ganzen Land.

Das goldene Zeitalter der Cholas

Die 400 Jahre vom 9. bis zum 13. Jh. n. Chr. werden zu Recht als die „große Epoche" in der südindischen Geschichte bezeichnet. In dieser Zeit blühten Kunst und Literatur, politisch war sie die große Zeit der Regionalreiche. Tausende von wunderbaren Tempeln von höchster architektonischer Qualität wurden errichtet; hervorgehoben werden muß das 11. Jh., in dem unter anderem die großartigen Tempel von Tanjore und Gangaikondacholapuram in Tamil Nadu, der Lingaraj-Tempel in Bhubaneswar und der Jagannath-Tempel von Puri gebaut wurden. Errichtet wurden diese Tempel von hochspezialisierten Bauhütten, die im Dienst der Könige standen. Der Umstand, daß in allen Staaten zeitgleich solche riesigen Tempel gebaut wurden, weist darauf hin, daß die Könige das politische Potential solcher relilgiösen Zentren erkannt hatten. Auf der politischen Bühne erschienen die Cholas von Tanjore erstmals Mitte des 9. Jh. n. Chr. Bald erweiterten sie ihr Königreich und regierten auch über den Süden Karnatakas; die Gebiete bis hoch zum Tungabhadra-Fluß wurden von ihnen erobert und blieben fast 200 Jahre unter ihrer Herrschaft. Zur selben Zeit verschwand die Rashtrakuta-Dynastie zugunsten der Chalukya, die die Macht im nördlichen Karnataka (Hauptstadt Kalyani), übernahmen. Der Fluß Tungabhadra bildete die natürliche Grenze zwischen ihrem und dem Reich der Cholas, sie be-

Rechts: Geschnitzte Dvarapalas, Türwächter, am Eingang zum Tempelheiligtum.

kriegten sich ständig, fast bis zum Jahre 1200 v. Chr. Das Heer der Cholas konnte dank seiner straffen Organisation an allen Fronten Erfolge verzeichnen. Überdies waren sie ausgezeichnete Navigatoren und beherrschten auch die Meere mit einer kampfstarken Flotte. Die militärischen Erfolge gehen in erster Linie auf den größten Herrscher der Chola-Dynastie zurück, auf Rajaraja I., der von 985 bis 1014 n. Chr. regierte. Neben Sri Lanka eroberten die Cholas mit Hilfe ihrer Flotte auch das Königreich Srivijaya, zu dem Länder wie Malaysia, Singapur und die Inseln Sumatra und Java gehörten.

Die Cholas errangen auf ihrem Weg nach Norden Sieg um Sieg, bis sie schließlich dort ankam, wo heute Calcutta liegt. Sie besaßen den Ehrgeiz, Eroberungen in ganz Indien zu machen, langfristig verwalten konnten sie die weit entfernten Gebiete jedoch nicht. Sie begnügten sich mit Symbolen: Das siegreiche Heer brachte das heilige Wasser des Ganges mit nach Hause. Die Besiegten mußten es auf ihren Köpfen tragen. Als Zeichen ihres Triumphes bauten sie eine neue Hauptstadt, Gangaikondacholapuram, von wo aus sie fortan zweieinhalb Jahrhunderte lang regierten, ihre Herrschaft dauerte bis 1280 n. Chr.

Die Randgebiete des riesigen Reiches wurden nach dem Sieg an die ursprünglichen Herrscher zurückgegeben, das zentralere Gebiet von Gouverneuren oder Beamten verwaltet. Das besondere am Cholareich war, daß es auf reiche und zivilisatorisch hochstehende dörfliche Zentren aufbauen konnte, die schon seit Jahrhunderten in den fruchtbaren Flußtälern existierten. Die dort ansässigen Eliten ließen sich allerdings ungern etwas vorschreiben; so gibt es viele Quellen, die von den zähen Verhandlungen der Beamten des Königs und diesen über die Zahlung von Steuern, Landrechte etc. berichten. Daß sich die Bevölkerung selbst in Form einer Dorf-Demokratie verwaltete, begründete wohl die Stabilität der Chola-

Herrschaft. Ebenso gut waren die Zünfte organisiert. Auch Bildung wurde mit großer Aufmerksamkeit gefördert sowie der Bau von Krankenhäusern. Die Cholas gründeten zahlreiche brahmanische Siedlungen, *caturvedi mangalams* genannt. Die Brahmanen konnten dort anstelle des Königs Steuern einnehmen und hatten einen beschwichtigenden und zivilisierenden Einfluß auf die umliegende Bevölkerung. Alle Siedlungen waren in verschiedene Bezirke unterteilt, die Repräsentanten in den Dorfrat entsandten; dieser war dann für die administrativen Belange des Dorfes verantwortlich (er hieß *variyam*), sei es die Frage der Besteuerung oder die der Tempelverwaltung. Die Chola-Herrscher gründeten Handelszentren, *nagaram* genannt, die sich weitestgehend selbst verwalteten. Diese Niederlassungen konzentrierten sich auf den Handel und kommerzielles Wachstum. Der Bewässerung der Felder schenkte man ebenfalls viel Beachtung; erst die unzähligen Bewässerungsgräben, die das gesamte Land durchzogen, erlaubten die Bewirtschaftung auch weniger fruchtbarer Böden. Darüber hinaus wurde die Urbarmachung des Brachlandes durch die Steuerpolitik gefördert; die Steuern wurden nach der Fruchtbarkeit des Bodens und der Erträge bemessen. Wasserreservoirs und Stauseen wurden angelegt – auch dies eine wichtige Aufgabe des dörflichen Verwaltungsapparates. Regelmäßig kontrollierten königliche Offiziere die Buchführung der Steuerbeamten. Unzählige Inschriften, die man heute noch auf den Tempelwänden eingraviert findet, sprechen von der alltäglichen Verwaltungsarbeit, die den Staat am Laufen hielt.

Ein jüdischer Reisender namens Benjamin (1170 n. Chr.) äußerte sich über den Handel unter den Cholas folgendermaßen: „In Sachen Handel ist das Land durchaus vertrauenswürdig. Jedes Schiff, das in einem Hafen anlegt, wird von drei Sekretären des Königs sofort registriert, falls nötig repariert und seine Ankunft dem König mitgeteilt. Er garantiert den Händlern die Sicherheit ihrer Waren, die

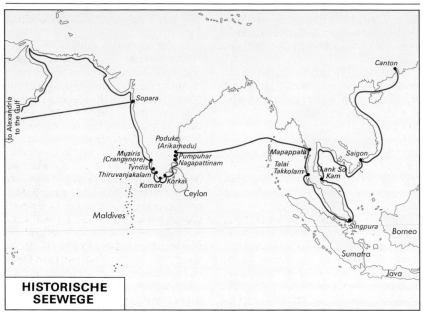

**HISTORISCHE
SEEWEGE**

sie ohne Bewachung auf den offenen Feldern lagern können. Ein königlicher Beamter sitzt auf dem Marktplatz, um Fundgegenstände entgegenzunehmen, die er nur nach genauer Beschreibung dem Besitzer zurückgibt."

Neben den Tempelanlagen befanden sich Ausbildungsstätten mit Büchereien und Manuskriptsammlungen sowie Krankenhäusern. Doch diese Einrichtungen waren nicht die eigentlichen Leistungen der Chola-Herrscher, sondern der Tempelbau. Tausende von Tempeln wurden errichtet oder restauriert, jeder Tempel hatte seine eigene Musiker- und Tänzerinnengruppe. Lieder für die Gottheiten waren Bestandteil der täglichen Anbetung; dank ihrer Bedeutung für den religiösen Alltag konnten sich einige alte Musikschulen bis heute erhalten.

Die Cholas taten sich außerdem als Förderer der Bildhauerei hervor, namentlich von Tausenden von Bronzeskulpturen, die während der Tempelfeste in Prozessionen mitgeführt wurden. Diese Bronzeskulpturen – besonders die der frühen Chola-Epoche – werden von Kunsthistorikern wegen ihrer außergewöhnlichen Schönheit und Anmut gerühmt. Während dieser Periode wurden außerdem die Tanzformen nach dem Vorbild von Siva als *Nataraja* zur Perfektion gebracht.

Händler und Boten der Cholas reisten auf dem Seeweg nach China, wo sie Kolonien gründeten. Aufzeichnungen in Tamil, aus denen hervorgeht, daß viele buddhistische Mönche aus China das Chola-Reich bereisten, fand man im gesamten Fernen Osten.

In der Küstenregion von Andhra regierten die Chalukyas; ihre künstlerischen, geistigen und administrativen Leistungen wären jedoch ohne die Cholas nicht denkbar; sogar die Ganga-Dynastie, die in Kalinga herrschte, konnte sich ihrem immensen Einfluß nicht entziehen und begann auch, erhabene Tempel zu bauen. Die großartigen Anlagen von Konarak und andere Tempel bezeugen dies.

Im nordwestlichen Dekkan-Hochland führten die Chalukyas von Kalyani einen langanhaltenden Krieg gegen das Reich der Cholas; auf künstlerischem und anderen Gebieten standen sie jedoch in regem Austausch.

Gegen Ende des 12. Jh. tauchte in Karnataka eine neue politische Macht auf, das Herrschergeschlecht der Hoysalas, den Erbauern der Belur- und Halebid-Tempel.

Ursprünglich waren sie Lehnsmänner der Chalukyas von Kalyani, und an ihrer Seite kämpften sie gegen die Cholas. Als ihre Macht wuchs, machten sie sich unabhängig und wandten im 13. Jh. ihre Aufmerksamkeit in Richtung Süden.

Da ihr Herrschaftsgebiet bis nach Trichy reichte, brachten sie die Sprache der Kannada und ihre Kultur ins tamilische Land. Die Hoysalas gründeten in der Nähe von Trichy eine zweite Hauptstadt. Ramanuja, ein Vaishnava-Heiliger mußte vor den Cholas fliehen und fand Asyl bei den Hoysalas. Dennoch kamen sich die beiden Herrscherhäuser mit der Zeit politisch und kulturell näher. Die Hoysalas regierten ab 1100 n. Chr. zweihundert Jahre lang.

Als die Pallavas in Tamil Nadu politisch mächtiger wurden, drängten sie die Chera-Herrscher zur Westküste ab, wo sie in den Bergen Schutz fanden. Entlang der Westküste breiteten sie sich in südlicher Richtung aus. Bis zum 9. Jh. war Kerala, von Mangalore bis nach Travancore ganz im Süden, in drei Hoheitsgebiete aufgeteilt. Das mittlere Königreich wurde von den Kulasekharas regiert, die nach und nach große Macht erlangten und versuchten, die Gebiete zu vereinen. Doch historische Fakten belegen die Existenz von verschiedenen Fürstentümern.

Arabische und chinesische Händler erreichten zu dieser Zeit die Malabar-Küste. Mit ihnen kamen jüdische und christliche Kaufleute. Im 10. und 11. Jh. eroberten die Chola-Monarchen Kerala und beendeten die Herrschaft der Kulasekharas; das Land wurde abermals in drei Fürstentümer aufgeteilt.

Der Islam auf dem Dekkan-Hochland

In den nächsten vierhundert Jahren (1300 bis 1700 n. Chr.) waren der Dekkan und das Land der Tamilen wie niemals zuvor fremden Einflüssen ausgesetzt. In Nordindien begann die Vorherrschaft der Moslems, und in Delhi wurde das erste Sultanat gegründet. Ein neuer Abschnitt in der Geschichte Indiens begann, der sechseinhalb Jahrhunderte dauern sollte.

Ursprünglich waren die Sultanate auf Nordindien beschränkt, doch trachteten die islamischen Herrscher danach, über den gesamten Subkontinent zu regieren. Die Eroberung Indiens begann unter Alauddin Khilji, der 1307 und 1311 Eroberungszüge auf das Dekkan-Hochland unternahm. Mysore, Warangal und Devagiri wurden vom Heer der Moslems überrollt. Obwohl sie keine Territorien annektierten, forderten sie von den besiegten Reichen Tribut und die Anerkennung der Oberhoheit des Sultans. Das moslemische Heer marschierte dann weiter nach Süden, eroberte Madurai und kehrte schließlich mit einer Beute von 600 Elefanten, 20 000 Pferden und einer riesigen Menge Gold, Edelsteinen und Perlen nach Delhi zurück.

Alauddin Khilji war der erste islamische Herrscher, der die Grenzen des Reiches über den Fluß Narmada hinaus ausdehnen konnte. Bis zu diesem Zeitpunkt hatte die Bevölkerung des Dekkan-Hochlandes nur friedlichen Kontakt mit den Moslems gehabt, nun zeigten diese ihr ein anderes Gesicht. Die ersten Araber erreichten im 8. Jh. die Küste von Kerala, hauptsächlich Kaufleute und Händler, deren Interessen nicht politischer Natur waren. Die Situation änderte sich mit den Einfällen der Heere Khiljis. Die auf dem Hochland existierenden Königreiche schlossen sich zusammen, um Alauddin Khilji vereint abwehren zu können; es sollte eine fremde Macht zurückgeschlagen, nicht aber der Islam als Religion aus Indien verbannt werden.

Auf diese Weise entstanden zwei Reiche: auf der einen Seite das islamische Königreich Bahmani, auf der anderen Seite das hinduistische Königreich Vijayanagar. Bahmani wurde 1347 gegründet, und zwar von einem afghanischen Beamten namens Hasan Gangu, der von sich behauptete, vom Perserkönig Bahman Shah abzustammen; das neugegründete Reich benannte er nach ihm. Sich selbst setzte er als Sultan ein und nannte sich Alauddin Bahman Shah. Dieses Sultanat konnte sich 200 Jahre lang halten, erstaunlich lange, wenn man bedenkt, daß von den 18 Sultanen zwei abgesetzt und geblendet wurden, zwei sich zu Tode tranken und fünf einem Attentat zum Opfer fielen. Damit nicht genug, herrschte unter den Adligen ständig Streit. Vergleichsweise friedlich ging es nur während der Regentschaft Mahmud Gawans zu, der sich immerhin zwei militärische Erfolge zu Gute halten konnte. Er eroberte Goa, welches als strategisch wichtige Handelsstadt ein ständiger Zankapfel zwischen ihm und den Herrschern von Vijayanagar war. Ein weiterer Feldzug führte ihn nach Kanchipuram, wo, obwohl die Einwohner den Shiva-Tempel vehement verteidigten, sich das islamische Heer als unschlagbar erwies. Das Chaos und die Intrigen am Hof nach dem Tod Mahmud Gawans im Jahre 1481 führten schließlich zum Untergang des Bahmani-Reiches, 1538 wurde es in fünf kleinere Königreiche aufgeteilt: Bidar, Berar, Bijapur, Golkonda und Ahmadnagar. Ein ähnliches Schicksal hatte die nordindischen Sultanate ereilt. Nikitin, ein russischer Kaufmann, der zwischen 1470 und 1474 im Bahmani-Reich lebte, erzählt: „Das Land ist überfüllt von Menschen; die Landbevölkerung ist arm, während der Adel in Saus und Braus lebt. Er ist es gewohnt, auf silbernen Betten

Rechts: Im Schatten königlicher Überbleibsel findet sich ein Unterschlupf (Mecca Masjid, Hyderabad).

herumgetragen zu werden, begleitet von 20 Schlachtrössern in goldenem Tuch und gefolgt von 300 Mann zu Pferd und 500 Mann zu Fuß; dahinter weitere Reiter, Fackelträger und Musikanten."

Die Sultane von Bahmani ließen aber andererseits Dämme, Kanäle, Krankenhäuser bauen; auch waren sie bekannt als Förderer eindrucksvoller Bauwerke. Einige der großartigsten Bauwerke, die wir heute noch bewundern, wurden unter ihrer Herrschaft errichtet. Großartig, obwohl sie in völligem Gegensatz zum verspielten klassischen Stil Indiens stehen. Die stärksten Einflüsse auf die islamische Architektur kamen aus Übersee. Städte wie Bijapur, Golkonda und Bidar entstanden nicht in Anlehnung an blühende Zentren des Hinduismus, es wurde kein bereits bearbeitetes Baumaterial benutzt, wie es im Norden geschehen war. Der Transport von Baumaterial über das Arabische Meer hatte Hochkonjunktur und ermunterte Handwerker aus dem Vorderen Orient, in die Dienste der Sultane zu treten, die ihrerseits nicht auf indische Handwerker zurückgreifen mußten. Das hervorragendste Beispiel für islamische Architektur auf dem Dekkan ist die Jami-Masjid-Moschee in Gulbarga, die einzige Moschee Indiens mit einem überdachten Innenhof; das Dach wird von 63 Kuppeln gebildet. Andere bemerkenswerte Beispiele sind das Chand Minar in Daulatabad und die Schule von Mahmud Gawan in Bidar, wo sich das Grab Ahmad Shahs befindet; Mohammad Adil Shahs letzte Ruhestätte liegt in Bijapur. Mit den islamischen Mogul-Herrschern veränderte sich auch das Stadtbild, neue architektonische Elemente wie Minarette, Bögen, Kuppeln und reiche Ornamentik zeigten sich fortan auf dem Dekkan-Hochland.

Ein anderes mächtiges Reich entstand um 1350 entlang des Flusses Tungabhadra. Gegründet wurde es von zwei Fürsten namens Harihar und Bukka, die als Vasallen der Hoysalas aufgestiegen waren und schließlich deren Thron usurpier-

ten. Sie bemächtigten sich dieses Reiches und wollten nun ganz Südindien einnehmen. Mit Hilfe des Weisen Vidyaranya, der für dieses Reich eine wichtige Rolle spielte, gelang ihnen ihr Vorhaben: um 1345 krönte sich Harihar zum König von Hastinavati, das später in Vijayanagar, Stadt des Sieges, umbenannt wurde. Nach und nach verleibten sie sich die südlichen Provinzen Karnataka, Andhra, Tamil Nadu und einen Teil Keralas ein. Dieser Staat war der erste, der bewußt einen Krieg der „Hindus gegen die Moslems" führte. Man betonte die hinduistische Kultur und ließ alte Bräuche wieder aufleben. Neue Tempel entstanden. Das Reich existierte bis ins 17. Jh. Vijayanagar ist es zu verdanken, daß herrliche Tempel in großer Anzahl entstanden und der Hinduglaube seine Vitalität und Kontinuität bewahren konnte. Die Literatur in Telugu, der Sprache von Andhra Pradesh, und die Kunst erlebten eine neue Blütezeit; die Herrscher selbst waren ausgezeichnete Dichter. Die Ruinenstadt Vijayanagar legt heute noch großartiges

Zeugnis über die außergewöhnlichen Leistungen dieser Zeit ab. Über 26 km² erstreckt sich die Anlage, an der über 200 Jahre gebaut wurde.

Einige Jahre nach der Gründung des Reiches war es bereits in Kriege mit dem Bahmani-Sultan verstrickt. Zankapfel war ein fruchtbares Gebiet, bekannt als Raichur Doab und zwischen den Flüssen Krishna und Tungabhadra gelegen. Die politisch bedeutsamste Zeit Vijayanagars begann 1509, als Krishnadevaraya zum König gekrönt wurde. Während dieser Zeit zerfiel das Bahmani-Reich; ehrgeizige Adlige teilten die Macht untereinander auf – geschickt gelenkt von Krishnadevaraya, der zudem auch militärischen Druck auf das Land ausübte. Unter diesem König wurde auch die Hauptstadt Vijayanagar am stärksten ausgebaut.

Das legendäre Königreich Vijayanagar

Der Reichtum des Vijayanagar-Reiches war legendär. Der König Krishnade-

varaya, der auch Dichter war, schrieb in seinem Telugu-Poem Amuktamalyada: „Ein König sollte die Häfen seines Landes stets verbessern, um den Handel anzuspornen. Er will ja, daß Pferde, Elefanten, wertvolle Steine, Sandelholz, Perlen und andere Artikel ins Land importiert werden. Er muß dafür Sorge tragen, daß Händler, die es durch einen Sturm, durch Krankheit oder Erschöpfung an Land verschlagen hat, in einer ihrer Herkunft angemessenen Weise versorgt werden... Binde die fremden Händler, die Pferde und Elefanten importieren, an dich, indem du sie täglich besuchst, ihnen täglich Geschenke machst und ihnen einen kleinen Profit erlaubst. Dann werden die verkauften Güter niemals bei den Feinden auftauchen..." Seinem eigenem Rat folgend, empfing er auch die Portugiesen, die sich 1498 in Malabar niederließen. Für diese war er bald der wichtigste Handelspartner.

Oben: Korbboote im Tungabhadra-Fluß bei Hampi.

Schiffe, die die Häfen von Vijayanagar verließen, steuerten Persien, Afrika, China und Ceylon an, beladen mit Reis, Zucker, Kokosnüssen, Sandelholz, Zimt, Pfeffer, Ingwer, Teakholz und Farbstoffen. Menschen verschiedenster Nationen lebten in Hampi, und auch die Landbevölkerung profitierte vom neuen Wohlstand, der durch Dienstleistungen und ein humanes Steuersystem garantiert war. Die Könige regierten über 400 Jahre; ab dem 16. Jh. wurde das Land von Gouverneuren verwaltet, den sogenannten Nayaks, die ihre Regierungssitze in Gingee, Tanjore und Madurai hatten. Ende des 16. Jh. waren die Nayaks jedoch heillos untereinander zerstritten und versäumten es, die Zentralregierung angemessen zu unterstützen.

Die Vijayanagar-Herrscher brachten Telugu-Traditionen und -Bräuche, Literatur und Kunst nach Tamil Nadu. Diese wurden auch unter den Nayaks in Tanjore und Madurai gefördert. Einige Künstlerfamilien aus Telugu Bhagavatas siedelten in die Tanjore-Region um, wo sie jährlich

Tanzdramen aufführten – eine Tradition, die sich bis in unsere Tage halten konnte und als Bhagavata Mela bekannt ist.

Die Telugu-Herrscher ihrerseits waren auch am tamilischen Brauchtum interessiert; so verkehrten etliche tamilische Künstlerfamilien am Hofe. Tempelanlagen, die tamilischen Weisen oder Heiligen, wie etwa der vaishnavitischen Heiligen Andal oder dem vaishnavitischen Lehrer Ramanuja gewidmet waren, entstanden im ganzen Land.

In den letzten Jahrzehnten des 16. Jh. führten die fünf aus dem Bahmani-Reich entstandenen muslimischen Sultanate ständig Krieg gegeneinander. Diese Fehden wurden von den hinduistischen Vijayanagar-Herrschern geschürt, um Kriege vom eigenen Land fernzuhalten, doch diese Strategie fruchtete auf Dauer nicht. Im Jahr 1565 verbündeten sich die Herrscher der fünf Reiche und überfielen Vijayanagar. Ein knappes halbes Jahr nach der entscheidenden Schlacht von Talikota verwüsteten die Feinde Hampi „mit Feuer und Schwertern, mit Brecheisen und Äxten... und das Tag für Tag". Ein Zeitgenosse notierte, daß „vielleicht niemals zuvor in der Weltgeschichte eine derartige Zerstörung und Verwüstung einer so prachtvollen Stadt stattgefunden hat."

Das hinduistische Vijayanagar-Reich existierte zwar noch bis zum 17. Jahrhundert, doch gingen weite Teile des Landes an die muslimischen Sultanate Bijapur und Golkonda verloren.

Europäische Händler

Im Jahr 1526 hatte der islamische Herrscher Babur das später fast den gesamten Subkontinent umfassende Reich der islamischen Mogule gegründet. Sein Enkelsohn Akbar, der sich stark für die Vereinigung der islamischen und hinduistischen Kultur einsetzte, versuchte auch als erster, nach Zentralindien vorzustoßen. Gleichzeitig fanden neue Kontakte mit Europa und dem Osten statt.

Handelswaren, die in Europa gefragt waren, erreichten das Abendland auf umständlichen Wegen. Die Araber beherrschten den Handel mit dem Osten: Sie brachten Waren von China und Südostasien nach Indien, wo sie teils gegen indische Artikel getauscht wurden. All diese „Schätze des Ostens" gelangten mit arabischen Schiffen über den Indischen Ozean zum Persischen Golf und dann über Land an die östliche Mittelmeerküste. Die Eroberungen der Türken im Vorderen Orient 1453 zwangen die Europäer, neue Handelsrouten zu erschließen, zudem waren sie es leid, sich von arabischen Zwischenhändlern die Preise diktieren zu lassen – gesucht wurde ein Seeweg nach Indien. Das große Zeitalter der Entdeckungen begann nun, mit portugiesischen Seefahrern an der Spitze. 1487 erreichte Bartholomäus Diaz die Südspitze Afrikas, zehn Jahre später folgte Vasco da Gama seiner Route, er aber umrundete das Kap der Guten Hoffnung und segelte, zum Befremden der Araber, die Ostküste Afrikas entlang. Mit Hilfe eines kundigen Arabers gelang ihm schließlich die Überquerung des Indischen Ozeans, und so konnte er 1498 in Calicut an der Küste Keralas an Land gehen.

Aber der Fürst (Zamorin) von Calicut war auf Seiten der Araber und verhielt sich ablehnend. Vasco da Gama fand jedoch einen anderen Freund an der Südwestküste Indiens, den Raja von Cochin. In den nächsten 100 Jahren kam es zwar immer wieder zu kriegerischen Auseinandersetzungen, vor allem mit dem Admiral des Zamorin, Kinjali Marrakan, dennoch gelang es den Portugiesen, sich an der Küste festzusetzen. Im Jahr 1500 schrieb Almeida, der erste portugiesische Vizekönig Indiens, nach Lissabon: „...und vernachlässigen Sie nicht die Seestreitkräfte, da sich sonst das Schicksal gegen uns wenden wird... Solange Seine Majestät das Meer beherrscht, wird Indien zu halten sein..." Seine Worte sollten sich bewahrheiten.

Rivalisierende Handelsgesellschaften

1509 wurde Alfonso de Albuquerque portugiesischer Vizekönig in Indien, und ihm gelang es binnen weniger Jahre, einige portugiesische Bollwerke in Goa, Diu, Daman, Salsette, Bassein, San Thome und in Hooghly in Bengalen zu errichten.

Im 16. Jh. besaßen die Portugiesen eine Seemacht, die unangefochten von Hormuz im Indischen Ozean bis Macao vor der Küste Chinas herrschte. Erst gegen Ende des Jahrhunderts wurde diese Macht schwächer, einmal aufgrund der politischen Ereignisse in Portugal, zum anderen wegen des übergroßen Eifers, Indien zu missionieren. Zwar hatten im 1. Jh. n. Chr. syrische Missionare Erfolg in Malabar, doch hielten die zum Christentum konvertierten Inder häufig an ihren alten Traditionen fest. So konnte die rigorose und kompromißlose Christianisie-

Oben: Die Bom Jesus-Basilika in Alt-Goa. Rechts: Der Originalvertrag mit Vasco da Gama, aufgezeichnet auf einem Palmblatt.

rung der Portugiesen nur auf Widerstand in der Bevölkerung stoßen, sie verloren dadurch mehr und mehr Macht und mußten sich auf wenige Bastionen zurückziehen. Ihnen blieben schließlich nur Diu, Daman und Goa; und dennoch ist ihr Einfluß noch heute deutlich spürbar.

Es sprach sich schnell herum, daß der Handel mit Fernost und Indien lohnend sei. In rascher Folge wurden in Europa rivalisierende Handelsgesellschaften gegründet; eine davon war die holländische Ostindische Handelsgesellschaft. Sie schloß mit dem Zamorin von Calicut einen Vertrag, und bis 1660 hatten die Holländer die portugiesischen Festungen Cochin und Cranganore erobert und gründeten weitere Umschlagplätze in Nagapattinam und Pulicat. Im Jahr 1740 jedoch mußten sie eine empfindliche Niederlage gegen Martandvarma, den Herrscher von Travancore, einstecken.

Das erste Schiff der Britisch-Ostindischen Handelsgesellschaft landete am 24. August 1608 an der indischen Küste, im Hafen von Surat, Gujarat. 15 Jahre später

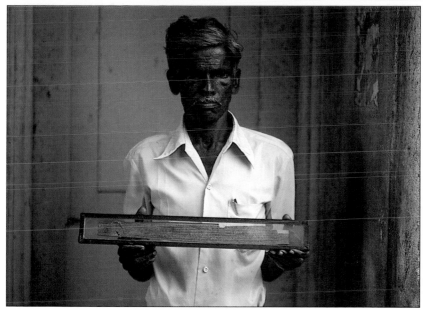

waren bereits die ersten englischen Fabriken in Betrieb, und 16 Jahre später pachtete Francis Day, ein Angestellter der Gesellschaft, etwas Land vom Raja von Vijayanagar. Auf diesem Land wurde die Festung St. George erbaut, das heutige Zentrum von Madras. Bombay mit seinem natürlichen Hafen ersetzte Surat und wurde Hauptanlegeplatz für die Britisch-Ostindische Handelsgesellschaft.

Die Dänisch-Ostindische Handelsgesellschaft traf 1620 mit dem Nayak von Tanjore ein Abkommen und etablierte sich in Tranquebar; ein Brief mit goldenen Lettern vom Tanjore-Nayak Ragunatha an Christian IV. vom Dänemark, wird heute in Kopenhagen aufbewahrt. Als letzte Europäer erschienen die Franzosen 1664 und setzten sich in Pondicherry und in Chandernagar in Bengalen fest. Alle europäischen Mächte buhlten um die Gunst der Mogul-Kaiser, während sie zugleich ihre Macht auszuweiten suchten. Aus diesem Machtkampf schälten sich die Franzosen und Briten als die stärksten Rivalen heraus.

Zu einer Zeit, als die Europäer zunehmend Einfluß in Südindien gewannen und Akbar (1556-1605) seine Herrschaft in Nordindien gefestigt hatte, warf er ein Auge auf die wichtigsten Reiche des Dekkan-Hochlandes: Bijapur, Golkonda und Ahmadnagar. Wenn Diplomatie ihm nicht zum Ziel verhalf, griff er auf das Heer zurück, und innerhalb weniger Jahre konnte er so Berar und die Stadt Ahmadnagar unter seine Herrschaft bringen. Die Eroberung von ganz Ahmadnagar gelang indes erst seinem Enkel Shah Jahan im Jahr 1633, dem Erbauer des Taj Mahal. Drei Jahre später verleibte er Golkonda und Bijapur dem Mogul-Reich ein. Nachdem er seinen Sohn Aurangzeb als Vizekönig auf dem Dekkan-Hochland eingesetzt hatte, kehrte er selbst nach Nordindien zurück.

Die Marathen

Aurangzeb begnügte sich nur kurzfristig mit dem Amt des Vizekönigs und versuchte währenddessen, seine Brüder vom

Thron in Delhi zu vertreiben. Das Unternehmen gelang, und er wurde 1658 zum Kaiser gekrönt; da er jedoch seine gesamte Aufmerksamkeit diesem Machtkampf geschenkt hatte, konnte in der Zwischenzeit auf dem Dekkan-Hochland Shivaji, ein Anführer des Volkes der Marathen, die Macht übernehmen.

Die Marathen waren ein mutiges Volk, das hauptsächlich vom Ackerbau lebte; die Männer der gutsituierten Familien standen meist als Offiziere oder *jagidars* im Dienst der Sultane des Dekkan. Starke wirtschaftliche und soziale Bande hielten die Marathen zusammen. Sie sprachen Marathi und Hindi, waren Anhänger des Hinduimus und stark beeinflußt von den Bhakti-Heiligen Maharashtras: Eknath, Tukaram und Dyaneshwar. In die von ihnen bewohnte Region reichten die Bergketten des Satpura-, des Vindhya- und Sahyadri-Gebirges. Geographisch betrachtet also eine ideale Lage für einen souveränen Staat. Was ihnen noch fehlte, war ein politischer Führer; diese Rolle übernahm schließlich Shivaji. Unter seiner Führung wurden die Marathen zur stärksten Macht auf dem Hochland, und er selbst wurde bereits zu Lebzeiten eine Legende.

Um das moderne Maharashtra besser zu verstehen, muß man einiges über den großen Herrscher Shivaji wissen. Er wurde 1630 als Sohn einer angesehenen Familie geboren; der Vater war Befehlshaber unter dem Sultan von Bijapur und seine Mutter die Tochter eines Adligen.

Während sein Vater für den Sultan kämpfte, streifte Shivaji durch die Gebirgswälder und lernte die rauhe Seite des Lebens kennen. Aufgrund seiner Erziehung schätzte er Unabhängigkeit über alles; willensstark entwickelte er eigene politische und administrative Konzepte, die er, als die Herrschaft der Mogule abgeschüttelt war, schließlich auch an-

Rechts: Ein Maratha-Krieger (Radierung aus dem 18. Jh.).

wandte. Nach dem Tod seines Vaters schulte Shivaji seine Männer im Guerillakampf. Mit diesen gut ausgebildeten Soldaten griff er den Feind an und nahm die in den Bergen gelegenen Festungen ein. Lange Zeit gelang es ihm, den Mogul-Heeren immer wieder auszuweichen, während diese ständig in Bewegung waren. Damit freilich zog er den Zorn Aurangzebs auf sich. Ein starkes Heer wurde unter der Führung von Raja Jai Singh nach Maharashtra gesandt, und Shivaji mußte die meisten der eroberten Festungen wieder aufgeben. Er geriet dabei selbst in Gefangenschaft. Doch gelang ihm die Flucht und verkleidet erreichte er den Dekkan. Im Jahr 1670 eroberte er die Festigungen, die er verloren hatte, wieder zurück, vier Jahre später wurde er zum König der Marathen gekrönt.

Kurz nach dem Tod Shivajis kehrte Aurangzeb auf das Dekkan-Hochland zurück, wo er bis zu seinem Tod 1707 blieb. Er war entschlossen, Bijapur, Golkonda und das Land der Marathen zu erobern, dies hielt ihn auf dem Dekkan-Hochland. Im Falle Bijapurs und Golkondas war er erfolgreich. Zwar richtete er den Sohn Shivajis hin und warf den Enkel in den Kerker, dennoch konnte er nie ganz über die Marathen triumphieren.

Den Marathen kam in der Folgezeit die Geschichte zu Hilfe. Nach dem Tod des Kaisers brachen im Mogulreich anhaltende Thronkämpfe aus. Der Expansionswillen der Marathen wurden erneut geschürt, besonders unter den fähigen Premierministern, den Peshwas, die die Überlegenheit der Marathen für mehr als ein Jahrhundert sicherten. Die Peshwas wurden zu den eigentlichen Herrschern des Marathenstaates. Nach und nach etablierten sie sich in ganz Nord- und Nordwestindien und ließen nur die symbolischen Zentren der Mogulmacht beiseite. Ihr größter Gegner war der Nizam von Hyderabad, der zunächst noch als Premierminister des Mogulreiches fungierte und später seinen eigenen Staat gründete.

Erwähnenswert ist die Tatsache, daß sich die Marathen dank ihrer Guerilla-Taktik niemals eine offene Schlacht mit den Heeren der Mogule lieferten, diese aber, schwerfällig wie sie waren, dadurch aufreiben konnten.

Beginn der Kolonialherrschaft

Zwar hatte Aurangzeb die Grenzen des Mogul-Reiches weiter nach Südindien ausdehnen können, doch es zerfiel wenige Jahre nach seinem Tod im Jahr 1707. Das Dekkan-Hochland war praktisch unabhängig, die eigentlichen Herrscher waren die Peshwas, die Verwaltungsbeamten. Auf der politischen Bühne Indiens erschienen neben den Marathen neue Mächte – die Briten, die Franzosen und Hyder Ali, der Herrscher von Mysore.

Zwischen Großbritannien und Frankreich existierten in Europa schon seit langem machtpolitische Rivalitäten; in Indien stießen ihre Handelsinteressen aufeinander. So kam es an der Südostküste Indiens, in Karnataka mit seinen wichtigen Handelsplätzen Pondicherry und Madras zu drei Kriegen zwischen den beiden verfeindeten Staaten. Während der erste der drei Kriege auf indischem Boden politisch ohne Folgen blieb, hatte man doch auf beiden Seiten die Überlegenheit der europäischen Truppen erkannt; die indischen Herrscher waren de facto nur Zuschauer geblieben. Als später Erbfolgekriege in Hyderabad und Karnataka ausbrachen, sahen die Franzosen eine Chance, in der Politik Indiens Fuß zu fassen. Sie standen auf der Seite Hyderabads, erhielten dafür etwas Land und den nichtssagenden Titel „Oberherr von Südindien". Die Briten standen auf der Gegenseite in Karnataka. Als die von ihnen unterstützte Partei dank einer List über den Gegner siegte, entwickelten sie erstmals politischen Ehrgeiz in Indien. Am Ende

Rechts: Kunstvoll gearbeitete Kanone im Daulatabad Fort in Maharashtra.

konnten sie die Franzosen bezwingen und ließen ihnen lediglich Pondicherry, allerdings nur unter der Bedingung, dort keine Festung zu bauen.

In der Zwischenzeit wurden die Marathen von Ahmad Shah Abdali im Jahr 1761 in Panipat (Nordindien) angegriffen, so daß ihre Vorherrschaft dort geschwächt wurde. Der Mogul-Herrscher wurde zu einem heimatlosen Wanderer, und die Bundesgenossenschaft der Marathen zerbrach in fünf Staaten. Die Engländer erkannten sofort das dadurch entstandene machtpolitische Vakuum.

Der britische Gouverneur von Bombay war zwar noch in einen zähen Erbfolgekrieg der Marathen verstrickt, doch mußte sein Gegner noch an einer anderen Front kämpfen, gegen Hyder Ali, den Herrscher von Mysore. Dieser war unter dem dortigen Hindukönig Premierminister gewesen und ergriff dann selbst die Macht. Hyder Ali hatte ein großes militärisches Talent und großen Ehrgeiz. Unter ihm gedieh Mysore zu einem wohlhabenden Staat.

Im Jahr 1776 überfiel Hyder Ali das unabhängige Malabar, wo die Briten eine Handelsniederlassung besaßen. Ein paar Jahre später griffen die Marathen Hyder Ali in Mysore an, ohne daß die Briten ihm zu Hilfe kamen, wozu sie vertraglich verpflichtet waren. Hyder Ali verbündete sich daraufhin mit den Marathen und dem Nizam von Hyderabad. Gemeinsam zogen sie durch Karnataka und eroberten Arcot; weitere Kriege folgten. Als Hyder Ali starb, übernahm sein Sohn Tipu Sultan die Herrschaft. Zwar wurde 1784 Frieden geschlossen, doch blieb Tipu Sultan ein Todfeind der Engländer. Zwei Jahre später stoppte er den Gewürzexport von Malabar aus und traf mit dieser Maßnahme den britischen Handel mit China. Die Antwort der Briten hieß abermals Krieg. Diesmal hatten sie sich mit dem Nizam und den Marathen gegen Tipu verbündet, die beide nicht die Gefahr erkannten, an der Seite einer landesfrem-

den Macht zu kämpfen. Tipu wurde zunächst geschlagen, doch der britische General-Gouverneur Cornwallis sollte nicht recht behalten, als er sagte: „Ohne unseren Freunden zu viel Macht eingeräumt zu haben, konnten wir unseren Feind vernichten."

Tipu schmiedete bereits neue Kriegspläne. So schickte er Abgesandte nach Afghanistan, Arabien und in die Türkei, um Verbündete für eine antibritische Allianz zu gewinnen. Er hielt es für ehrenvoller „zu sterben wie ein Soldat, als wie einer der Ungetreuen zu leben, wie all die in den Ruhestand gesetzten Rajas und Nawabs."

Die Marathen und der Nizam verbündeten sich einmal mehr mit den Engländern und schlugen Tipu im Jahr 1799. Er starb den Heldentod, seine Truppen standen bis zur letzten Minute an seiner Seite. Die meisten seiner Ländereien wurden von den Briten annektiert, der Rest wurde dem wiedereingesetzten hinduistischen König überantwortet, der nun völlig abhängig von ihnen war.

Tipu Sultan war einer der bemerkenswertesten Herrscher der indischen Geschichte. Er hatte großes taktisches Geschick, und seine Leistungen brauchen keinen Vergleich zu scheuen. Überdies war er der einzige, der die Gefahr erkannte, die die Engländer für den indischen Subkontinent darstellten.

Die britische Vorherrschaft reichte inzwischen von der Malabar- bis zur Koromandel-Küste. Die Peshwas wurden entthront und durch einen Nachfolger Shivajis ersetzt, der nur eine Marionette der Engländer war. Sie hatten ihre Ländereien mit den verschiedensten Mitteln zu vergrößern gewußt, und im Jahr 1818 waren sie die eigentlichen Herrscher Indiens. All das hatte mit dem kleinen Stück Land begonnen, das ein gewisser Mr. Day im Jahr 1639 erworben hatte.

Eine Epoche der Umwälzungen

Um das Jahr 1818 zeichnete sich die Vorherrschaft der Ostindischen Handelsgesellschaft in Indien deutlich ab. Von

Bombay und Madras aus kontrollierten die Engländer, die von Handelsherren nun zu Verwaltungsbeamten geworden waren, die gesamte Küste des Subkontinents; zwar standen weiterhin große Gebiete unter der nominellen Herrschaft der alten Könige, diese hatten außenpolitisch jedoch keinerlei Freiheit mehr. Die Ostindienkompanie hatte von der englischen Krone das Recht bekommen, Truppen auszuheben, und beschäftigte sich nun hauptsächlich mit der Einnahme von Grundsteuern. Dies fügte Indien einen ungeheuren wirtschaftlichen Schaden zu, denn diese Gewinne wurden nach England geschafft; für die Entwicklung des Landes wurde fast nichts getan.

Während das britische Empire seine Blütezeit erlebte – 1858 wurde das Mogul-Reich formell aufgehoben und ein britischer „Vizekönig" eingesetzt –, befand sich Indien selbst in einem Gärungsprozess, und westliche Ideen wurden kritisch begutachtet. Die Engländer brachten westliche Ideen in das Land; Bereiche wie Ausbildung und Verwaltung erlebten eine „ideologische Invasion".

Aus diesem Infiltrationsprozess heraus entstand der indische Nationalismus. Im Jahr 1885 wurde die Indische Nationale Kongresspartei gegründet, die der britische Vizekönig drei Jahre später als „mikroskopisch kleine Minderheit" bezeichnete – eine Minderheit, die sich zunächst nur aus einer elitären Schicht von Indern zusammensetzte und deren Mitglieder alle eine englische Schulbildung genossen hatten. Erst unter Mahatma Gandhi, also Jahrzehnte später, erfaßte die Nationalbewegung auch die breiten Massen.

Im Jahr 1936 war die Kongresspartei „die größte Organisation der einfachen Menschen, der Dorfbewohner, für Hunderttausende von Bauern und Viehzüchtern und für ein paar wenige Industrie- und Landarbeiter."

Rechts: Statue von Mahatma Gandhi, der als der Vater der Nation verehrt wird.

Neben dieser politischen Bewegung gegen die koloniale Fremdherrschaft fanden gleichzeitig soziale Umwälzungen statt, die mit sozial orientierten Reformbewegungen des Hinduismus verbunden waren. So formierten sich viele Bewegungen, die der Kastenstruktur kritisch gegenüberstanden und den Dienst an Armen und Unterdrückten leisteten. Ein anderer großer Teil der Bevölkerung nahm weiterhin die traditionelle Gesellschaftsform als Bezugsrahmen. Viele definierten sich innerhalb des Kastensystems neu. Zur Jahrhundertwende begannen einige jatis (berufsgebundene Kasten), einen höheren Status für sich selbst zu schaffen, indem sie diverse Eigenarten der Inder höherer Stufe adaptierten.

Die traditionell ausgestoßenen Ezhavas von Kerala wurden von den Ideen Sri Narayana Guru (1854-1928) angeregt, die Vorherrschaft der Brahmanen, wie sie seit Jahrhunderten in der indischen Gesellschaft existierte, laut in Frage zu stellen. Sie forderten die Inder auf, für einen freien Zugang in die Tempel zu kämpfen und ihre eigene Kaste aufzuwerten. Narayana Guru, Dr. Palpu (der erste Ezhava mit Hochschulabschluß) und N. Kumaran Asan (der große Malayali-Dichter), gründeten nach gemeinsamen Anstrengungen das Dharma Paripalana Yogam; in den 1920er Jahren schloß sich diese Organisation Gandhis Befreiungsbewegung an. Die Ezhavas wurden später die Wortführer der kommunistischen Bewegung in Kerala.

Ähnliche, im sozialen Bereich motivierte Bewegungen konnte man in Tamil Nadu und Maharashtra ausmachen; in Tamil Nadu wurde den Unberührbaren und den Beschäftigten in der Landwirtschaft der Status von Kaufleuten zugestanden, worauf sie sich *nadars* nannten (früher hießen sie *shanans*). Ihre Forderung nach freiem Zugang zu den Tempeln löste in Tirunelveli 1899 Unruhen aus. Die Pallis aus dem nördlichen Tamil Nadu verfolgten ähnliche Ziele und nannten sich nun

Vanniya Kula Kshatriya; damit ahmten sie nun die Bräuche der höheren Kasten nach.

In Maharashtra, wo die gesellschaftlichen Schranken zwischen den einzelnen Kasten am weitesten niedergerissen worden waren, erhoben die Mahars ihre Stimme am lautesten gegen die Diskriminierung der unteren Kasten und setzten sich für mehr Möglichkeiten bei der Berufswahl ein. Sie bildeten später das Rückgrat einer Bewegung, die sich für die Unberührbaren einsetzte. Angeführt wurde sie von Dr. Ambedkar, der später zum Buddhismus konvertierte wie viele seiner Anhänger, und der noch später eine Schlüsselrolle bei der Formulierung der indischen Verfassung spielen sollte. Die Literatur, unter dem Einfluß dieser Bewegungen in Marathi geschrieben wurde, erreichte selbst die kleinsten Siedlungen auf dem Lande. Ihre politische Botschaft vermittelte diese Bewegung über das traditionelle Volkstheater, *tamasha*, das auch heute noch in Maharashtra aufgeführt wird.

Die tamilischen Brahmanen

Die Vorherrschaft der Brahmanen in fast allen Bereichen des Lebens war ein unversiegbarer Quell tiefsten Ärgers der niederen Kasten, die forderten, sich der „heuchlerischen Brahmanen und ihrer opportunistischen Schriften" zu entledigen. Doch vorab ein paar Worte zu den Brahmanen Tamil Nadus, die auf ihre Art einzigartig in Indien waren. Über Jahrhunderte hinweg lernten sie die alten Schriften auswendig und entwickelten so ein ausgezeichnetes Gedächtnis. Sie gaben immer wieder neue geistige Anstöße und hielten gleichzeitig standhaft an den alten Traditionen fest. So ist es keineswegs verwunderlich, einen orthodoxen tamilischen Brahmanen zu treffen, der z. B. in einer gewissen Verzückung seine Religion ausübt und gleichzeitig ein führender Naturwissenschaftler ist. Und tatsächlich entstammen dieser brahmanischen Schicht einige herausragende Denker: Srinivasa Ramanujam, dessen 100. Geburtstag 1988 gefeiert wurde, war ein exzellenter Mathematiker. C. V. Raman Pillai (1888-1970) erhielt 1930 den Nobelpreis für Physik für die Entdeckung des nach ihm benannten Raman-Effekts. 1983 teilte sich Professor S. Chandrasekhar den Nobelpreis für Physik mit einem amerikanischen Wissenschaftler.

Dr. S. Radhakrishnan, ein mit viel Ehren überhäufter Philosoph, wurde in den 60er Jahren Präsident der Republik Indien. Ungeachtet der berühmten Persönlichkeiten, die dieser Schicht entstammen, bleibt es leider eine Tatsache, daß die Privilegien, die die Brahmanen seit Jahrhunderten genießen, auf Kosten der unteren Kasten gehen.

Die Briten, die eine Politik des „Teile und Herrsche" verfolgten, schürten den Haß gegen die Brahmanen, woraus sich eine Art drawidischer oder tamilischer Separatismus entwickelte. Im Jahre 1886 gab der Gouverneur von Madras vor einer Versammlung folgendes von sich: „Ihr seid reinrassige Drawiden. Ich wünsche mir, daß sich das prä-arische Element in euch noch mehr durchsetzt. Ihr habt mit Sanskrit weniger zu tun als wir Engländer..." Der Begriff Sanskrit bedeutet im weitgefaßten Sinn die „arische" Durchdringung Südindiens.

An dieser Stelle ist ein Exkurs über die vier Sprachen Südindiens unerläßlich, denn auch sie spielten eine Rolle im Umwälzungsprozeß auf dem Subkontinent.

Die Sprachen Südindiens

Tamil, Malayalam, Kannada und Telugu, die aus dem drawidischen Stamm hervorgegangenen Sprachen, bildeten später die Grundlage für die Bildung der Unionsstaaten Tamil Nadu, Kerala, Karnataka und Andhra Pradesh. Sie unterscheiden sich in ihrer Struktur und Ausdrucksform von den indo-europäischen Sprachen des Nordens. Obwohl Experten

Rechts: Reich geschmückte Braut bei einer typisch südindischen Hochzeit.

diese zwei Sprachgruppen unterscheiden, hat eine wechselseitige Beeinflußung zu jeder Zeit stattgefunden. In der Gruppe der dravidischen Sprachen kann man auf eine 2000-jährige Literaturgeschichte zurückblicken; die ältesten klassischen Literaturstücke wurden in Tamil geschrieben. Kannada und Telugu wurden etwa im 3. und 4. Jh. n. Chr. klassische Sprachen.

Malayalam war ursprünglich eine Form des Tamil und entwickelte sich erst um das 9. Jh. zu einer eigenständigen Sprache. Überall, abgesehen von Regionen im äußersten Süden, war Prakrit die offizielle Amtssprache, die für königliche Urkunden, Dokumente und Inschriften verwendet wurde. Im südlichen Tamil-Reich benutzte man eine Mischung aus Tamil und Prakrit. Aber ab dem 4. bis fast zum 16. Jh. setzte sich am Hof und in der Verwaltung in Südindien einschließlich des Tamil-Reiches das Sanskrit durch. Etwa ab dem 9. Jh. wurden Dokumente auch zweisprachig abgefaßt. Dies hatte zur Folge, daß einerseits regionale Sprachbesonderheiten in die klassischen Sprachen einflossen und andererseits die kulturelle Einheit des Südens gewahrt blieb.

Für den Staat Tamil Nadu hatte die Gründung der „Gerechtigkeitsbewegung" im Jahr 1915 in Madras unter C. N. Mudaliar, T. M. Nair und P. Tyagaraja Chatty, die sich gegen die Vorherrschaft der Brahmanen richtete, große politische Bedeutung. Eine radikalere Bewegung gegen das Kastenwesen entstand unter E. V. Ramaswamy Naicker. In Mysore machten sich die Vokkaligas und Lingayats für die antibrahmanische Bewegung stark, die bereits 1917 gebildet worden war.

Im Staat Travancore lernten dank der Aktivitäten der Missionare 36 Prozent der Bevölkerung, besonders die Ezhavas, lesen und schreiben (Kerala war schon seit jeher Vorreiter im Bildungswesen Indiens). Viele Bewohner dieses Staates

sind Christen und Moslems. Bekannte Gruppen hinduistischen Glaubens waren die Ezhavas, die Nairs und die Namboodris. Letztere waren orthodoxe Brahmanen der höchsten Kaste, die glaubten, bereits der Anblick eines Unberührbaren würde sie beschmutzen; sie waren total ins religiöse Geschehen eingebunden. Interessanterweise stammt E. M. S. Namboodripad, ein führendes Mitglied der Kommunistischen Partei Indiens, aus dieser Schicht.

Die Nairs identifizierten sich stark mit dem Unionsstaat, als Soldaten waren sie immer an vorderster Front zur Verteidigung Keralas zur Stelle. Um die Jahrhundertwende sahen sie sich plötzlich von drei Seiten angefeindet: von den nichtmalayalischen Brahmanen, die ihre Macht im Staate Travancore verteidigten, von wohlhabenden syrischen Christen, die große Plantagen besaßen und noch heute besitzen, und von den immer mächtiger werdenden Ezhavas.

Da sich die schon längst verkrustete Gesellschaftsstruktur der Nair nur langsam Veränderungen anpassen konnte, brachen die althergebrachten Strukturen unter dem Unmut der Bevölkerung auf. Er äußerte sich in zunehmendem Zorn gegen die Briten, in Patriotismus und Radikalismus. Soziale Reformen waren die Folge. Der erste moderne Roman, *Indulekka* (1889), in Malayalam von Chander Menon geschrieben, griff die sozialen Probleme der Nair auf, während C. V. Raman Pillai in *Martanda Varma* (1891) die militärischen Leistungen der Nair verherrlichte. Die Nair Service Society, gegründet im Jahre 1941, versuchte, Sozialreformen mit den Bestrebungen der Kasten zu verbinden. Im selben Jahr erschien die erste Karl-Marx-Biographie in Malayalam, sie war geschrieben von Ramakrishnan Pillai.

Rechts: Schlangestehen für Wasser neben Fortschritt verheißenden Plakaten.

In den ersten Jahrzehnten des 20. Jh. tauchte in Südindien eine kraftvolle Dialektliteratur auf. Es kam zu neuen kulturellen Entwicklungen, die eng mit den verschiedenen Dialekten verbunden waren. In Kerala wurden die Ideen Gandhis durch die Verse Vallathols verbreitet. In Andhra wurde der Wunsch nach einem stärkeren Gebrauch des Telugu laut, der schließlich in der Forderung nach einem eigenen „linguistischen" Staat gipfelte. In Städten Tamil Nadus wie Madras, Madurai oder anderen entstanden sogenannte Tamil Sangams, in denen das drawidische Erbe wiederbelebt werden sollte. Man griff auf die klassische Literatur des Tamil zurück und sang sogar die Lieder der Schurken aus dem Ramayana. In Maharashtra machte man Shivaji im Nachhinein zu einem Rebellen gegen das Kastenwesen.

Indien seit der Unabhängigkeit

Nach der Unabhängigkeit 1947 schufen die Gründer der Republik Indien eine Verfassung, die stark an die britische und amerikanische angelehnt war, und kombinierten sie mit einer halbsozialistischen Planwirtschaft, die ihr Vorbild in der Sowjetunion hatte.

Die Kongreßpartei, die aus der Unabhängigkeitsbewegung hervorgegangen war, wurde zur alles dominierenden politischen Kraft im Staat. Premierminister Nehru regierte bis zu seinem Tod 1964 unumstritten. In den sechziger Jahren führten jedoch mehrere Dürren und die langsam deutlich werdenden Schwächen der Planwirtschaft zu einer wirtschaftlichen Stagnation. 1966 wurde Indira Gandhi, die Tochter Nehrus, zur Premierministerin gewählt. Eine der erfolgreichsten politischen Maßnahmen wurde damals eingeleitet, die „Grüne Revolution", die die landwirtschaftliche Produktion enorm steigerte und bis heute die Grundversorgung der Bevölkerung garantiert. Indira Gandhis Regierungszeit war je-

doch auch durch Konflikte gekennzeichnet. Der erste Krieg mit dem neuen Nachbarn Pakistan brach aus; dieser Staat war 1947 aufgrund separatistischer Bestrebungen der muslimischen Minderheit Indiens entstanden. Bei der Massenflucht von Hindus nach Indien und Muslimen nach Pakistan war es auf beiden Seiten zu schrecklichen Massakern gekommen. Seitdem ist das Verhältnis zwischen den beiden Ländern gespannt. Seit 1947 entlud sich diese Spannung hauptsächlich im Streit um die Grenzregion Kaschmir, in der eine muslimische Mehrheit lebt, die aber auf Wunsch von Kaschmirs Hindu-Raja nach der Unabhängigkeit Indien zugeschlagen worden war. Darüberhinaus unterstützte Indien 1971 die Unabhängigkeitsbestrebungen Ostpakistans, des späteren Bangladesch, und führte 1974 die ersten indischen Atomversuche nahe der pakistanischen Grenze durch. Beides war nicht dazu angetan, die Beziehungen zu verbessern. Im selben Zeitraum erlitt auch die Wirtschaft wieder schwere Rückschläge. Die Opposition begann

lautstark, Indira Gandhis Rücktritt zu fordern. Diese regierte daraufhin mit Hilfe des Notstandsgesetzes fast zwei Jahre lang mehr oder weniger diktatorisch. Als 1977 dann endlich wieder Wahlen durchgeführt wurden, konnte sie keine Mehrheit erringen, kehrte 1980 jedoch triumphal in ihr Amt zurück.

Indiras schwerster Fehler war der Versuch, die Unabhängigkeitsbestrebungen der Sikh-Separatisten des Bundesstaates Punjab (dt.: Pandschab) – nordwestlich von Delhi – brutal unterdrücken zu wollen. Sie ließ die Separatisten auf das Härteste verfolgen. Als u. a. der Haupttempel der Sikh-Gemeinschaft zerstört wurde, schworen auch gemäßigte Sikhs Rache. 1984 wurde Indira Gandhi von Angehörigen ihrer Sikh-Leibwache getötet.

Ihr Sohn Rajiv Gandhi hatte bei der Wahl im gleichen Jahr großen Erfolg und leitete eine wirtschaftliche Liberalisierung ein, denn Indien stand kurz vor dem Bankrott. Im Umgang mit den Minderheiten bewies jedoch auch er keine glückliche Hand. Der Konflikt im Punjab verschärfte sich wie nie zuvor, die Situation in Kaschmir geriet außer Kontrolle und führte zu Grenzgefechten mit Pakistan. 1989 wurde er abgewählt, 1990 mußte wegen des Rücktritts des neuen Premiers V. P. Singh wieder neu gewählt werden, während des Wahlkampfes 1991 wurde Rajiv Gandhi von Tamilen aus Sri Lanka ermordet, da er die Regierung Sri Lankas im Kampf gegen deren tamilische Separatisten militärisch unterstützt hatte.

Wieder konnte die Kongreßpartei eine Sympathiewahl für sich verbuchen. Der neue Premier Narasimha Rao förderte die endgültige Liberalisierung der indischen Wirtschaft und brach damit den Bann der wirtschaftlichen Stagnation Indiens.

Seit den achtziger Jahren begannen sich in Indien auch rechte politische Kräfte zu formen, die ihr Sprachrohr in der hindunationalistischen Partei BJP haben. Diese vertritt einen politisierten Hinduismus und ist gegen die große muslimische Minderheit in Indien gerichtet. Obwohl sie sich nicht immer ganz auf dem Boden der Rechtsstaatlichkeit bewegt, wie ihre Rolle bei der Zerstörung der Moschee in Ayodhya 1992 gezeigt hat, gewann sie mehr und mehr Anhänger, bildete seit Anfang der neunziger Jahre mehrere Landesregierungen und seit 1998 auch die Zentralregierung, allerdings mit Hilfe einer Koalition.

Gleich nach Regierungsantritt demonstrierte BJP-Premier Atul Vajpayee das neue Selbstverständniss Indiens im Mai 1998 durch eine Wiederaufnahme der seit 1974 freiwillig ausgesetzten Atomversuche – nach den Worten des Verteidigungsminister Fernandes sollte die nukleare Aufrüstung nicht den Erzfeind Pakistan, sondern das Indien mit Atomraketen bedrohende China abschrecken. Pakistan reagierte dennoch mit einem eigenen Atombombentest und offenbarte der Weltgemeinschaft so die Existenz einer mit chinesischer Hilfe in aller Heimlich-

keit entwickelten „islamischen Bombe". Die gegenseitige nukleare Bedrohung zwischen Pakistan und Indien führte zunächst zu einer Entspannungsphase zwischen beiden Ländern, die sich in der Eröffnung eines regelmäßgen Buslinie zwischen Delhi und Lahore widerspiegelte.

Doch diese positive Entwicklung endete 1999 abrupt mit der Besetzung strategisch wichtiger Berge durch pakistanische Truppen und dem anschließenden Kargilkrieg, der mit einem Rückzug der Pakistanis endete. Ein erneuter Gipfel zwischen Musharaf und Vajpayee im Jahr 2001 in Agra brachte keine Fortschritte. Im Gegenteil: Selbstmordattentate islamischer Terroristen auf das Länderparlament von Kashmir und wenig später auf das Parlament von Delhi führten Anfang 2002 zum Aufmarsch von rund einer Million Soldaten entlang der Grenze (LOC) zwischen Indien und Pakistan und einer erneuten Kriegsgefahr. Indien fordert von Pakistan im Krieg gegen den Terror Farbe zu bekennen und jegliche Duldung oder gar Unterstützung radikalislamischer Gruppierungen zu beenden.

Oft wird übersehen, daß ein großer Teil der Innenpolitik in Indien in den Bundesstaaten gemacht wird. Die föderalistische Struktur der Republik garantiert ihnen relativ große Autonomie. So werden besonders in den südindischen Staaten Andhra, Tamil Nadu, Kerala und Karnataka die Regierungen zumeist von Regionalparteien gebildet, die sich vor allem das Wohlergehen ihres eigenen Staates auf die Fahnen geschrieben haben. Diese Entwicklung hat sich für den Süden positiv ausgewirkt: Die Bundesstaaten Kerala und Tamil Nadu haben in vielen Bereichen die besten Sozialdaten Indiens, Karnataka mit seinem High-Tech-Zentrum Bangalore ist unbestritten der Motor der boomenden IT-Branche in ganz Indien, dem dennoch die ehrgeizige Regierung des benachbarten Bundesstaats Andhra Pradesh mit Hyderabad langfristig Konkurrenz machen möchte.

Rechts: Politiker einer vergangenen Zeit.

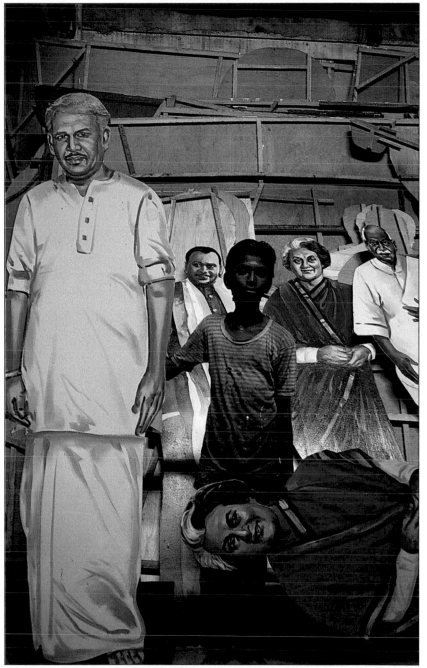

	1	Arunchal Pradesh	7	Assam
	2	West Bengal	8	Nagaland
	3	Himachal Pradesh	9	Meghalaya
	4	Punjab	10	Manipur
	5	Haryana	11	Tripura
	6	Sikkim	12	Mizoram

WOLKENKRATZER, HÖHLENTEMPEL UND KIRCHEN

BOMBAY (MUMBAI)
MAHARASHTRA
GOA

BOMBAY (MUMBAI)

Bombay gilt als das „New York Indiens" – wie jenes eine Welthandelsmetropole auf einer Insel im Meer – allerdings im Arabischen. Es genießt heute den Ruf eines „Indischen Hollywood"; für die Briten der Kolonialzeit war es noch das „Tor nach Indien". Charakter und Flair der Stadt sind kaum zu beschreiben, man muß die größte Stadt Indiens selbst erlebt haben. Alles scheint hier überlebensgroß, und es gibt auch enorme soziale Gegensätze. Doch unter den oftmals chaotisch anmutenden Verhältnissen spürt man die ungeheure Vitalität dieser Stadt, in der das Prinzip „leben und leben lassen" von elementarer Bedeutung ist.

Bombay, die siebtgrößte Stadt der Welt, ist das kommerzielle, wirtschaftliche und finanzielle Zentrum der Nation; demzufolge auch sehr dicht besiedelt. Tagtäglich strömen Tausende hierher, auf der Suche nach der sprichwörtlichen Goldgrube. Während es einigen gelingt, sie zu finden, und es unzählige „vom Bettler bis zum Millionär" – Geschichten gibt, leben andere am Rande des Exis-

Vorherige Seiten: Blick auf den Hafen von Bombay. Die Kathedrale St. Katharina in Velha Goa. Links: Das Taj Mahal Hotel in Bombay.

tenzminimums und bestreiten ihren Lebensunterhalt aus den überquellenden Abfalltonnen gutsituierter Bürger. Nirgendwo sonst ist der Kontrast so offensichtlich: Riesige Slums liegen direkt neben Wolkenkratzern; zerlumpte Bettler strecken ihre Hände chauffeur-gesteuerten Mercedes-Limousinen entgegen. Diese Stadt leidet an allen Nachteilen der ständig fortschreitenden Urbanisation leidet: Luft- und Wasserverschmutzung, ein erschreckender Mangel an Wohnraum, Armut; ständig hat man das Gefühl, die Stadt platze aus allen Nähten. Die berüchtigte Unterwelt Bombays wird von einer Art indischer Mafia rigoros kontrolliert; trotzdem fühlen sich die Frauen hier so sicher wie in keiner anderen Stadt des Landes. Das Gedränge so vieler schwitzender Menschen ist zwar hektisch, doch keinesfalls bedrohlich. Hier erscheint der Tag endlos lang: Bombay ruht nie, gewisse Plätze erwachen erst nach Sonnenuntergang richtig zum Leben. Die Stadt wirkt nachts genauso geschäftig wie tagsüber. Trotz all ihrer Bemühungen, Reichtum anzuhäufen, vergessen die Bürger Bombays nämlich nicht, ihr Geld auch wieder auszugeben. Sie arbeiten hart, aber sie vergnügen sich auch entsprechend.

Bombay wetteifert mit Hongkong um den Titel, die weltweit produktivste Filmindustrie zu besitzen; jährlich werden 200-300 Filme gedreht – 365 Tage im Jahr. Seine Filmstars tragen demnach mit ihrem aufwendigen Lebensstil auch viel zum Trubel in der Stadt bei, der so glanzvoll ist wie die Plakatwände, auf denen sie selbst abgebildet sind. Bombays künstlerische Aufsteiger und die Wertvorstellungen, die sie propagieren, werden für den Mann auf der Straße zum Maßstab des Erfolgs, er wird von diesen Filmen förmlich überwältigt. In Bombays Straßen existiert nur eine dünne Trennungslinie zwischen Phantasie und oft erdrückender Realität.

Bombay erscheint in Statistiken als Indiens reichste Stadt, die sich auch am schnellsten ausdehnt; es ist der wichtigste Hafen zum Arabischen Meer. Zwei Fünftel von Indiens Handel zu Wasser und Luft gehen von hier aus. Die natürliche Schönheit Bombays wird von nichts übertroffen; einige sind der Meinung, der Name Bombay sei abgeleitet von dem entzückten Ausruf *Bom Bahia* (schöne Bucht) der portugiesischen Seeleute, die in den natürlichen Hafen einliefen. In der großen Hafenbucht liegen einige kleine Inseln, östlich wird sie von den Ghats auf dem Festland eingerahmt – ein schönes Panorama.

Bombay ist der bedeutendste Steuerzahler des Landes und bestreitet etwa ein Drittel der gesamten Steuereinnahmen. Die Stadt kam durch die Baumwollfabriken des 18. Jh. zu ihrem Wohlstand, und noch heute besteht ein Großteil ihres Handels aus Textilien. Aber Bombay hat sich auch auf andere Industriezweige verlegt. Man produziert hier mittlerweile fast jede erdenkliche Sorte von Gebrauchs- und Konsumgütern. In Bombay ist auch das Hauptquartier des westlichen Marinekommandos und der Standort von dessen Flaggschiff; überdies steht jen-

seits der Bucht in Taranpur der Kernreaktor der Atomenergie-Kommission. Hier befinden sich ebenfalls die führenden Bankinstitute und die wichtigste Börse des Landes. Darüberhinaus ist Bombay die Hauptstadt Maharashtras und Regierungssitz.

Kurzer geschichtlicher Überblick

Man kann sich nur schwer vorstellen, daß diese Stadt einst ein unwirtliches Niemandsland war, in dem die Malaria grassierte. In vieler Hinsicht ist die Geschichte Bombays so unglaublich wie die von einigen seiner Bewohner, die hier ihr Glück machten. Die ursprünglichen Bewohner der Inseln waren Fischer. Bombay hat in der Antike assyrische persische und römische Reisende angezogen. Ptolemäus, der griechische Astronom und Geograph, kam 150 n. Chr. hierher und taufte das Gebiet um die trapezförmige Insel Bombay *Heptanasia*, Sieben Inseln. Das Areal, wenn auch nicht zentral gelegen, war im Lauf der Geschichte Teil mehrerer Reiche. Eindrucksvolle Zeugnisse finden sich besonders aus dem indischen Mittelalter (7.-13. Jh.), wie die Höhlentempel von Elephanta, die unter der Chalukya-Dynastie entstanden, die von ihrer Hauptstadt Badami in Karnataka aus ihr ganzes Reich mit exzellenten Tempelbauten ausstatteten.

1348 wurde Bombay von den Moslems erobert und ein Bestandteil des Sultanats von Gujarat. Das heute sichtbare alte Bombay stammt zwar von den Briten, aber es waren die Portugiesen, die die Stadt gründeten. 1508 scheiterten die Versuche der Portugiesen, die Mahikavati-Siedlung (Mahim) zu erobern. 27 Jahre später trat Sultan Bahadur Shah, der Herrscher von Gujarat, die Inseln an die Ausländer ab, die sie aufteilten und an religiöse Orden oder Einzelpersonen verschenkten. 1661 war Bombay ein Teil der Mitgift der Prinzessin Katharina von Braganza, als sie König Charles II. von Eng-

Rechts: So turbulent geht es auf den Straßenmärkten Bombays zu.

land heiratete. Da dieser keine Verwendung für die Inseln hatte, verpachtete er sie an die gerade entstehende Britisch-Ostindische Handelsgesellschaft für die königliche Summe von 10 Pfund Gold pro Jahr. Erst nach 1783 wurde dieses Gebiet tatsächlich zu deren Handelsstützpunkt auf dem indischen Subkontinent.

Mit der Eröffnung des Suez-Kanals im Jahr 1869 entstanden die Grundlagen des heutigen Bombay. Da es bald den Ruf eines wichtigen Hafen- und Schiffahrtszentrums genoß, litt die stetig wachsende Bevölkerung mehr und mehr an Platzmangel, und die Stadtväter mußten sich um die politische und technische Durchführbarkeit eines Programms zur Gewinnung von Land aus dem Meer kümmern; dieses Projekt war schon 1662 in Angriff genommen worden und führte zur allmählichen Verschmelzung der sieben Inseln. In den 40er Jahren entstand bei der Landgewinnung der Küstenstreifen Marine Drive entlang eines Teils der Backbay, in jüngster Zeit die Gebiete Nariman Point und Cuffe Parade.

Die Bevölkerung

Bombays Wachstum seit den 1940er Jahren ist atemberaubend, sogar schon alarmierend. Hatte es um die Jahrhundertwende eine Bevölkerung von 85 000 Menschen, so lebten 2001 in Mumbai offiziell bereits ungefähr zwölf Millionen, inoffiziell wahrscheinlich sogar doppelt soviel Menschen. Der Zustrom der Arbeitsuchenden reißt nie ab; die Armut auf dem Lande hat Tausende in dieses El Dorado verschlagen. Bombay ist, um ein vielzitiertes, aber wahres Klischee zu zitieren, Indiens Schmelztiegel von Nationalitäten und Völkern – und alle tragen sie zur Vielfalt der Stadt bei. Bombay ist für sie alle zur Heimat geworden, die Stadt hat sie willkommen geheißen und absorbiert, wenn auch auf die Gefahr hin, endgültig aus allen Nähten zu platzen.

Bombays vielschichtige Gesellschaft ist eine komplexe Mischung verschiedener Gemeinden. Unter diesen sind besonders die Gujaratis, die Parsis und die Goaner erwähnenswert; diese und einige kleinere Gemeinden wie die Sikhs, die Armenier und die Chinesen haben viel zum Wachstum der Stadt beigetragen. Nach der Teilung Indiens 1947 gab es einen größeren Zustrom von Hindus aus dem fortan pakistanischen Sind (sie werden Sindhis genannt); außerdem hat die Stadt eine beträchtliche islamische Bevölkerung. Die Gujaratis, die hauptsächlich Händler und Geschäftsleute sind, machen ebenfalls einen beachtlichen Anteil der Bevölkerung Bombays aus.

Die Parsen, die auch aus Gujarat stammen, waren ursprünglich Perser, die ab 640 n. Chr. aus ihrer Heimat flohen, um der Verfolgung durch die arabischen Moslems zu entkommen und so den Abfall vom Zoroastrismus, der noch immer ihre Religion ist, zu vermeiden. Die Geschichte der Parsen in Indien – einer wirtschaftlich besonders erfolgreichen Minderheit – ist eng mit dem Charakter Bombays verwoben. Es heißt, die parsischen Schiffsbauer hätten mehr zum Wachstum der Stadt beigetragen als die englischen Kaufleute. Diese winzige Gemeinde (ungefähr 100 000 in der ganzen Welt) ist wirtschaftlich außerordentlich erfolgreich.

Die goanischen Christen in Bombay stammen entweder direkt von den Portugiesen ab, die im 16. Jahrhundert auf die Insel kamen, oder sind reine Inder, bekehrt durch eifrige römisch-katholische Missionare, deren Nachfolger einige der besten Bildungseinrichtungen der Stadt leiten.

Die Moslems in Bombay sind mit den übrigen Gemeinden verschmolzen, doch kann man noch einiges vom Islam und seiner selbstbewußten Kultur in der **Mohammed Ali Road** entdecken. Auch für Juden wurde Bombay zur Heimat, jedoch nimmt ihre Anzahl wie die der Parsen ständig ab. Die Hindu-Bevölkerung in Bombay besteht hauptsächlich aus Maharashtrianern. All diese Gruppen machen Bombay zu dem, was es heute ist: dem Wirtschaftszentrum des Landes.

Kultur

Bombays kulturelles Leben spiegelt die Vielfalt seiner polyglotten Bevölkerung wider. Es gibt möglicherweise keine zweite Stadt in Indien, die ein so umfangreiches Kultur- und Unterhaltungsprogramm bietet. Das ganze Jahr über stehen Tanz-, Musik- und Theaterveranstaltungen auf dem Programm, und viele hundert Kinos sind in der Stadt verstreut, die das Zentrum der indischen Filmindustrie ist. Andere kulturelle Hochburgen sind das **National Center for the Performing Arts**, ein komplexes Gebäude, in dem sich das Tata-Theater befindet, direkt am Nariman Point. Das **Birla Matushri Sabhagarh** und die **Patkar Hall**, beide an den Marine Lines, das **Tejpal Theatre** in der Gegend der Malabar-Hügel und das **Bhulabhai Desai Auditorium** an der Backbay sind ebenfalls zu erwähnen.

In den Vorstädten sind die **Shanmukhananda Hall** und das pompöse **Prithvi Theatre** bekannt, das der Familie Kapoor gehört, die die Filmindustrie der Stadt seit drei Generationen beherrscht. Das englischsprachige Theater ist ebenso aktiv wie die Marathi *tamasha* und die Parsi *nataks*, oft anzügliche Komödien. Die wichtigsten diplomatischen Kulturzentren der Stadt sind das **American Center**, das **British Council** und die **Alliance Francaise de Bombay**; außerdem gibt es das **Max Müller Bhavan** (Goethe-Institut).

Kulinarisches

In Bombay geht man oft und gern essen. Niemand hat Zeit, sich ein Lunchpaket zu machen, und am Nachmittag wird deshalb das Handelsgebiet **Fort** zu einem riesigen Schnellimbiß. Den Bewohnern Bombays ist ihre Zeit zu kostbar, und Schnellimbisse waren hier schon beliebt, bevor das amerikanische „Fastfood" die Stadt überschwemmte. Die traditionellen iranischen Parsi-Restaurants mit ihren

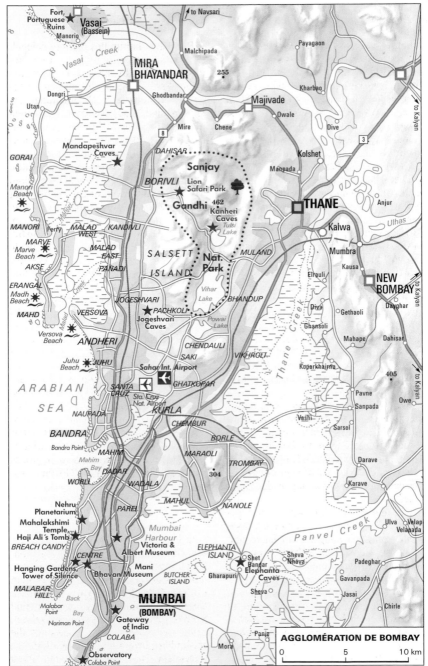

Fort, Portuguese Ruins
Vasai (Bassein)
Manorio
to Navsari
Malchipada
Payagaon
Vasai Creek
MIRA BHAYANDAR
Dongri
Ghodbandar
255
Kharbao
Utan
Mire
Chene
Owale
Majivade
Dive
GORAI
DAHISAR
Sanjay
8
Kolshet
Mandapeshvar Caves
BORIVLI
Lion Safari Park
Manpada
Manori Beach
Gandhi
462
Kanheri Caves
Tulsi Lake
THANE
Anjur
MANORI
Ferry
MALAD WEST
KANDIVLI
SALSETT
Kalwa
Ulhas
MARVE
Marve Beach
MALAD EAST
ISLAND
Nat. Park
MULAND
Mumbra
AKSE
PANADI
Kausa
NEW BOMBAY
ERANGAL
Madh Beach
Vihar Lake
Eirauli
to Kalyan
MAHD
JOGESHVARI
PACHKOLI
BHANDUP
Diva
Dayghar
Versova Beach
VERSOVA
Jogeshvari Caves
Powai Lake
Gethaoli
Dahisar
ANDHERI
CHENDAULI
Ghansoli
Mahape
Juhu Beach
JUHU
SAKI
VIKHROLI
Kuparkhairna
405
ARABIAN
Sahar Int. Airport
GHATKOPAR
Pavne
Owe
SEA
SANTA CRUZ
Sta. Cruz Nat. Airport
to Kalyan
NAUPADA
KURLA
Vashi
Sanpada
BANDRA
CHEMBUR
Sarsol
Bandra Point
BORLE
MAHIM
MARAOLI
Darave
Mahim Bay
DADAR
304
TROMBAY
Karave
WORLI
WADALA
Nehru Planetarium
PAREL
MAHUL
NANOLE
Ulva
Velap Velahada
Mahalakshimi Temple,
Haji Ali´s Tomb
Mumbai Harbour
Panvel Creek
BREACH CANDY
CENTRE
Victoria & Albert Museum
ELEPHANTA ISLAND
Padeghar
Hanging Gardens, Tower of Silence
Bhavan Museum
Mani
Shet Bandar
Sheva Nhava
Gavanpada
MALABAR HILL
Malabar Point
Back Bay
BUTCHER ISLAND
Elephanta Caves
Gharapuri
Jasai
MUMBAI (BOMBAY)
Sheva
Chirle
Nariman Point
Gateway of India
COLABA
Observatory
Coloba Point
Mora
Panja

AGGLOMÉRATION DE BOMBAY
0   5   10 km

to Kalyan
3
Malpeshvar
to Kalyan

verzierten Marmortischen und würzigen Mughlai-Delikatessen; die allgegenwärtigen Straßenverkäufer, die alles – von *samosas* (eine beliebte Vorspeise) bis zu chinesischen Nudeln – verkaufen, die südindischen Udipi-Restaurants und die vielen Hundert einheimischen Restaurants machen das Außer-Haus-Essen zu einer kulinarischen Entdeckungsreise. Probieren Sie in Bombay unbedingt einen *bhelpuri*-Snack am Strand von **Chowpatty**, das cremige *kulfi* (indisches Eis) in der **Parsi-Dairy**, oder – wenn Sie etwas Teureres und Exotisches suchen – ein Gericht in irgendeinem der zahlreichen Spezialitätenrestaurants.

Sehenswürdigkeiten in Bombay

Vierzig Jahre nach der Unabhängigkeitserklärung trägt Bombay noch immer den Stempel des Empire. Denn selbst die aus Beton gebauten und gleichförmigen Apartmenthäuser können das architektonische Erbe der Briten, besonders im Stadtzentrum, nicht verdecken.

Eine Rundfahrt durch Bombay könnte gut am **Gateway of India** beginnen; hier gingen früher ganze Schiffsladungen von Touristen an Land. Dieser Triumphbogen wurde auf dem **Apollo-Pier** gebaut, um an die Ankunft von König George V. und Königin Mary bei ihrem Besuch im Jahre 1911 zu erinnern. Heute ist dieses ansprechende Tor aus gelbem Basalt das Wahrzeichen der Stadt und bietet einen ausgezeichneten Ausblick auf den Hafen und das vielbefahrene Meer.

Gegenüber liegt das imposante **Taj Mahal Hotel** mit seinem Anbau, einem modernen Hochhaus-Luxushotel. Das ursprüngliche Hotel wurde 1903 erbaut, ist eines der weltbesten und ermöglicht eine ausgezeichnete Sicht auf den Hafen. Ein paar Schritte weiter befindet sich der **Colaba Causeway**, ein Einkaufsparadies. Wenn man etwas weitergeht, gelangt man zum **Prince of Wales Museum**, das im indomaurischen Stil erbaut wurde, und an

den ersten Besuch (1905) des späteren Königs George V. in Indien erinnert. Darin befindet sich eine erlesene Sammlung von Mogul- und Rajasthani-Miniaturen, von archäologischen Funden und Exponate zur Naturgeschichte sowie eine einzigartige Porzellan- und Jadesammlung. Das Basalt- und Sandsteingebäude hat eine eindrucksvolle Kuppel; sein Architekt, George Wittet war auch für das Gateway of India und das große **General Post Office** im **Victoria Terminus** zuständig. Die **Jehangir Art Gallery** steht auf dem Museumsgelände; sie ist das führende Kunstzentrum der Stadt. Sein Café **Samovar** zieht eine bunte Schar von Künstlern und Studenten an. Die **Universität**, im neogotischen Stil erbaut, wird überragt vom 80 Meter hohen **Rajabai Clock Tower**, dessen vier Zifferblätter die Zeit anzeigen. Der **Bombay High Court** nebenan, den Statuen der Gerechtigkeit und der Gnade krönen, wurde 1878 ebenfalls im neogotischen Stil fertiggestellt. Hier ist das Herz der Stadt, während das **Fort**-Gebiet eher ein Zentrum für die geschäftlichen Aktivitäten ist. Das betriebsame Geschäftsviertel hat seinen Namen von den englischen Befestigungen, die vom späten 17. Jh. bis in die Mitte des 19. Jh. erbaut wurden. Die Gebäude aus der Kolonialzeit sind in einer interessanten Mischung von neogotisch-viktorianisch und indosarazenisch errichtet; letzteres ein Stil, der die Vorstellungen der Engländer von einer Synthese zwischen Orient und Okzident widerspiegelt.

Die Erholungsgebiete der Stadt bilden drei aneinander angrenzende Parks, die *maidans* genannt werden: **Oval Maidan**, der von dem Stadtteil Cooperage umrahmt wird, **Cross Maidan** in Churchgate und der **Azad Maidan**, wo viele politische Versammlungen während des Unabhängigkeitskampfes abgehalten wurden.

Die Bewohner Bombays werden es nie überdrüssig, ihre Prachtstraße **Marine Drive** zu preisen; im Hintergrund befin-

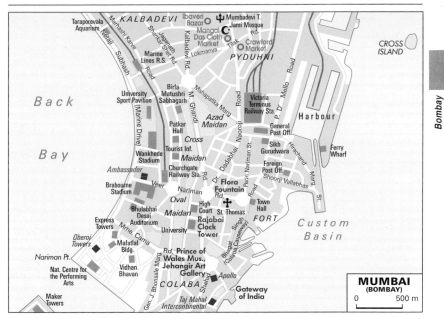

Back Bay

KALBADEVI
Taraporevala Aquarium
Marhashi Karve
Netaji Subhash Road
Shantan Shet Rd.
Jagannath
Marine Lines R.S.
Ibaveri Bazar
Mangal Das Cloth Market
Kalbadevi Rd.
Lokmanya
Tilak
Mumbadevi T.
Jami Mosque
Rd.
Crawford Market
PYDUHNI

CROSS ISLAND

University Sport Pavilion
Birla Matushri Sabhagarh
Patkar Hall
Cross
Tourist Inf.
Maidan
Wankhede Stadium
Churchgate Railway Sta.
Ambassador
Azad Maidan
M. Ghandi
Mahapalika Marg
Road
Victoria Terminus Railway Sta.
Harbour
General Post Off.
Sikh Gurudwara
Foreign Post Off.
Shoorji Vallabhas
Ferry Wharf
Hirachand Marg
D. Mello Road

Brabourne Stadium
Veer
Nariman
Flora Fountain
Oval
High Court
Town Hall
St. Thomas
FORT
Custom Basin
Bhulabhai Desai Auditorium
Express Towers
Mme. Cama
University
Rajabai Clock Tower
Singh
Bhagat
Shahid
Colaba Causeway
Oberoi Towers
Mafatlal Bldg.
Nariman Pt.
Nat. Centre for the Performing Arts
Vidhan Bhavan
Gen. J. Bhonsale Marg
Rd. Prince of Wales Mus., Jehangir Art Gallery
Apollo
COLABA
Maker Towers
Taj Mahal Intercontinental
Gateway of India

(Marine Drive)
Dr. Dadabhai Naoroji Road
Perin Nariman St.
Dr. D. Naoroji Road

MUMBAI (BOMBAY)
0   500 m

det sich der **Malabar Hill** und hier und da leuchten Neonreklamen auf das dunkle Meer. Wenn man diese Promenade hintergeht, trifft man auf **Chowpatty Beach**. Hier können Kinder auf Ponies reiten, Drachen fliegen lassen oder an einer der zahlreichen Buden *bhelpuri* und *kulfi* essen. Oberhalb der Straße Walkeshwar liegen die **Hanging Gardens**, die auf einem Wasserreservoir erbaut sind, und der **Kamala Nehru Park**; beides sind hervorragende Aussichtspunkte. Dieses Gebiet von **Malabar Hill** ist aus gutem Grund die exklusivste Wohngegend Bombays. Die **Towers of Silence** der Parsen, wo man früher entsprechend zarathustrianischen Religionregeln die Toten den Geiern und anderen Raubvögeln überließ, liegen inmitten dieser Hügellandschaft.

Breach Candy und **Scandal Point** sind zwei – besonders bei Bombays Jet-Set-Teenagern – beliebte Strandpromenaden. Wenn man den Malabar-Hügel hintergeht und der Küstenlinie folgt, gelangt man zum **Mahalakshmi-Tempel**, wo Tausende von frommen Hindus

täglich beten. Die nahegelegene Rennbahn ist passenderweise nach dieser Göttin des Reichtums benannt. Auf dieser Galopprennbahn, die parallel zum Meer verläuft, finden jeden Sonntag von November bis März Rennen statt. Vor der Küste liegen **Haji Ali's Tomb** und Moschee; man gedenkt an dieser Stelle des islamischen Heiligen, der hier ertrunken ist. Ein felsiger Weg, den man bei Ebbe überqueren kann, führt zur Moschee.

Das **Nehru Planetarium** in Worli bietet eine beeindruckende Tonbildschau. Andere von Touristen gern besuchte Orte sind das **Museum Mani Bhavan**, wo Mahatma Gandhi bei seinem Besuch in Bombay wohnte, sowie die **Victoria Gardens** mit einem Zoo und dem malerischen **Victoria and Albert Museum**. Wenn Sie in die Stadt zurückkehren, besuchen Sie unbedingt den heute **Chhatrapati Shivaji Terminus** genannten, früheren Victoria Terminus, einen der drei Hauptbahnhöfe von Bombay. Dieses große, verschnörkelte Gebäude im viktorianisch-gotischen Stil ist voller Orna-

mente und Springbrunnen und könnte mit Londons Bahnhof St. Pancras konkurrieren.

Der **Crawford Market**, der die Stadt mit frischen Früchten, Fleisch und Gemüse versorgt, wurde im gleichen Stil 1871 errichtet, obwohl man sich dabei nicht soviel Mühe gab. Die geräumigen Hallen und Fliesenpflaster dieses bemerkenswerten Basars sind tagtäglich Zeugen eines emsigen Geschäftslebens.

Ein anderes Monument aus der viktorianischen Zeit ist ebenfalls ein Wahrzeichen: der **Flora Fountain**, der zu Ehren von Sir Bartle Frere, Bombays britischem Gouverneur von 1862-1867, entstand. Die Statue der Flora, der griechischen Blumengöttin, steht an der Kreuzung von fünf breiten Verkehrsstraßen. Die Gegend um Flora Fountain wurde inzwischen in Hutatma Chowk umbenannt.

Oben: Das Gateway of India in Bombay, im Jahr 1911 vollendet. Rechts: Im Felstempel von Elephanta – erhabene Stille und kühler Schatten.

An der zerklüfteten Küstenlinie Bombays gibt es noch einige schöne Strände. **Juhu**, in der Nähe von Santa Cruz, ist allerdings schmutzig und übersät mit Imbißbuden und Straßenhändlern, eine Art vorstädtisches Chowpatty. Entdecken Sie lieber die abgelegeneren Strände **Madh**, **Marve**, **Manori** für sich. Der bei weitem schönste ist der von **Gorai** (westlich von Borivli), ehemals ein ruhiges Fischerdorf; leider verändert der Tourismus allmählich den Charakter des einst so abgelegenen Strandes mit seiner kleinen katholischen Gemeinde.

Elephanta, Kanheri und Bassein

Während Bombays vergleichsweise junge Geschichte als britische Kolonialstadt andeutet, daß es hier keine alten oder mittelalterlichen Denkmäler gibt, bezeugen drei Ausflugsziele außerhalb der Stadt das Gegenteil. Nach nur einer Stunde Motorbootfahrt kommt man nach **Elephanta**, einem Tempel-Heiligtum, das irgendwann zwischen dem 5. und 8. Jh. aus

dem Fels gemeißelt wurde. Die Entstehungsgeschichte der Höhlen liegt im Dunkel, da im 16. Jh. Portugiesen die Insel plünderten. Wahrscheinlich wurden dabei Gedenktafeln, die Aufschluß über seine Geschichte geben könnten, zerstört.

Die Portugiesen benannten die Insel nach dem großen Steinelefanten, der diese Insel bewachte; ihr ursprünglicher Name ist *Gharapuri* – „Die befestigte Stadt". Der Elefant steht heute im Garten des Prince of Wales Museum. Die **Höhlen** sind großartige Zeugnisse hinduistischen Kunstschaffens. Einzigartig sind hier die monumentalen Reliefs, die Shiva in all seinen (nur scheinbar widersprüchlichen) Aspekten zeigen: Zornig tötet er den Dämon der Dunkelheit Andhaka, gegenüber findet sich die freundliche Darstellung des Gottes als Kalyanisundara, „schöner Bräutigam". Voller Energie ist der Gott als König der Tänzer dargestellt, gegenüber demonstriert er komplette Regungslosigkeit als Herr der Yogis. Weitere Reliefs zeigen wie der Dämonenkönig Ravana Shivas Wohnsitz, den Berg Kai-

lash, erschüttert; Shiva als Ardhanarishvara, der sowohl männlich als auch weiblich ist; oder die Herabkunft der Ganga in Shivas Haar. Alle Aspekte vereint schließlich die großartige, dreiköpfige Darstellung des Gottes als Maheshvara. Das Allerheiligste in der Mitte der Höhle birgt ein einfaches *lingam*, das Symbol Shivas und seiner Schöpferkraft. Beim Elephanta-Festival (Ende Februar) sind die Höhlen an drei Abenden Schauplatz erstklassiger Musik- und Tanzvorführungen.

In **Kanheri**, 42 km von Bombay, gibt es in einem Naturpark 109 buddhistische Höhlen, die aus dem 2. bis 9. Jh. n. Chr. stammen, für Kunstinteressierte ein lohnendes Ausflugsziel. Einige Höhlen dienten als *vihara* (Klöster), andere als *chaitya*-Hallen oder Tempel.

Bassein, das an der Küste im Norden Bombays liegt, war einst ein wichtiger portugiesischer Stützpunkt. Sein großes Fort, wo die *Hidalgos*, die portugiesischen Aristokraten, einst lebten, liegt nun in Trümmern.

BOMBAY (☎ 022)

ℹ Government of India Tourist Office, 123 Maharishi Karve Rd, Churchgate, Tel. 2033144, 2032932. Schalter an den Flughäfen Santa Cruz und Sahar; beim Taj Mahal Hotel. **Maharashtra Tourism**, Madame Cama Rd., gegenüber LIC Bldg., arrangiert Stadtrundfahrten und Abenteuer-Safaris, Express Towers, 9. Etage, Nariman Pt., Tel. 2024482.

🛫 FLUGHÄFEN: Santa Cruz Airport, Tel. 6144433, 6113300. **Sahar Airport**, Tel. 6329090, 8366700.

🛏 Für eine Nacht empfiehlt sich ein Hotel in Flughafennähe, ansonsten eines im Zentrum oder Colaba. *IN DER NÄHE DER FLUGHÄFEN:* 😊😊😊 **The Leela**, beim internat. Flughafen, Tel. 86363636, Fax 86360606 beste und teuerste Wahl, exzellente Restaurants und 24 Std. Coffeeshop. Das preiswertere **Orchid**, 70 C Nehru Rd., Tel. 6100707, Fax 6105974 ist die beste Wahl nähe Inlandsflughafen. 😊😊 In derselben Gegend liegt das **Transit Hotel**, Tel.6105812, Fax 6105785 mit gutem Restaurant. Am billigsten ist die Übernachtung in den 😊 **Airport Restrooms** des Inlandsflughafen, nur für Fluggäste mit einem Weiterflug innerhalb von 24 Std., oft ausgebucht, an der Flughafenauskunft fragen.

IM ZENTRUM / COLABA: 😊😊😊 **Taj Mahal Intercontinental**, Apollo Bunder, Tel. 2023366, kolonialer Charme im alten Flügel. **The Oberoi** Tel. 2025757 und **Oberoi Towers** Tel. 2024343, Nariman Point, moderne Luxushotels mit noblen Boutiquen u. Läden. Etwas preiswerter ist das **President**, 90 Cuffe Parade, Colaba, Tel. 2150808, Fax 2151201, jedoch kleine Zimmer, mit exzellentem Konkan-Restaurant. 😊😊 **Apollo**, 22, Lansdowne Rd., unterschiedliche Zimmer, populäre Alternative zu den Luxushotel, hinter dem Taj, Tel. 2020223, Fax 2871592. **West End**, 45 New Marine Lines, Tel. 2039121, Fax 2057506, zwischen Churchgate und CTS Bahnhöfen gelegen, und das etwas preiswertere, direkt am Marine Drive gelegene **Sea Green**, 145 Marine Drive, Tel./Fax 2822294, sind gute indische Mittelklassehotels, sauber und empfehlenswert. 😊 Einige gute, günstige Zimmer bietet **Whalley's**, 41 Mereweather Rd., Tel. 2834206. Noch billiger ist das **Sea Shore**, 4th Fl., 1/49 Kamal Mansion, Arthur Bunder Rd. Tel.2874237, Fax 2874238, jedoch nur die zum Meer hin gelegenen Zimmer sind empfehlenswert.

✖ EXKLUSIV: The Konkan, President Hotel, Tel. 2150808, Spezialitäten von der Westküste Indiens. **Gaylord**, V.N. Road, Churchgate, Tel. 2821231, gute indische Küche, gutes Gebäck und prompter Service, Tische auf dem Boulevard zum draußen sitzen. **Khyber**, 145 MG Rds., Kala Ghoda, Fort, Tel. 2632174, nordindische Spezialitäten in stilvollem Ambiente, Mee-

resfrüchte (reservieren!). **Trishna**, 7 Rope Walk Lane, hinter Kala Ghoda, Tel. 2672176 belebtes In-Restaurant, Meeresfrüchte und indische Spezialitäten der Küstenregion. **Pearl of the Orient**, Tel. 2041131, im Ambassador Hotel, V.N.Rd., Churchgate, Drehrestaurant mit schönem Ausblick, chinesische, japanische und Thaiküche. *MITTEL-EINFACH:* **Leopold's**, Colaba, SBS Marg, Tel 2830585, internationale Küche, Bier, populär bei Travellern, ebenso das nahegelegene **Mondegar**, Tel. 2812549, Schankbier. **Bagdagi**, Tullock Rd., hinter dem Taj Hotel, sehr gute, preiswerte indische Küche. **Wall Street**, 68 Haman St., hinter der Börse, gute Meeresfrüchte, Küche der Küstenregion.

🏛 Prince of Wales Museum, Mahatma Gandhi Rd, Fort, Tel. 244484/519, Okt.-Febr. 10.15-17.30, Juli-Sept. bis 18.00, März-Juni bis 18.30 Uhr, Mo geschl. Die **Jehangir Art Gallery** ist in diesem Museumskomplex, 10.30-19.00 Uhr, Mo geschl. **Victoria and Albert Museum** (Bhau Daji Lad Museum), 91/A Dr. B. R. Ambedkar Rd, Byculla, Tel. 377121; Mo, Di, Fr, Sa 10.30-17.00, Do 10.00-16.45, So 8.30-16.45 Uhr, Mi geschl., Waffen, Skulpturen, Tonwaren, Elfenbein, Manuskripte, Gemälde, Fossilien, Mineralien. **Mani Bhavan Museum**, 19 Laburnum Rd., 9.30-18 Uhr. **National Center for the Performing Arts**, Nariman Point, Tel. 233838, 11.00-19.00 Uhr, zeitgenössische Gemälde. **Aakar Art Gallery**, Bhulabhai Desai Rd. **Taj Art Gallery**, Taj Mahal Hotel, Tel. 2023366. **Pundole Art Gallery**, Hutatma Chowk, Tel. 2048473.

🛍 EINKAUFSZENTREN: An der Shahid Bhagat Singh Rd zahllose Geschäfte: Crawford Market für Schnäppchenjäger, Chor Bazaar („Diebesmarkt") für zweifelhafte Antiquitäten. Emporien der indischen Staaten für typische Erzeugnisse der Regionen zu festen Preisen im World Trade Centre, Cuffe Parade.

🚌 AUSFLÜGE: Die Strände **Errangal** (45 km), **Ghodbunder** (63 km), **Gorai** (59 km) und **Juhu** (21 km; der beliebteste, mit Hotels) sind von Bombay aus mit lokalen Zügen zu erreichen. **Karla** (100 km) bietet buddhistische Höhlen. Das **Karnala Bird Sanctuary** und **Fort** sind ein „Muß" für die Vogelliebhaber; 61 km auf dem Weg nach Goa. Im Safari-Park **Krishnagiri Upvan** (35 km) kann man aus dem geschlossenen Wagen Löwen beobachten. Regelmäßige Züge verkehren nach **Malad**, von dort führen Straßen zu den Stränden **Madh**, **Marve** und **Manori** (38 km, 40 km und 45 km von Bombay). Fähre zwischen den beiden letzteren. **Versova** (29 km), schöner Sandstrand am Arabischen Meer.

✉ General Post Office für Poste Restante), Nagar Chowk. **Foreign Post Office**, Ballard Pier. 24-Std.-Schalter in Flughäfen Santa Cruz u. Sahar.

➕ Prince Aly Khan Hospital, Nesbit Rd., Tel. 3754343. **Polizei**, Tel. 100. **Ambulanz**, Tel. 102.

MAHARASHTRA

Der von der Population her zweitgrößte, von der Fläche her drittgrößte Staat Indiens erstreckt sich dreieckförmig über einen Großteil der fruchtbaren Dekkan-Halbinsel. Maharashtras Grenzen verlaufen von Norden nach Süden, ungefähr 720 Kilometer entlang der Westküste, und ragen gen Osten als zerklüftete Gipfelkette in den Himmel, 800 Kilometer nach Zentralindien hinein. Als einer der fortschrittlichsten Staaten in Bezug auf Agrikultur und Industrie, Bildung und Kultur wird Maharashtra zwar oft mit seiner Hauptstadt Bombay gleichgesetzt, aber es hat weit mehr zu bieten, als nur das „Tor nach Indien" zu sein. Seine alte Kultur überdauerte die britische Herrschaft; besonders in der Landessprache Marathi blieb das literarische Erbe bewahrt.

Der heutige Bundesstaat Maharashtra ist Teil einer alten Kulturregion, dem westlichen Dekkan-Hochland, welches seit vorchristlicher Zeit immer wieder eigenständige Staaten hervorgebracht hat. Buddhistische Könige wurden von hinduistischen wie den Chalukyas, Rashtrakutas und Yadavas abgelöst; schließlich, im 14. Jh., kamen muslimische Eroberer und gründeten die zentralindischen Sultanate, die dann im 17. Jh. unter die Oberhoheit der Mogulkaiser gerieten. Von allen diesen finden sich Spuren. Die wichtigsten Gestalten der Vergangenheit sind jedoch die Marathen, die dem heutigen Bundesstaat in sanskritisierter Form auch ihren Namen gegeben haben. Die Marathen gewannen gegen Ende des 17. Jh. an Macht und waren die Hauptgegner der letzten Moguln wie auch der neuen Kolonialherren, der Engländer. Noch heute sind viele Bewohner Maharashtras stolz, die Nachkommen dieser Soldaten zu

Vorherige Seite: Vor dem Eingang des Felstempels in Kanheri. Rechts: Wasser für Mensch und Tier.

sein. Sie gelten nämlich als die ersten Freiheitskämpfer Indiens. In allen Städten Maharashtras, z. B. auch in Bombay am Gateway of India, findet man die Statuen ihrer Anführer. Eigentlich bezieht sich die Bezeichnung Marathen auf alle Bewohner dieser Region. Mehrere königliche Dynastien und ihre Armeen gelangten jedoch unter diesem Namen Berühmtheit. Ihr erster großer König war Shivaji, der aus einer hinduistischen Offiziersfamilie stammte, die bei den Sultanen Dienst tat. Es gelang ihm, den Mogulkaiser Aurangzeb und die Sultane so gegeneinander auszuspielen, daß er ungestraft die gewagtesten Expeditionen durchführen konnte. Trotz seiner harten Hand auch den Hindus gegenüber erlangte er große Beliebtheit, weil er den Kampf gegen die islamische Fremdherrschaft ausrief. Nach dem Tod Aurangzebs waren es die Marathen, die das Ende der Mogulmacht einläuteten. Sie etablierten sich fest in weiten Teilen Nord- und Zentralindiens, wodurch sie in direkte Konkurrenz mit den aufstrebenden Kolonialherren gerieten, von denen sie schließlich nach jahrzehntelangem Ringen unterworfen wurden.

Vor allem durch seine abwechslungsreiche Landschaft ist Maharashtra für Touristen sehr interessant. Die zerklüfteten westlichen Ghats, ein Gebirgszug, rahmen den Westen des Dekkan-Plateaus ein und verlaufen fast ununterbrochen von Nord nach Süd, immer nur 6 bis 10 km vom Arabischen Meer entfernt. Die schmale Konkan-Küste ist in der Nähe von Bombay am breitesten; kleine Hügel liegen auf der sonst flachen Oberfläche verstreut. In den Ghats (wörtlich: Stufen), die eine Vielfalt wilder Tiere beherbergen, entstanden viele Hillstations. Die Flüsse Bhima, Krishna und Godavari und mehrere hundert andere durchziehen das Plateau; auf dem fruchtbaren Boden gedeihen Mangos und saftige Nagpur-Orangen. Maharashtras Hauptanziehungskraft besteht jedoch in seinem ein-

zigartigen Kulturleben. Die uralten künstlerischen Traditionen manifestieren sich in den Höhlengemälden und in der aus Felsen gehauenen Architektur von Ajanta und Ellora, in seinen Festungen, seiner Musik und vor allem in seinem Theater, dem *Tamasha*.

Poona

Poona (Pune), die Stadt, in der etliche Kulturstätten diese Traditionen aufrechterhalten, wird als Maharashtras Seele bezeichnet, Bombay als sein Herz. Poona war die einstige Hauptstadt der Marathengeneräle der Peshwas und der Geburtsort des Shivaji. Diese Stadt auf dem Dekkan, die am besten von Bombay her erreichbar ist (179 km entfernt), wurde von den Briten der Inselhauptstadt vorgezogen, da das Klima das ganze Jahr über angenehm ist. Hier war einer ihrer ruhigeren Militärstützpunkte. Die Luft hat sich durch die schnell fortschreitende Industrialisierung allerdings auch hier bereits deutlich verschlechtert. Und den-

noch ist die liebliche Aura von ehedem erhalten geblieben. In der Altstadt zieht ein farbenprächtiger Basar neben dem anderen die Käufer mit einem reichen Warenangebot an. Dort in der Altstadt kann man dann das einzigartige **Raja Dinkar Kelkar Museum** besuchen, das nach seinem Gründer benannt wurde. Kelkar, der die Veränderungen der modernen Zeit erlebte, konnte es nicht einfach so hinnehmen, daß Gebrauchsgegenstände keine Kunstwerke sein sollten. In seiner umfangreichen Sammlung befinden sich z. B. Messinglampen in jeder erdenklichen Form, Betelnuß-Schneider und Küchengeräte; alles mit viel Aufwand seit mehr als 50 Jahren zusammengetragen.

Der **Aga Khan-Palast**, früher Wohnsitz des Oberhauptes einer schiitischen Sekte, der ismailitischen Bohras, wurde von den Briten als Gefängnis zweckentfremdet. Hier wurden Mahatma Gandhi und seine Frau Kasturba gefangen gehalten; sie hat das Gefängnis nie mehr verlassen, und ein Gedenkstein auf dem Gelände erinnert noch heute an sie.

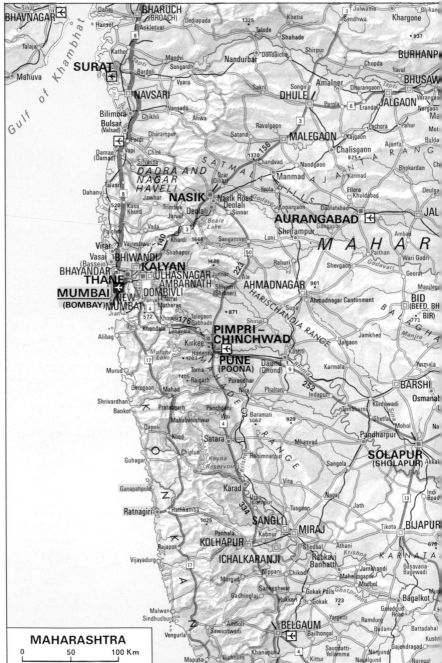

MAHARASHTRA

0   50   100 Km

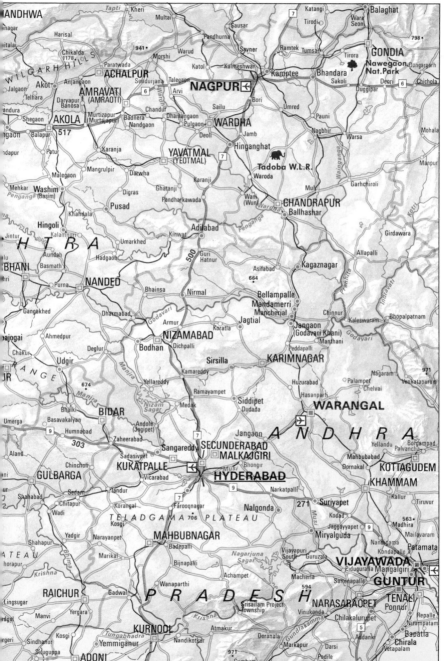

Das im neogotischen Stil erbaute **Deccan College** wird als das beste der Gegend angesehen, und das **Institut für Film und Fernsehen** zieht landesweit neue Talente an. Das **Old Government House**, in dem die **Universität** von Poona untergebracht ist, liegt, durch den Fluß getrennt, gegenüber dem **Shaniwarwada-Palast**. Von diesem aus regierten die Peshwas, nach Shivaji und vor den Briten, das Land. Der Palast wurde im Jahr 1827 durch eine Feuersbrunst verwüstet und nur teilweise restauriert, trotzdem erinnert das, was von ihm erhalten geblieben ist, z. B. die Tore mit den vorstehenden Zacken (um Elefanten abzuwehren!), an die Art der Kriegsführung im 18. Jh.

Shinde Chhatri, ein Shiva-Tempel, wurde von einem Marathen-Herrscher erbaut, später im südeuropäischen Stil erweitert und ist seitdem eine architektonische Kuriosität. Der **Pataleshwar-Tempel**, der im 18. Jh. aus einem einzigen riesigen Felsbrocken gehauen wurde, der **Parvati-Tempel** auf der Spitze eines Hügels am Stadtrand und der „magische" schwebende Stein im islamischen Heiligtum der **Kamarali Darvesh** sind wichtige Andachtsstätten.

Poona wurde in den 1970er Jahren auch durch den von Bhagwan Rajneesh gegründeten **Rajneesh (Osho) Ashram** bekannt. Mit seinen kontroversen Lehren und neuartigen, dynamischen Meditationsmethoden lockte der 1990 verstorbene Guru viele Menschen, besonders aus dem Westen, an. Auch heute noch halten sich dort ständig mehrere hundert ausländische Anhänger des Guru auf.

Sinhagadh, die „Festung des Löwen", ist die halbstündige Fahrt von Poona aus unbedingt wert. Vor dreihundert Jahren erklommen Shivajis Leute die steilen Wände dieses imposanten Monuments mit Hilfe besonders dressierter *ghorpads*, Bengalischer Warane, die man in diesen

Rechts: Die Höhlen von Ajanta, uralte Zufluchtstätten buddhistischer Mönche.

Wäldern noch findet und die für diese heroische Tat noch immer mit gebührendem Respekt verehrt werden.

Die Festungen **Torna, Rajgadh, Purandhar** und **Shivneri Fort** – der Geburtsort Shivajis – sind von Poona aus leicht zu erreichen. Ansonsten kann man in den schattigen **Empress Gardens** schöne Spaziergänge machen; das hiesige *Tamasha*-Theater verspricht einen angenehmen Abend. Die darstellende Kunst der Region verbindet Musik, Tanz und Drama; eine Frau übernimmt dabei die Rolle der Erzählerin, und damit auch die Komödie nicht zu kurz kommt, wirken sogar Clowns mit. Poonas einzigartige Küche entdeckt man am besten, wenn man privat eingeladen wird. Die iranischen, von Parsen geleiteten Restaurants mit ihren Marmortischen und Bentwood-Stühlen servieren Mughlai-Spezialitäten. Probieren Sie bei Kayani, frisch aus dem Backofen, die legendären köstlichen Shrewsbury-Biskuits.

In Maharashtra feiert man die üblichen indischen Feste, wobei *Ganesh Chaturthi* eine große Bedeutung zukommt, der Elefantengott wird dabei mit großartiger Zeremonie ins Wasser getaucht; *Pola* feiert den Ochsen als Lasttier mit Wettrennen und Dekorationen; das *Hurda*-Volksfest kündigt eine gute Ernte an.

Poona liegt inmitten von Bergen, die mit malerischen Gebirgsorten gesprenkelt sind. **Mahabaleshwar** (Höhe 1372 m) wurde im Jahr 1828 von Sir John Malcolm gegründet und ist mit seinem schimmernden See und seiner frischen Luft, die im Frühling nach Erdbeeren duftet, ein beliebter Ausflugsort.

Panchgani, 19 Kilometer vor Mahabaleshwar auf der gewundenen Ghat-Straße, ist ein beliebter Ferienort in 1334 m Höhe, obwohl er nicht annähernd so lieblich ist wie Mahabaleshwar. **Pratapgarh Fort**, 24 km von Mahabaleshwar entfernt, ist ebenfalls beeindruckend. **Lonavla** und **Khandala** sind Bergorte, die sich in die Stufen der Ghats schmiegen.

Kunstinteressierte Frühaufsteher sollten die Zugfahrt von Mumbai nach Pune hier unterbrechen und mit dem Taxi einen Ausflug zu den frühbuddhistischen Höhlen-Heiligtümern von **Bhaja** und **Karla** unternehmen. Die nach dem Vorbild der vor 2000 Jahren üblichen Holzarchitektur in den Fels gemeiselten Chaitya-Hallen und Vihara sind einzigartige Beispiele für die früheste indische Kunst. Wer genügend Zeit und Kunstinteresse mitbringt, sollte auch **Bedhsa** in den Tagesausflug einplanen. Die dortigen Höhlen sind jedoch nur nach einer kleinen Bergwanderung zu besichtigen.

Der Bergort mit der geringsten Entfernung zu Bombay ist **Matheran** (117 km). Der Weg dorthin über **Neral** ist abwechslungsreich, man kann sogar mit einer kleinen Schmalspurbahn von 1923, dem **Toy Train**, 21 km den steilen Berg hinaufzuckeln. Matheran wird mehr von Affen als von Menschen bewohnt. Schattige Spaziergänge in den Wäldern, schöne Aussichtspunkte und Ausritte lohnen einen Besuch.

Kolhapur, modern, doch in seinem historischen Zentrum voller Tempel und Paläste, ist auch als das Benares des Südens bekannt. Hier werden die erlesenen Ledersandalen Kolhapuri-*chappals* hergestellt; außerdem ist die 395 km von Bombay entfernte Stadt wegen der Ringkämpfe bekannt, für die es ein eigenes Stadion gibt. Besuchen Sie den **Mahalakshmi-Tempel** und **Kotiteerth**, erbaut inmitten einer großen Wasserfläche. Der **Shalini-Palast** wurde im indisch-sarazenischen Stil gebaut, alter und neuer Palast mit dem achteckigen Glockenturm und dem Museum erinnern in ihrer Bauweise an europäische Architektur. **Panhala**, 20 Minuten entfernt, ist ein hübscher Bergort mit einem historischen Fort aus dem Jahr 1192. Die nahegelegenen **Pawala-Höhlen** sind buddhistisch.

Von Kolhapur nach Westen reisend, kommt man nach **Ratnagiri**, das zwar einen schönen Strand aufweist, aber eher bekannt ist wegen seiner delikaten Alphonso-Mangos. **Ganapatipule** (155 km entfernt) hat sich aufgrund seines wun-

dervollen Strandes zu einem beliebten Badeort entwickelt.

Aurangabad

Aurangabad, 370 km von Bombay entfernt und nach dem strengen Mogul-Kaiser Aurangzeb benannt, wird zu Unrecht nur als Ausgangspunkt für einen Ausflug nach Ajanta und Ellora benutzt. Die Stadt ist voller Relikte aus der Zeit der Mogule, davon ist die **Bibi Ka Maqbara** erwähnenswert: eine schlechte Imitation des Taj Mahal und Aurangzebs Versuch zu beweisen, daß er seinem berühmten Vater Shah Jahan, in nichts nachstand. Die **Panchakki** war einst eine Getreidemühle und wurde von einer Quelle angetrieben. Die buddhistischen **Aurangabad-Höhlen** stammen aus der Zeit zwischen dem sechsten und 11. Jh. n. Chr. und sind gute Beispiele für diese Epochen. **Höhle 3** mit ihrer malerischen Darstellung der Jataka-Erzählungen, der außerordentlich gut erhaltene Buddha in **Höhle 6** und die verschwenderischen Verzierungen in **Höhle 7** sind zweifellos die interessantesten von allen zwölf. Nehmen Sie eine Lampe mit!

Daulatabad, 15 km von Aurangabad, liegt auf dem Weg nach Ellora. Dieses mächtige, guterhaltene Fort galt einst als uneinnehmbar. Es war einst Schauplatz eines besonders tragischen Ereignisses. Im 14. Jh. hatte sich das Delhi-Sultanat so ausgedehnt, daß Sultan Mohammed bin Tughlaq beschloß, seine Hauptstadt hierher zu verlegen. Er zwang alle Bewohner Delhis, hierherzuziehen, niemand war ausgenommen. Tausende seiner Untertanen starben auf dem 1100 km langen Weg. Doch nach 17 Jahren gab der Sultan die Stadt wieder auf und veranlaßte die Rückkehr nach Delhi.

Ellora

Die schönsten Beispiele für Höhlenarchitektur weltweit sind in den Bergen bei

Oben: Der eindrucksvolle Kailashnath-Tempel in Ellora.

Ellora zu finden, wo mehr als 100 Höhlen liegen, von denen 34 besonders bemerkenswert sind. Sie sind Stätten verschiedener Religionen; der buddhistischen (**Höhle 1-12**, 600-800 n. Chr.), der hinduistischen (**Höhle 13-29**, 600-900 n. Chr.) und der jainistischen (**Höhle 30- 34**, 800-1100 n. Chr.). Die **Vishvakarma-Höhle** der Buddhisten, der **Kailashnath Hindu Tempel** und die **Indrasabha** der Jainas sind wahre Wunderwerke. Es sind regelrechte Zitadellen, die aus dem Felsen gehauen den Mönchen als Zufluchtsort dienten.

Ellora war die Hauptstadt der Rashtrakuta-Herrscher, bevor sie weiter nach Malkhed zogen; hier war sogar vermutlich ein wichtiger Wallfahrtsort, lange bevor die Höhlen erbaut wurden. Es lag strategisch günstig am Schnittpunkt zweier bedeutender Handelsstraßen. Die Chalukyas, die den Dekkan zwischen 550 n. Chr. und 642 n. Chr. regierten und ihre Nachfolger, die Rashtrakutas (757 n. Chr. bis 973 n. Chr.) waren die Schirmherren dieser Wunderwerke. Die buddhistischen Höhlen gehören zur Vajrayana-Sekte der Lehre vom Mahayana, die Hindu-Höhlen sind Shiva gewidmet und die Jain-Höhlen gehören zu den Digambaras. Sie sind nicht chronologisch angeordnet, sollten aber wie folgt besucht werden, um ihre Entwicklungsgeschichte zu verstehen.

Die **Höhlen 1**, **5**, **10** und **12** erklären das Aufblühen des Mahayana-Heiligtums. Die **Höhle 1** fällt besonders durch ihre Schmucklosigkeit auf, sie war ein *vihara* (Kloster) mit Zellen für die Mönche, die hier lebten und meditierten. **Höhle 5** ist ein typischer Mahayana-*vihara* mit einem Heiligtum mit geschnitzten Pfeilern, Zellen und einer großen Eingangshalle und wird von zwei *Bodhisattvas* bewacht. **Höhle 10** ist eine interessante Mischung aus *chaitya* (Kapelle) und *vihara*, sie weist eine beeindruckende Fassade und zwei Stockwerke auf. Der Eingang wird von Apsaras, himmlischen Wesen, flankiert. Besonders interessant ist die Nach-

ahmung von Holzarchitektur in Stein. **Höhle 12** ist ein riesiger *vihara* mit drei Stockwerken. Ein ausgezeichneter Aussichtsplatz ist der Weg zwischen **Höhle 15 und 16**.

Der **Kailashnath-Tempel** ist ein einzigartiges Meisterwerk, ein im drawidischen Stil herausgehauener Monolith, für dessen Skulptierung über 200 000 Tonnen Stein entfernt werden mußten; man benötigte dafür mehr als 100 Jahre. Schreine, Säulen, Hallen und Reliefs schmücken diesen gewaltigen Felstempel. Die Darstellungen zeigen Szenen der Shivamythologie, dem Ramayana und Mahabharata. **Höhle 32** gibt einen Einblick in die karge und dennoch großzügig gestaltete Jaina-Bauweise, in der statt Göttern asketische Lehrergestalten dargestellt sind.

Ajanta

Im Gegensatz zu Ellora lagen die buddhistischen Höhlen von **Ajanta** über tausend Jahre völlig verlassen. Diese Felsentempel und -Klöster wurden seit 200 v. Chr. von buddhistischen Mönchen in die Wand einer hufeisenförmigen Schlucht gehauen; erst 1819 wurden sie von britischen Soldaten wiederentdeckt.

Die Wandgemälde und Fresken von Ajanta sind in der Kunstwelt einzigartig und sehr gut erhalten. Von den 36 Höhlen sind 5 *chaityas*, 25 *viharas*; erstere gehören zur Hinayana-Sekte (2. Jh. v. Chr.), letztere zur Mahayana-Sekte (450 n. Chr. bis 650 n. Chr.). Vom westlichen Eingang aus sind sie fortlaufend numeriert, was jedoch nichts mit ihrem Entstehungsdatum zu tun hat. Besuchen Sie die **Höhlen 10**, **9**, **12**, **19**, **26**, **2** und **1** in dieser Reihenfolge, wenn Sie die Entwicklung der buddhistischen Felsen-Architektur kennenlernen wollen. Die Wandgemälde in **Höhle 1** und **2**, zwischen ca. 450 und 650 n. Chr. entstanden und mit Mineralfarben gemalt, gehören zum Schönsten, was diese Kunstform hervorgebracht hat.

Maharashtra

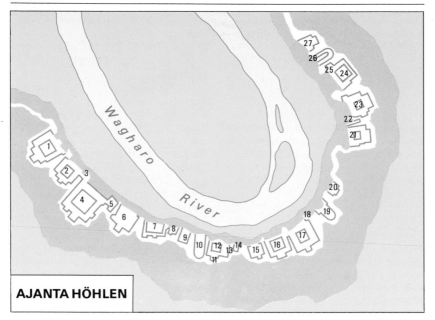

AJANTA HÖHLEN

Nagpur und Umgebung

Nagpur, die ehemalige Hauptstadt der Bhonsle-Marathen an den Ufern des Nag, besitzt ein interessantes **Central Museum** (1863 gegründet). Es zeigt die Kultur der *Gond*, die die Region vor den Marathen vom 14.-18. Jh. beherrschten.

Im Nordosten befindet sich **Ramtek,** dessen Tempel in Erinnerung an den mythischen Besuch Ramas und Sitas errichtet wurde. Ungefähr 80 km südwestlich von Nagpur liegt Wardha, mit der Niederlassung **Sewagram,** ein von Mahatma Gandhi und seinen Schülern gegründetes „Dorf des Gottesdienstes". In Gandhis bescheidenem Haus (1933 gebaut) befindet sich heutzutage ein Museum. Der **Paunar Ashram** seines Schülers Vinoba Bhave ist 3 km entfernt.

Nagzira, ein Wildschutzgebiet (115 km von Nagpur) mit zwei permanenten Wasserstellen für die Tiere, befindet sich in einer schönen Waldgegend. Im **Navegaon-Nationalpark** (140 km von Nagpur), einem waldreichen Gebiet, steht ein Hanuman-Schrein an einem im 18. Jh. angelegten See. Der **Tadoba-Nationalpark** ist wegen seiner Krokodile bekannt. Die Wälder nahe der 1100 m hoch gelegenen „Hill Station" **Chikaldara** (230 km westlich von Nagpur) sind ebenfalls wildreich (**Melgath Project Tiger**).

Nasik und Trimbak

Nasik, 140 km von Bombay, ist einer der Schauplätze des *Ramayana* am Ufer des Godavari. In dieser heiligen Stadt gibt es 200 Tempel. Alle 12 Jahre wird hier das riesige, von Millionen Hindus besuchte Pilgerfest *Kumbh Mela* abgehalten. Die Stufen, die zu den *ghats* am Fluß führen, sind das ganze Jahr über voller Gläubiger.

Trimbak, die heilige **Quelle des Godavari,** ist 33 km von Nasik entfernt; hoch verehrt werden dort auch die 12 Lingams des Shivatempels **Trimbakeshwar.**

Die hinayanabuddhistischen Höhlen in **Pandu Lena,** 8 km von Nasik, datieren vom 1. Jh. v. Chr. bis zum 2. Jh. n. Chr.

POONA (☎ 0212)

ℹ️ **Maharashtra Tourism Development Corp.**, Central Building, Sassoon Rd, Tel. 6268467.

🏨 😊😊😊 **Le Meridien**, RB Mill Rd., Tel. 626666 und **Holiday Inn**, 262 Bund Garden, Tel. 637777 sind die modernsten Luxushotels. **Blue Diamond**, 11 Koregaon Rd., Tel. 625555, Fax 627755 und **Pride**, 5 University Rd., Tel. 324567-81 sind komfortabel und etwas preiswerter. 😊😊 **Aurora Towers**, 9 Moledina Rd., Tel. 631818 und **Sagar Plaza**, 1 Bund Garden Rd., Tel. 622622 modern, komfortabel, Pool. Einfacher und preiswert ist **Woodlands**, BJ Rd.,Tel. 626161.

😊 **Hotel Gulmohr**, 15 A/1, Connaught Rd., Tel. 622773. **YMCA**, 6 Arjun Marg, Tel. 665004. **YWCA**, 5 Gurudwara Rd., Tel. 660330.

❌ *VEGETARISCH:* **Savera**, gegenüber dem Bahnhof, Tel. 227391. *CHINESISCH:* **China Town**, Blue Diamond Hotel, Tel. 663775. *INTERNATIONAL:* **Ashwamedha**, Blue Diamond Hotel. **Shriman**, nahe Osho Ashram, italienische Küche, und **Sangamitra**, westliche Küche, Kuchen, ebenfalls in der North Main Rd., bieten sehr gute Küche bei Kerzenschein. **Kwality**, 6 East Street, Tel. 663285. **Peshwa Inn**, Hotel Amir. **Khyber**, 1258/2 J.M. Rd., Tel. 321770. **Oasis**, 595 Sachapir Street, Tel. 640857.

🏛️ **Maratha History Museum**, Dekkan College, Yerawad, 11.00-17.00 Uhr; So, 1. und 3. Sa im Monat sowie an Feiertagen geschl. **Raja Dinkar Kelkar Museum**, 1378 Shukrawar Peth, Natu Baug, 8.30-12.30, 15.00-18.30 Uhr. **Osho Ashram**, geführte Tour tägl. 10.30 und 14.30. **Museum of Tribal Research**, 28 Queen's Gardens, 10.30-17.30 Uhr; So, 2. und 4. Sa im Monat geschlossen.

📅 Neben *Ganesh Chaturthi, Dussehra, Diwali* und *Weihnachten* wird *Shiv Jayanti* (April/Mai), die Geburt Shivas, jedes Jahr besonders gefeiert.

AURANGABAD (☎ 0240)

ℹ️ **Government of India Tourist Office**, Krishna Vilas, Station Rd., Tel. 331217. Schalter auch am Flughafen. **MTDC Holiday Resort**, Station Rd. (Ost), Tel. 331513.

🏨 😊😊😊 **Taj Residency**, Tel. 677412, bestes Hotel, schöner Garten. **Ajanta Ambassador**, Chikalthana, Tel. 485211, Fax 484367. **Rama International**, R 3 Chikalthana, Tel. 48541-44. **President Park**, Airport Rd., neues Hotel. 😊😊 **Quality Inn Vedant**, Station Rd., Tel. 333844. 😊 **Radjani**, Station Rd., Tel. 336503. **Shree Maya**, Bhakura Complex, hinter dem Tourist Office, Padampura Rd., Tel. 33091, sauber, freundlich. **Youth Hostel**, Padampura/Station Rd., Tel. 334892. **MTDC Holiday Resort**, Station Rd., Tel. 334259.

❌ **Mingling**, Jl. Nehru Marg, gute chinesische Küche. **Foodwalla's Bhoj**, Dr. Rasendra Marg, exzellente indische Küche. **Palace**, Shahgunj, Mughlai-Küche. **Food Lovers**, Station Rd. East.

🏛️ **State Archaeology Museum**, Sonehri Maha, Tel. 24269, 10.30-17.30 Uhr, So geschlossen. **History Museum of Marathwada University**, Tel. 24431, 10.30-17.30 Uhr. So geschl. **Panchakki**, 8.00-20.00.

📧 **Head Post Office**, Juna Bazaar, Telegraph Office (24 Std.).

MAHABALESHWAR (☎ 02168)

🏨 😊😊 **Valley View Resort**, Valley View Rd., Tel. 60066, gehobenere Kategorie. **Hotel Dreamland**, nahe Busstation, Tel. 60228 und **Fountain Hotel**, geg. Koyna Valley, Tel. 60227 sind einfacher und billiger.

PANCHGANI (☎ 02168)

🏨 **Malas Guest House**, Tel. 40321.

MATHERAN (☎ 02148)

🏨 **Lord's Central Hotel**, Tel. 30228 (Bombay, Tel. 2018008). **Rugby**, Vithalrao Kotwal Rd., Tel. 30291, 30292.

LONAVLA (☎ 02114)

🏨 **Fariyas Holiday Resort**, (Deluxe) Nr. 29A, Tungarli, Tel. 73852. **Adarsh Hotel**, Shivaji Rd., Tel. 72353. **Biji's Ingleside Inn**, New Tungarli Rd., Nähe Bombay-Pune Rd., Tel. 72966 (Bombay 296352). **Span Hill Resort**, Tungarli, Tel. 73685.

KHANDALA (☎ 02114)

🏨 😊😊 **Duke's Retreat**, Bombay-Pune Rd., Tel. 73826 (Bombay 2618293). **Mount View**, Bombay-Pune Rd., Tel. 2335.

KOLHAPUR (☎ 0231)

🏨 **Shalini Palace Ashok**, Rankala, A Ward, Tel. 620401-5. **Hotel Girish**, nahe Busstation, Tel. 651236. **Woodlands**, Tarabai Park, Tel. 650941.

SHOLAPUR (☎ 0217)

🏨 😊😊 **Hotel Pratham**, 560 South Sadar Bazaar, Tel. 312581.

NASIK (☎ 0253)

🏨 😊 **Panchavati**, 430 Vakilwadi, Chandakwadi, Tel. 571273. **Hotel Padma**, Sharampur Rd., Tel 576837. **Samrat**, gegenüber Indian Airlines, Tel. 578211.

NAGPUR (☎ 0712)

🏨 😊😊 **Skylark**, 119 Central Ave., Tel. 724654-58. **Hotel Jagsons**, 30 Back Central Ave. Tel. 228111.

😊 **Blue Diamond**, 113 C. A. Dosar Chowk, Central Ave., Tel. 727461-69.

NAVEGAON NATIONAL PARK (☎ 07182)

🏨 (140 km von Nagpur): **Holiday Home, Log Hut Rest House**. Information: Distrikt-Forest-Office, Gondia, Tel. 263399 (Bahnstation Deolgaon, 1 km).

NAGZIRA WILDLIFE SANCTUARY

🏨 (120 km von Nagpur): **Rest House**. Informationen: Tel. 07182-26399. Nächste Stadt: **Gondia** (45 km); Bahnstation: **Gongle** (20 km).

GOA

Auf der Landkarte verschwindend klein, schmiegt sich Goa an Indiens südwestliche Küste, zwischen den Staaten Maharashtra und Karnataka. Touristen schätzen die langen, palmenbesetzten Sandstrände, das entspannte Lebensgefühl der Einheimischen und den immer noch spürbaren Nachhall des jahrhundertelangen portugiesisch-christlichen Einflusses in diesem Gebiet, das so sehr ein Stück Indien und doch ganz anders ist. Goas natürliche Grenzen schützten es und ließen es geschichtlich nur eine Nebenrolle spielen; die hohe Gebirgskette Sahyadri schneidet es vom Festland ab, und das Arabische Meer begrenzt es im Westen. Auch die Natur ist hier mehr als freigebig. Es wundert daher kaum, daß die portugiesischen Entdecker, die auf der Suche nach Gewürzen hierherkamen, 450 Jahre blieben. Sie hinterließen dem überwiegend hinduistischen Land ihr lusitanisch-katholisches Erbe, das noch Jahrzehnte nach dem erzwungenen Abzug der Portugiesen (1961) spürbar ist.

Goa und Pondicherry waren zwei der wenigen Orte in Indien, die sich der britischen Herrschaft entziehen konnten. Die Portugiesen ließen sich in Goa 25 Jahre vor Ankunft der Briten nieder; sie blieben auch eine Dekade länger als deren Herrschaft dauerte. Die Portugiesen kamen nicht nur als Eroberer und Kolonialherren, sondern sie waren auch eifrige Missionare, die die Inder zum Christentum bekehren wollten. Strategisch günstig an einem alten arabischen Seehandelsweg liegt der Hafen von *Gowapur* in der Nähe der Flußmündung des Mandovi. Der Hafen hat eine lange Geschichte, die bis ins 3. Jh. vor Christus zurückreicht, wo er ein Teil des Maurya-Reiches war.

Bis ins Mittelalter herrschten dann hier Hindu-Könige, u. a. die Chalukyas von

Links: Aguada – Nobelhotel auf dem Burgfelsen der Portugiesen.

Badami (580-750 n. Chr.). Die oft im Streit miteinander liegenden Hindu-Herrscher waren gegen Ende des 13. Jh. aufgrund der islamischen Bedrohung gezwungen, sich zu vereinigen. Mohammed bin Tughlaq, Sultan von Delhi, kam und ging wieder; er ließ nur seine Gouverneure zurück, die für ihn die Steuern eintreiben sollten. 1347 gründete Hasan Ganu das Bahmani-Sultanat, das bis 1526 unter den Sultanen von Gulbarga bestand.

Goa, durch den Seehandel reich geworden, wurde zum beliebten Objekt für Raubüberfälle der islamischen Herrscher. Harihara II., Herrscher des Hindu-Königreiches Vijayanagar, hörte den Hilferuf der Goaner und sandte seinen Oberbefehlshaber Madhava aus der Hauptstadt Vijayanagar nach Goa. Mehr als ein Jahrzehnt war Madhava Vizekönig eines Gebietes, das um ein Vielfaches größer war als das von Portugiesen regierte; er führte religiöse Toleranz ein und vergab Grundstücke für Hindu-Tempel, die bis heute mehr oder weniger erhalten geblieben sind. Sonderbarerweise gibt es kein einziges Denkmal zu Ehren des Mannes, der Goa vor den Sultanen rettete.

Das nächste Jahrhundert war friedlich, das Land blühte auf und sein kleiner Hafen an der Mündung der Zuari bewältigte den gesamten Handel des reichen Vijayanagar-Reiches. Als dieser Hafen (der heute *Ela* heißt) versandete, gewann Goa an der Mündung des Mandovi an Bedeutung. Um 1470 fiel Goa wieder an die Moslems; dieses Mal an Mahmud Gawan aus dem Bahmaniden-Sultanat. Das Königreich selbst wurde umgehend unter drei seiner Gouverneure aufgeteilt.

Dann eroberte Adil Shah die Stadt und gründete die Adilshahi-Dynastie von Bijapur. Aber auch das dauerte nicht lange; denn Alfonso de Albuquerque und seine furchtlosen Seeleute sollten die Geschicke dieses kleinen Königreiches wie niemand zuvor verändern. Als Albuquerques Flotte 1510 in die ruhigen Gewässer des Mandovi segelte, dachte er an Gewür-

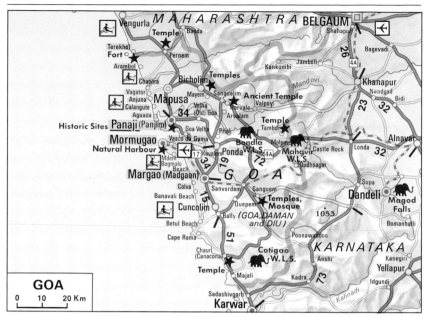

GOA

0   10   20 Km

ze und nicht an Krieg, seine 23 Schiffe, bemannt mit 1000 Leuten, wären auch nicht ausreichend gewesen, um Indien zu erobern. Doch gelang es Albuquerque mit seinen Soldaten im März 1510 problemlos, Goa einzunehmen. Er vertrieb Adil Shah, der aber drei Monate später mit einer verstärkten Streitmacht wiederkam. Die Portugiesen schlugen die Moslems in einem blutigen Massaker und ernannten einen Hindu zum Gouverneur.

Zwei Kirchen zeugen von diesem Sieg: **Our Lady of the Rosary** in Velha Goa und **Our Lady of the Mount**, heute ein vernachlässigtes Denkmal auf einem der höchsten Berge Goas. Albuquerque unternahm keine großen Anstrengungen, die Hindus zu bekehren. Jedoch verbot er den Brauch des *sati* (Witwenverbrennung) und ermutigte seine Leute dazu, sowohl islamische als auch Hindu-Frauen, die zum Christentum konvertierten, zu heiraten.

Rechts: Eine Augenweide sind die sattgrünen Reisfelder rings um Goa.

Auch andere westindische Gebiete fielen den Portugiesen fast mühelos zu. Daman, Diu, Salsette, Bassein und eine Siedlung, die sich über sieben Fischerinseln erstreckte: das spätere Bombay. Es wurde 1661 als Teil der Mitgift der Prinzessin Katharina von Braganza an die Briten übergeben. Diese Orte wurden bekannt als *Velhas Conquistas* (alte Eroberungen); die *Novas Conquistas* (neuen Eroberungen) wurden im 18. Jh. gemacht. (Nachdem die indische Armee 1961 in Goa, Daman und Diu einmarschiert war, wurden diese portugiesischen Exkolonien bis 1987 als indisches Unionsterritorium zusammen verwaltet.)

Etliche christliche Orden ließen sich hier nieder und waren erstaunt, anstelle von Barbaren religiöse Toleranz zu finden. Die Bekehrungsversuche wurden nicht so freudig aufgenommen, wie es sich die christlichen Priester gewünscht hätten; Juden und Moslems machten nur einen geringen Anteil der Bevölkerung aus; die Hindus waren ihr Hauptproblem. Hindu-Tempel wurden zerstört, nachdem

Info S. 101

man 1540 vom portugiesischen Vizekönig die Erlaubnis dafür erhalten hatte; Kirchen nahmen ihren Platz ein. Hinduismus wurde zum Verbrechen, Tausende flohen und zogen in die nahegelegenen islamischen Gebiete. Die Hindus fanden jedoch auch Wege, die Gesetze zu umgehen und stellten Götterbilder im Dschungel von Ponda und Bicholim, außerhalb der portugiesischen Rechtssprechung, auf. Selbst nach ihrer Konversion hielten sie an ihren Ritualen fest, und so ist das Christentum in Goa heute eine Mischung aus beiden Religionen. 1542 reiste einer der zwei Gründer des Jesuitenordens, Francis Xavier, nach Goa. Für die Goaner war er ein mitfühlender Messias, obwohl er eine grausame Rolle in der Inquisition gespielt hatte. Aber für Goa hatte Francis Xavier letztlich nichts übrig und reiste entlang der Küste weiter ins südliche Kerala. Er starb auf dem Weg nach China; Jahre später besuchte ein Freund sein Grab in der Nähe von Kanton und fand die Leiche in unversehrtem Zustand. Sie wurde nach Goa gebracht und dort beer

digt – 16 Monate nach seinem Tod. 1662 wurde Francis Xavier heiliggesprochen und in der **Basilica of Bom Jesus**, in Velha Goa, in einem Goldschrein zur letzten Ruhe gebettet.

Panjim

Seit dem 16. Jh., als Goa, Sitz des Vizekönigs des portugiesischen Orienthandelsimperiums, *Ilha Illustrissima* und „Rom des Orients" genannt wurde, hat sich sehr viel verändert. Nur die Kirchen und einige Elemente des iberischen Erbes blieben übrig. **Panjim** (oder **Panaji**), die Hauptstadt, ist für indische Maßstäbe klein, was daran liegt, daß der größte Teil der goanischen Bevölkerung auf dem Land lebt. Das Stadtzentrum, am südlichen Ufer des Mandovi, bildet die **Church of Immaculate Conception** mit ihrem Vorhof. Die große Freitreppe mit der Balustrade und ihre hohen Zwillingstürme machen dieses Gebäude, das im Barockstil im Jahre 1541 erbaut wurde, so eindrucksvoll. Der alte Stadtteil **Fon**

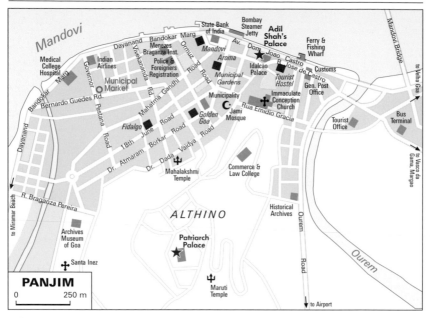

Map labels:
Mandovi · Medical College Hospital · Indian Airlines · Dayanand · Vivekananda · Governor · Bandokar Marg · Bernardo Guedes Rd. · Pastana · Dayanand · Bandokar Marg · Bandokar Braganza Inst. · Menezes · Municipal Market · Police & Foreigners Registration · Mahatma Gandhi Rd. · Ormuz · Road · Road · Mandovi · Aroma · State Bank of India · Bombay Steamer Jetty · Av. Dom João Castro · Adil Shah's Palace · Idalcao Palace · Municipal Gardens · Municipality · Golden Goa · Jami Mosque · Immaculate Conception Church · Rua Emídio Gracia · Tourist Hostel · R. José de Castro · Ferry & Fishing Wharf · Customs · Gen. Post Office · Tourist Office · Bus Terminal · Mandovi Bridge · to Velha Goa · to Vasco da Gama, Margao · Fidalgo · 18th · June Road · Borkar Road · Dr. Atmaram · Dr. Dada Vaidya Road · Road · Mahalakshmi Temple · Commerce & Law College · R. Braganza Pereira · ALTHINO · Historical Archives · Ourem · to Miramar Beach · Archives Museum of Goa · Santa Inez · PANJIM · 0 · 250 m · Patriarch Palace · Maruti Temple · to Airport · Ourem Road

tainhas hat mit seinen gepflasterten Gassen und weißgekalkten Mauern mediterranes Flair. Weitere Sehenswürdigkeiten sind das **Old Secretariat** (Idalcao), einst der Palast von Adil Shah, und **Campal**, der Strand am Ufer des Flusses.

Velha Goa (Old Goa)

Das architektonische Genie der Portugiesen lebt weiter in den Kirchen und Befestigungen von **Velha Goa** (dem alten Goa), der 1738 wegen einer Epedemie verlassenen ehemaligen Hauptstadt Portugiesisch-Indiens. Im Vergleich zu den Gebäuden Nova Goas (Panjim), von denen die meisten maßstabgetreu verkleinert aussehen, bietet das ehemalige *Rom des Orients* eine faszinierende Reise durch die iberobarocke Architektur an mit seinen großartigen Kirchen, stattlichen Herrenhäusern und breiten Boulevards.

Rechts: Am Horizont erscheinen keine portugiesischen Karavellen mehr...

Die **Basilica of Bom Jesus**, in der die sterblichen Überreste von St. Francis Xavier in einem Silbersarg aufbewahrt sind, ist die sehenswerteste, weil am besten erhaltene Kirche und ein bedeutender Wallfahrtsort. Im Inneren der Kirche herrscht eine gedämpfte, backsteinrote Farbe vor; abgesehen von ihren reich geschnitzten und vergoldeten Altären besticht sie durch ihre Einfachheit. Der Heilige wird hier der Öffentlichkeit alle 10 Jahre gezeigt.

Die **Se Cathedral**, im Jahr 1562 begonnen und erst 100 Jahre später im portugiesisch-gotischen Stil fertiggestellt, ist das größte Gebäude Alt-Goas, beeindruckend trotz der Tatsache, daß zwei ihrer Türme im Jahr 1776 vom Blitz zerstört wurden. Das **Cross of Miracles**, von dem man sagt, es nehme an Umfang zu, soll Heilwirkung besitzen.

In der Nähe befindet sich die **Church of St. Francis of Assisi**, als Moschee begonnen, wurde sie später zur Kirche; in ihr befindet sich eine beträchtliche Anzahl kunstvoller Grabsteine, die aus dem

frühen 16. Jh. stammen. Heute ist dieses interessante Gebäude – eines der wenigen manuelinischen in Asien – das **Archaeological Museum**, in dem Fundstücke aus der Region untergebracht sind. Alte Steininschriften und zwei *sati*-Steine erinnern an Goas Hindu-Vergangenheit. Außerdem brachte man eine riesige Albuquerque-Statue von Panjim hierher. Der **Old Pillory Monolith**, ursprünglich Teil eines Hindu-Tempels steht vor einer Villa; einst wurden dort Diebe ausgepeitscht.

Die **St. Pauls-Universität** war einmal eine gefragte Lehrstätte, die Überreste ihres Torbogens sind sogar beeindruckender als der **Viceregal Arch**, der als Touristenattraktion bekannt ist. Die Stadt war einst von einer Mauer umgeben und dicht besiedelt; heutzutage gibt es reichlich Platz, um die Architektur der noch erhaltenen Gebäude zu bewundern. Die Kirche von **St. Cajetan**, eine Miniaturnachbildung von St. Peter in Rom, befindet sich in der Nähe der Fähre, ebenso wie die **Chapel of St. Catherine**.

Der **Convent of St. Monica** auf dem **Holy Hill** war einst eines der größten Nonnenklöster des portugiesischen Reiches. Hinter seinen düsteren Türmen befindet sich die **Church of our Lady of the Rosary**. Im manuelinischen Stil erbaut, soll sie an Albuquerques Sieg im Jahr 1510 erinnern. Dona Catarina, die erste portugiesische Frau, die die Überfahrt nach Indien wagte, liegt hier begraben. Weiter oberhalb steht die 1543 vollendete **Royal Chapel of St. Anthony** (1961 restauriert), die dem Schutzheiligen Portugals geweiht ist. Der verwunschen wirkende Überrest der **Kirche St. Augustine**, hoch oben auf einem Hügel gelegen, kann meilenweit gesehen werden: Der alleinstehende Turm, ursprünglich einer von vier, scheint höher als seine 46 Meter zu sein.

Bootsfahrt auf dem Mandovi

Bei einer Bootsfahrt den **Mandovi** hinauf sehen Sie an einem Nachmittag mehr vom alten Goa als auf dem Landweg in zwei Tagen. Die Reise beginnt am **Idalcao** (Adil Shahs Palast) und führt durch üppige Landschaft, mit malerischen Uferhäuschen. Zur Rechten befindet sich **Panjim**, das trotz seiner schnellen Industrialisierung noch historische Bausubstanz bewahrt hat. Die eleganten Herrenhäuser im Hafengebiet zeugen vom einstigen Wohlstand der portugiesischen Handelsherren. **Velha Goa** sieht vom Fluß her anders aus, bezaubernder als in Wirklichkeit. **Cabo Raj Nivas**, auf einem Kliff gelegen, war zuerst eine Kirche, dann ein Fort, schließlich ein Nonnenkloster; 1866 wurde es zur Residenz des portugiesischen Generalgouverneurs.

Die Portugiesen häuften beträchtlichen Reichtum an und sicherten ihre profitable Kolonialenklave durch Küstenfestungen. **Fort of Reis Magos** mit seinen aufs Meer gerichteten Kanonen dient heute als Gefängnis. Das benachbarte **Fort Aguada**, erbaut 1612, ist eine Art Nationaldenkmal, da hier politische Gefangene, Nationalisten, die gegen die Portugiesen kämpften, festgesetzt wurden. Eine Gedenktafel erinnert an sie. Aguada war einst der Platz wo Schiffe ihre Wassertanks füllten; heute ziert ein Luxushotel den Burgfelsen über dem Sinquerim-Strand.

Goas Norden

Das Hotel im **Tiracol Fort** an Goas Nordgrenze ist ein origineller Übernachtungsort. Um es von Panjim aus zu erreichen (ca. 50 km), muß man drei Flüsse überqueren; über zwei davon, Chapora und Terekhol, kommt man nur mit der Fähre. Die Straße dorthin, durch das Hinterland von Pernem, säumen Betelnuß-Palmen und Cashew-Bäume.

Parallel dazu erstreckt sich an der Küste meilenweit sauberer weißer Sand, mit kleinen Ortschaften wie **Arambol, Mor-**

Rechts: Frische Ananas, neue Hosen oder Muschelschmuck? Strandservice in Colva.

gim und – jenseits des gleichnamigen Flusses – **Chapora** mit seinem aussichtsreichen portugiesischen **Fort**. Sehen Sie sich in **Pernem** die Privatsammlung der Deshprabhus von Pernem an, der ungekrönten Aristokratie der Gegend (Töpferwaren aus Harappa, Mobiliar aus Silber, exquisite europäische Möbel).

Tempel und Klöster

Die Portugiesen mögen zwar Hunderte von Tempeln zerstört haben, aber einige blieben erhalten; und heute sind wieder 62% der Goaner Hindus. Der **Manguesh-Tempel**, in dem Parvati, dem Mythos nach, ihren Gemahl Shiva rief, um sie vor einem Tiger zu retten, wurde von seinem ursprünglichen Standort am Fluß Zuari nach **Priol** in den Bezirk von Ponda verlegt. Der **Shantadurga-Tempel** in **Kavalem** fällt durch den kunstvollen *deepastambha* (Lampenturm) auf und ist der Göttin Parvati gewidmet.

Die Tempel von **Ramnath**, **Naguesh** und **Mahalakshmi** liegen in der Umgebung von **Ponda**. Daß sie vom Dschungel abgeschirmt werden, ist ein weiterer Hinweis darauf, daß die Hindus in ständiger Furcht vor religiöser Verfolgung lebten. Der imposante **Tambdi** (Rote) **Surla** steht auf roter Erde, daher hat er seinen Namen. Dieses aus dem Fels gehauene Heiligtum aus dem 12. Jh. ist der bei weitem älteste Tempel in Goa.

Buddhistische und brahmanische Felshöhlen sind noch älter; eine davon befindet sich an der Straße von Ponda nach Panjim: die **Arvalem Caves** (PandavaCaves).

Das **Rachol Seminary** (6 km von Margao), ein palastartiges Gebäude von 1609, beherbergt das **Museum of Christian Art**, das sakrale Kunst ausstellt, darunter eine silberne Monstranz in Schwanenform.

Das **Pilar Seminary**, ein Karmeliter-Klostergebäude, befindet sich oberhalb von **Goa Velha** (nicht mit Velha Goa zu

verwechseln). In dem sonst ungenutzten Gebäude ist ein **Museum** untergebracht.

Strände

Goa ist wesentlich bekannter durch seine Strände und Beach Parties als durch seine Tempel. Die Blumenkinder der 1960er und 1970er Jahre „entdeckten" damals Goas unerschlossene Traumstrände. **Calangute** war lange Zeit der Favorit und ist heute vor allem von britischen Pauschaltouristen überlaufen. **Anjuna** (vielbesuchter „Hippie-Flohmarkt" jeden Mittwoch), **Vagator**, **Baga** und der etwas weniger überlaufene Strand von **Arambol** sind die schönsten Strände im Norden. Der breite, gerade Strand südlich des Flughafens führt von **Majorda** über **Colva** und **Benaulim** bis nach **Mobor** und bietet reichlich Platz zum Sonnenbaden und Spazierengehen. Die halbmondförmige, palmenumsäumte Bucht von **Palolim** im Süden ist mittlerweile besonders populär und bietet entspannte Atmosphäre ohne Luxushotels. Goa hat sich in den letzten Jahren zu einem beliebten Fernreiseziel des internationalen Tourismus entwickelt, und trotz des Baus von Luxushotels sind die Strände bislang von unansehlichen Touristenburgen verschont geblieben.

Industrialisierung und modernes Leben machen sich in Goas Städten breit, besonders in **Margao** (der zweitgrößten Stadt), **Vasco da Gama** und **Mormugao**, einem der besten natürlichen Häfen in Indien. In den Dörfern Goas, zwischen Reisfeldern und Kokospalmen, spürt man davon nicht viel, die Menschen dort halten noch immer an ihrem lusitanisch angehauchten *easy going* Lebensstil fest und halten lange Siestas.

Die dynamischen, gebildeten jungen Leute geben sich nicht länger damit zufrieden, ihr Leben inmitten der Schönheit der Palmenhaine zu verbringen. Zu Tausenden wanderten sie ab, in die Großstädte und ins Ausland, insbesondere in die Emirate. Doch Goa, seit 1987 indischer Bundesstaat mit eigener Regierung, floriert mittlerweile selbst wirtschaftlich:

Der hohe Bildungsgrad der Goaner, Bodenschätze (vor allem Eisenerz), moderne Landwirtschaft und Fischerei sowie der boomende Tourismus haben den jungen Staat auf Platz 3 der Rangliste der wirtschaftskräftigsten indischen Bundesstaaten katapultiert – allerdings teilweise auf Kosten der Umwelt.

Der Karneval in Goa zieht als besondere Attraktion unzählige Menschen an. Bis Februar hat das Karnevalfieber Jung und Alt ergriffen, und die schläfrigen Straßen erwachen zum Leben.

Essen und Kultur

Das einheimische Konkani-Essen vereinigt die besten Einflüsse der arabischen, portugiesischen und südostasiatischen Küche. Der Goaner trinkt ebensogern wie er ißt, nirgendwo sonst in Indien ist Alkohol so billig. *Toddy,* vergorener Palmwein und *feni,* aus Cashew oder Palmsaft destilliert, sind typische einheimische Drinks.

Musik ist, ebenso wie Essen und Trinken, ein Teil des goanischen Lebensstils; hier wird die Kluft zwischen Christen und Hindus besonders deutlich. Christliche Goaner haben seit jeher „Musik im Blut", viele singen und können Gitarre oder Klavier spielen. Goas Musik ist bis in die Großstädte gedrungen; Rock Bands, Jazz- und Popmusiker sind fast ausnahmslos Goaner. Die einheimischen *mandos,* lyrische Volkslieder, preisen Liebesglück und -leid. Im Gegensatz dazu haben die Hindu- und die klassische indische Musik hier keine besondere Tradition.

Ausflüge von Goa

Die goanischen Wälder bilden einen Kontrast zu den Stränden: Mehr als ein Drittel der Fläche Goas ist bewaldet. Die zwei bedeutendsten Wildschutzgebiete sind: **Mahavir** (in der Nähe von **Molem**), mit 240 km^2 das größte; **Bondla**, mit 8 km^2 im Vergleich dazu fast verschwindend klein, ist das beliebtere und eher ein Dschungelpark.

Wenn Sie sich dazu durchringen können, Goas Strände eine Zeitlang für Ausflüge zu verlassen, sind die **Dudhsagar-Wasserfälle**, 100 km von der Küste entfernt an der Bahnlinie, einen Ausflug wert. Dichte Wälder geben plötzlich den Blick auf die herabdonnernden Fälle frei; halten Sie Ausschau danach, wenn Sie mit dem Zug nach Goa kommen; die Brücke über Dudhsagar verläuft quer über die Fälle.

Daman und Diu

Zwischen Bombay und Surat, an der gujaratischen Küste, liegt **Daman**, das 1559 von den Portugiesen besetzt wurde und bis 1961 unter ihrer Herrschaft stand. Die kleine Stadt, mehr von Gujarat als von Goa beeinflußt, erlangte zweifelhafte Berühmtheit dadurch, daß es bis vor wenigen Jahren ein Schmugglerparadies war. Doch die Stadt ist durchaus sehenswert, portugiesische Herrenhäuser säumen die Straßen. Das kleine **Fort St. Jerome** in **Nani Daman** beherbergt eine alte, als Schule genutzte Kirche, Häuser mit holzgeschnitzten Türen und einen Christenfriedhof. Der **Konvent Bom Jesus** im großen **Fort** von in **Moti Daman** hat etwas Zeitloses an sich. Der **Somnath-Tempel** wurde kürzlich restauriert. Im Norden befindet sich **Devka**, ein Badeort. Die wenigen Menschen, die dort leben, sind hauptsächlich Parsen.

Im Osten der kleinen Insel **Diu**, unmittelbar vor Gujarats Südküste, errichteten die Portugiesen 1535 eine (gut erhaltene) Festungsstadt mit einem unbezwingbaren Fort, später die Barockkirchen **St. Pauls** (1610) und **St. Francis**, wobei letztere heute als Museum dient. Dius attraktive Stände – die schönsten heißen **Nagoa** und **Gomatimata** – sind nur eine Flugstunde von Mumbai entfernt und werden fast nur von indischen Touristen besucht.

GOA

🛈 **G I T**, Communidade Bldg., Church Sq., Panjim, Tel. 223412. **Goa Tourism**, Tourist Home, Patto, Panjim, Tel. 225715. **GTDC**, Trionara Ap., Dr. Alvares Coasta Rd., Panjim, Tel. 226515; Zweigstellen: Bus-Terminal, Airport, **Tourist Hotel**, Margao, Tel. 722513. **Tourist Hostel**, Vasco da Gama, Tel. 512673. http://www.goa-interactive.com

🏨 **Dabolim Airport**, Tel. 222644 (28 km von Panjim), Flüge nach Delhi, Bombay, Cochin, Bangalore und Madras. **Bahnhof Vasco Da Gama**: Züge nach Bombay. Überlandbusse halten in Panjim, Margao und Mapusa; **Interstate Bus Terminal**, Panjim, Tel. 225620. **Schiffpassagen** nach Bombay (8 Std.) tägl., Tel. 228711.

🎭 *Jatras*, mehrwöchige Jahrmärkte, werden an vielen religiösen Zentren abgehalten, z. B. *Bodgeshwar Jatra* (Jan, Mapusa), *Hanuman Jatra* (Feb, Panjim), und *Manguesh Jatra* (Feb). Der dreitägige *Carnival* wird Feb/März gefeiert. *Shigmo* (*Holi* oder *Chitra Gulal*) ist das Frühlingsfest (März); und *Novem* (Aug) das christliche Erntedankfest (mit Stierkampf als Höhepunkt). Das Fest *Our Lady of Miracles* (Mapusa), das nach Ostern stattfindet, die Prozession des dritten franziskanischen Ordens (nach der Fastenzeit) und das Fest von *Jesus the Nazarene* werden von Jahrmärkten begleitet. Für Liebhaber klassischer Musik gibt es *Dirdi* (Nov, Margao). Goas Schutzheiliger ist St. Francis Xavier, „sein" Fest findet jährlich (Dez) statt; zum Jahresende: *Our Lady of Immaculate Conception*.

🛍 Großer Flohmarkt in Anjuna, mittwochs. Farbenfroher Freitagsmarkt, Mapusa, 8.00-18.00 Uhr. Geschäfte in Panjim, Margao und Vasco Da Gama.

✉ **GPO**, Panjim, Tel. 223706. **Telegraph Office**, Atmaram Rd., Panjim. Postämter in Margao, Vasco da Gama, Calangute, Mapusa und Colva.

PANJIM (PANAJI, ☎ 0832)

🏨 ☺☺ **Fidalgo**, 18th June Road, Tel. 226291, A/C, Restaurant, Pool. **Mandovi**, Bandodkar Marg, Tel. 224405, A/C, Zimmer im Art Deco-Stil, Restaurant, Pool.

❌ **Shalimar**, M.G. Rd., Goa-Küche u. international. **Venite**, 31st Jan. Rd., Tel. 225537, gute einheimische Küche, Musik. **Sher-e-Punjab**, 18th June Rd., vegetarisch, nordindisch.

🏛 **Archives Museum of Goa**, Ashirwad Bldg., Santa Inez, 9.30-17.30 Uhr, Sa, So, Feiertage geschl.

➕ **CMM Polyclinic**, Altinho, Tel. 225918. **Laxmibai Talanlikar Memorial Hospital**, Tel. 225626.

CALANGUTE / BAGA (☎ 083288)

🏨 ☺☺☺ **Paradise Village Beach Resort**, Tel. 276351, komfortable Cottages, exzellenter Service. ☺☺ **Baia Do Sol**, Baga, Tel. 276084, einige A/C-Zimmer, sauber, gutes Restaurant. **Villa Bomfim**, Tel. 276105. **Villa Goesa**, im Süden von Baga, Tel. 276182, einige A/C-Zimmer, gutes Restaurant, leise. **Cavala**, Sauntavaddo, Baga-Calangute Rd., Tel. 276090, hübsche Zimmer in altem portugiesischem Haus. ☺ **Calangute Beach Resort**, Umtawaddo, Tel. 276063. **Ronil Royale**, Baga, Sauntavaddo, Tel. 276183, sauber, Restaurant, Geschäfte.

❌ **Casa Portuguesa**, Calangute Rd., elegant.

ANJUNA (☎ 0832)

🏨 ☺☺ **Tamarind**, Kumar Vaddo, Tel. 274309, einige A/C-Zimmer, rustikale Cottages, Pool, gutes Rest.

DONA PAULA (☎ 0832)

🏨 ☺☺☺ **Cidade de Goa**, Vainguinim Beach, Tel. 221133.

SINQUERIM / AGUADA (☎ 0832)

🏨 ☺☺☺ **Taj Aguada Hermitage**, Tel. 276201, Fax 276044. **Fort Aguada Beach Resort**, Tel. 276201, Fax 276044. ☺☺ **Holiday Village**, Tel. 276202, Restaurant, hübscher Garten, Pool, guter Service.

MAJORDA (☎ 0834)

🏨 ☺☺ **Majorda Beach Resort**, Tel. 730241. **Regency Resort**, Tel. 754180, Fax 254186.

COLVA / BENAULIM (☎ 0832)

🏨 ☺☺☺ **Taj Exotica**, Tel. 705666, Fax 738916 neues und exklusives Luxushotel direkt am Strand von Benaulim. ☺☺ **Longuinhos Beach Resort**, Tel. 731645, Fax 710312, direkt am Strand von Colva, **Vista de Colva**, Tel. 704845, Fax 704983, kleiner Pool, komfortabel, aber nicht direkt am Strand. ☺ **Palm Grove Cottages**, in Benaulim-Dorf, Tel. 770059, 770411, sehr schöne Zimmer im tropischen Garten, preiswert, aber nicht billig. Günstiger sind **D'Souza Guest House**, Tel. 734364, gute Zimmer bei netter Familie oder **Rosario's Inn**, Tel. 734167, abseits der Beach Rd., sauber, Zimmer mit Bad und Terrasse.

❌ **Kentucky**, in Colva am Parkplatz, hat hervorragende Küche, vor allem Seafood, bis spät in die Nacht. **Rafaels** in Benaulim für Obstsalat und Goa-Fischcurry.

VARCA / CAVELOSSIM / MOBOR (☎ 0832)

🏨 ☺☺☺ **Goa Renaissance Resort**, Fatrade Beach, Varca, Tel. 745208, Fax 745225 und **Leela**, Mobor, Tel. 746363, exklusive Strandhotels mit allem Luxus. ☺☺ **Resorte de Goa**, Varca, Tel. 745066, ruhig, schöner Garten mit Pool.

PALOLIM (☎ 0832)

Zahlreiche einfache Cottages am Strand und im Dorf. **Cocohuts**, Tel. 643296, Bambushütten am Strand.

OLD GOA

🏛 **Basilica of Bom Jesus**, 9-18.30 Uhr. **Church and Convent of St. Francis of Assisi** mit **Archeological Museum and Portrait Gallery**, 10-17 Uhr, Fr geschl.

Goa (Seitenmarkierung)

RELIGIÖSE INBRUNST

ORISSA

ORISSA

Orissa (155 842 km²) besitzt eine üppig-grüne Küstenlinie, die sich von den östlichen Ghats im Hinterland abhebt. Diese hügelige Landschaft gehört zu den ärmsten und rückständigsten des Landes und wird von zahlreichen Stämmen bewohnt, die sehr unterschiedliche Lebensstile haben. Im Gegensatz dazu zeugt das Küstengebiet, insbesondere das Delta der Mahanadi (großer Fluß) von Orissas Anteil an der politischen und kulturellen Entwicklung Indiens sowie der alten Tradition der Seefahrt. Hier lag das ehemalige Reich Kalinga, das erstmals wegen einer blutigen Schlacht im 3. Jh. v. Chr. in Erscheinung trat, die die Wandlung des Kaisers Ashoka zu einem friedliebenden Buddhisten bewirkte. Zwei Geschlechter, die Ganga und die Somavamsa, die vom 2. bis zum 15. Jh. n. Chr. regierten, beseitigten allmählich die buddhistischen und jainistischen Einflüsse, errichteten ein hinduistisches Großreich und förderten Architektur und die Künste: Tempel wurden gebaut, die nicht nur von religiösem Eifer zeugen, sondern auch von der Schönheit und dem Reichtum der Natur

Vorherige Seiten: Das Rad des Lebens im Sonnentempel von Konarak. Links: Ein umherziehender Musiker in Orissa.

sowie der mythisch-poetischen Vorstellungskraft ihrer Bauherren. Rituale und Andachten in diesen religiösen Zentren brachten eine Vielfalt von Kunst- und Handwerkstraditionen hervor, die die Herrschaft der Mogule und Briten bis heute überdauert haben.

Bhubaneshwar

Bhubaneshwar ist die Hauptstadt. In der Altstadt sind fast hundert von den einst mehr als tausend um den **Bindusagar-See** herumgebauten Tempeln erhalten geblieben. Der Sage nach enthält dieser See Wasser aus allen Flüssen Indiens. Der 54 Meter in den Himmel ragende Turm des **Lingaraj-Tempels** beherrscht die Landschaft. Er wurde 1114 n. Chr. von den Somavamsas erbaut und ist Shiva in seiner Verkörperung als Tribhuvaneshvara, dem Herren der drei Welten, geweiht (Zutritt nur für Hindus). Seine Architektur ist typisch für die nordindische Bauweise mit kurvilinearem Turm über dem Allerheiligsten und einer linearen Anordnung von mehreren Hallen davor. Diese Räume sind miteinander verbunden, von außen sehen sie allerdings getrennt aus. Beim *Shivaratri*-Fest (Februar/März), zünden Tausende von Pilgern während einer Andachtszeremonie gleichzeitig ihre Lampen an.

Der **Mukteshwar-Tempel**, im 10. Jh. erbaut, hat als Eingang ein wunderschönes steinernes Tor; auf seinen Außenmauern befinden sich bemerkenswerte Skulpturen. Das Tor erinnert an die buddhistische Votivarchitektur. Einige der Reliefs stellen Szenen aus den *Panchatantra*-Erzählungen dar. Der **Parasurama-Tempel** besitzt erlesene Steinmetzarbeiten und Gitterfenster. Der **Raja Rani-Tempel** aus dem 11. Jh. ist mit Skulpturen geschmückt, die graziöse Frauenkörper darstellen. Die Einzelheiten an Blättern, Blumen und Früchten zeugen von der hervorragenden Handwerkskunst dieser Gegend.

Der **Brahmeshwara-Tempel** ist ein Tempelkomplex mit fünf Schreinen und schön reliefierten Fassaden. Der tantrische Tempel **Vaital Deul** ist der furchteinflößenden Göttin Kapalini gewidmet,

Oben: Ein Sadhu vor seiner eigenen kleinen Tempelhöhle. Rechts: Dieser patachitra-Künstler malt an einem Bild, das Krishna und seine gopis darstellt.

die auf einem Leichnam thront. Das faßförmige Dach ist für die hiesige Architektur einmalig.

Bhubaneshwar hat zwei interessante Museen, das **Orissa-Staatsmuseum** und ein **Handwerksmuseum**. Das erstere besitzt eine reichhaltige Sammlung von Skulpturen, seltene Palmblattmanuskripte, Münzen, Kupferplatten, Waffen, Werkzeuge aus der Stein- und Bronzezeit sowie Musikinstrumente. Im gleichen Gebäudekomplex befinden sich die staatlichen Akademien für Literatur, Schöne Künste, Tanz, Musik und Theater. Das Handwerksmuseum auf der Secretariat Road bietet eine reiche Sammlung der handwerklichen Künste Orissas, einschließlich Steinskulpturen, Messing-Gußwaren, Spielzeug aus Horn, Silberfiligran, Ton, hölzerne und lackierte Spielwaren und *pata*-Gemälde.

Orissas früheste Gemälde der historischen Periode sind ungefähr 1500 Jahre alt; man findet sie in einer Felshöhle in **Sitabhinji** im Keorijhar-Bezirk. Die Malereien an Decken und Wänden der Tem-

Orissa

pel erzählen Geschichten aus der indischen Mythologie. Ähnliche Erzählungen sind auf Stoffen dargestellt, die mit einer Mischung aus Kreide und Gummi (aus Tamarindensaat hergestellt) überzogen sind. Diese Gemälde, gewöhnlich in strahlenden Primärfarben gemalt, kennt man als *pata-chitra*. Eine Malergemeinschaft lebt in **Raghurajpur**, einem Dorf in der Nähe von Puri, welches man auch besuchen kann.

Ausflüge

Acht Kilometer von Bhubaneshwar entfernt liegt **Dhauligiri**, der Schauplatz der Schlacht Ashokas gegen Kalinga. Man findet dort elf in den Fels gemeißelte Edikte dieses Kaisers. Aus dem 3. Jh. v. Chr. stammend sind sie die frühesten bekannten Inschriften, die in Indien gefunden wurden. Die weiße Kuppel des neuzeitlichen, von Japanern gebauten *Shanti Stupa* (Friedenspagode) auf dem Gipfel des Berges sieht man schon aus der Ferne. In **Sisupalgarh**, fünf Kilometer nord-

östlich von Dhauligiri, wurden die Überreste einer Stadt samt einer Festung und zwei kunstvollen Toren ausgegraben.

Die Hügel von **Khandagiri** und **Udayagiri**, die ebenfalls in den Randbezirken der Stadt liegen, beherbergen jainistische Höhlenklöster, deren Ursprung bis in das 2. vorchristliche Jahrhundert zurückgeht. Ihre überragende bildhauerische Qualität wird in der kolossalen Figur Mahaviras auf den Hügeln von Khandagiri und in den Felsenreliefs auf den Udayagiri-Hügeln besonders deutlich.

In **Nandan Kanan** (20 km von Bhubaneshwar) befinden sich ein Wildgehege und ein botanischer Garten; hier sind der seltene weiße Tiger und das weiße Krokodil zuhause.

Cuttack, die einstige Hauptstadt Orissas, ist eine Handelsstadt und bekannt wegen ihrer besonders feinen Silberfiligranarbeiten. Nordöstlich von Cuttack kann man buddhistische Ruinen bei den drei Hügeln von **Ratnagiri**, **Udayagiri** und **Lalitgiri** bequem erreichen. In der Mitte des 7. Jh. gab es hier über hundert

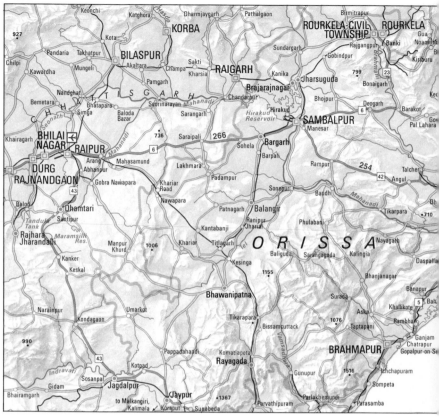

buddhistische Klöster, in denen mehrere Tausend Mönche lebten. Vom 5. bis zum 10. Jh. n. Chr. war Ratnagiri ein bedeutendes buddhistisches Zentrum. Eine Vielzahl von Skulpturen und Inschriften enthüllen, daß sich namhafte buddhistische Gelehrte hier aufhielten und dadurch Mönche von weither angezogen wurden. Dies ist einer der wenigen Orte in Indien, wo der Buddhismus fast bis zum 16. Jh. lebendig war.

Neben dem Hauptstupa und einer Anzahl von Mönchsklöstern wurden auch acht interessante Backsteintempel im Stil von Orissa entdeckt, die Manjusri und anderen buddhistischen Gottheiten gewidmet waren, ebenso wunderschöne Bronzebilder des Buddha.

Puri

Puri, 60 km von Bhubaneshwar entfernt, ist der Sitz Krishnas als Jagannath, dem Herrscher des Universums, einer der populärsten und wichtigsten Gottheiten Nordindiens. Er wird, zusammen mit seinem Bruder und seiner Schwester in Form einer hölzernen Figur verehrt, die wahrscheinlich einmal eine Stammesgottheit war.

Der Haupttempel ist ein majestätisches Bauwerk von 65 Meter Höhe, das auf einer erhöhten Plattform steht. Es wurde im 12. Jh. von König Chodaganga erbaut, um an die Verlegung der Hauptstadt von Süd- nach Zentral-Orissa zu erinnern. In diesem Tempel werden die uralten Ritua-

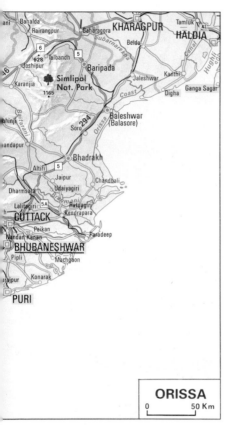

Gokul nach Vrindavan werden die von Wagen gezogenen Gottheiten nach Gundicha Mandir gebracht. Dort bleiben sie eine Woche und werden dann nach einer zeremoniellen Reinigung am letzten Festtag zurück in den Tempel gebracht.

Das Dorf **Pipli** ist wegen seiner farbenprächtigen Applikationen bekannt. Kunsthandwerker, die ursprünglich für das zeremonielle Erscheinen der Götter und Könige Baldachine und Schirme herstellten, haben mittlerweile ihr Repertoire erweitert – sie fertigen auch Kissenbezüge, Tischtücher, Taschen und außerdem Kleider.

Konarak

Konarak, der Himmelswagen-Tempel des Sonnengottes Surya, wurde 1238 n. Chr. von König Narasimha Deva aus dem Geschlecht der Ganga erbaut; er ist der letzte der großen Staatstempel von Orissa. (Konarak stammt von *Kona*, Ecke, und *Arka*, Sonne). Obwohl der Turm des Haupttempels eingestürzt ist, ist die Anlage immer noch sehr beeindruckend. Der Tempel hat die Form eines riesigen Wagens; seine 24 Räder, die die Einteilung der Zeit kennzeichnen, sind kunstvoll gemeißelt, gezogen wird er von sieben Pferden. Die drei Bildnisse von Surya werden bei Tagesanbruch, am Mittag sowie bei Sonnenuntergang von den Sonnenstrahlen berührt.

Riesige Skulpturen, die Kriegselefanten, Löwen und Pferde darstellen, die gefallene Krieger zertrampeln, zeugen von bildhauerischer Meisterschaft. Jeder Aspekt des Lebens wurde in die Fassaden des Tempels gemeißelt. Erotische Bilder, obgleich so lebensecht wie die von Khajuraho, stellen dennoch eine Sublimation der menschlichen Liebe in unzähligen Formen dar. Außerdem finden sich hier wunderschöne Bilder von Frauen, die Musikinstrumente spielen. Vieles aus der hiesigen Bildhauerkunst taucht im Odissi-Tanz wieder auf.

le immer noch peinlich genau durchgeführt. Mehr als 6000 Männer fungieren als Priester, Aufseher oder Führer für die Pilger. Fast 20 000 Menschen sind indirekt vom Tempel abhängig, Tausende verzehren die von der Tempelküche zubereiteten Mahlzeiten.

Die berühmte *Ratha Yatra*, das Wagenfest, ein alljährliches Ritual, findet im Juni/Juli statt. Die Bilder der Gottheiten werden auf riesigen Wagen ausgefahren; jeder davon hat 16 Räder und wird von Tausenden von Menschen gezogen. Hunderttausende von Pilgern nehmen an diesem Fest teil. Am anderen Ende der Grand Road, außerhalb des Haupttempels, liegt das Haus **Gundicha Mandir**; zur Erinnerung an die Reise Krishnas von

Der **Konarak-Tempel**, auch als die Schwarze Pagode bekannt, wurde von einem Architekten namens Sibei Samantaray konstruiert. Man brauchte 1200 Steinmetze und Bildhauer sowie zwölf Jahre, um ihn mit den Steuereinnahmen von ebenfalls zwölf Jahren zu bauen. Im **Archäologischen Museum** von Konarak befindet sich eine seltene Sammlung von sehenswerten Skulpturen.

Andere Anziehungspunkte

Der größte See des Landes, **Chilika**, erstreckt sich über 1100 Quadratkilometer quer durch die Bezirke Puri und Ganjam. In ihm liegen zahlreiche smaragdgrüne Inseln mit einer Vielfalt von Wasserpflanzen; im Winter nisten hier Zugvögel. Im Chilika lassen sich unter anderem Makrelen, Garnelen und Krabben fangen. Der **Kalijai-Tempel** liegt auf einer der kleinen Inseln. **Gopalpur-on-**

Sea ist einer der ältesten Häfen Orissas; in der Kolonialzeit entwickelte sich der dortige Strand zu einem beliebten Badeort der Briten. **Taptapani**, ein Kurort weiter im Landesinneren, besitzt eine heiße Schwefelquelle.

Der **Simlipal-Nationalpark** liegt am Fuße der steilen Berge im Mayurbhanj-Gebiet Nordorissas. Es ist ein 2750 Quadratkilometer großes Tierschutzgebiet, in dem Tiger, Panther und Elefanten leben. Die Gebiete Sambalpur, Sundargarh, Phulbani, Ganjam, Mayurbhanj und Cuttack sind wegen ihrer handgewebten Textilien bekannt.

Rourkela in Nordorissa ist eine Industriestadt mit einem großen Stahlwerk, das ab 1956 mit westdeutscher Hilfe errichtet wurde.

In Südorissa, besonders in den Distrikten **Koraput**, **Malkangiri** und **Kalimali**, haben mehrere Ethnien traditionelle Lebensformen bewahren können. Zu den bekanntesten gehören die drawidischen Kondh und die austroasiatischen Munda und Bondo.

Oben: Der Sonnentempel von Konarak, auch als Schwarze Pagode bekannt.

Karte S. 108-109

BHUBANESWAR (☎ 0647)

i **Government of India Tourist Office**, B 21, Kalpana Area, Tel. 404203. **Orissa Tourism** b. Panthanivas Tourist Bungalow, Tel. 431299. Informationsstände im Flughafen, Tel. 404006, und Bahnhof, Tel. 404715.

▤ ☺☺☺ **Swasti Plaza**, P-1 Jaydev Vihar, Tel. 585790, Fax 585071, neues Luxus-Hotel, **Oberoi Bhubaneswar**, Nayapalli, Tel. 440890, Fax 440898. ☺☺. **Sishmo**, 86/A 1 Gautam Nagar, Tel. 433600. **Swosti** 103 Janpath, Unit 3, Tel. 418253. **Prachi**, 6 Janpath, Tel. 402366, mit großem Garten und Pool. ☺ **Pantha Niwas** (Tourist Bungalow), Jayadev Marg, Tel. 432515, in der Nähe der Tempel, einfach, aber sauber. **Bhubaneswar**, Cuttack Rd., Tel. 401977, sauber und preiswert. **Sahara**, 76 Buddhanagar, Tel. 417331, angenehmes kleines Hotel. **Ekamra**, Kalpana Sq., Tel. 412484, angenehmes Hotel in Bahnhofsnähe.

✗ In den Hotels Prachi und Swosti. **East & West**, gegenüber Kenilworth Hotel, indische und chinesisch.

▥ **Orissa State Museum**, Gautam Nagar, 10.00-17.00 Uhr, Mo und an Feiertagen geschl. Palmblatt- und Papiermanuskripte, Porträts, archäol. Funde, Trachten. **Handicrafts Museum**, Secretariat Rd., 10.00-17.00 Uhr, So geschl. **Tribal Research Centre**, Museum of Man, 10.00-17.00, So geschl.

✚ **Capital Hospital**, Unit 6, Tel. 400688.

✉ **Post Office**, Old Town, Market Building, **General Post Office**, Sachivalya Marg.

PURI (☎ 06752)

i **Tourist Office**, Station Rd., Tel. 22131. Schalter am Bahnhof, Tel. 23536.

▤ ☺☺☺ **Mayfair Beach Resort**, Chakratirtha Rd., Tel. 24041, einige A/C-Zimmer, hübsche Anlage. **Toshali Sands** (8 km außerhalb), Puri-Konark Marine Dr., Tel. 22888, A/C-Zimmer in Villen, Zelte. **Sterling Resort**, Sipasirubuli Village, Tel. 24857 (8 km, am Bhargavi River). ☺☺ **Hans Coco Palms**, Swargadwar, Gourbari Sahi, Tel. 22638, freundlich und beliebt. **Nilachal Ashok**, bei Raj Bhawan, VIP Road, Tel. 23639. **Vijoya International**, Chakratirtha Road, Sea Beach, Tel. 22702, ruhig, gutes Restaurant. **South Eastern Railway Hotel**, Tel. 22063. ☺ **Puri**, Marine Parade, Tel. 22114, einige A/C-Zimmer, Restaurant, ruhig, sauber, beliebt. **Gandhara International**, Chakratirtha Rd., Tel. 24117, sauber, freundlich. **Youth Hostel**, Chakratirtha Road, Tel. 22424. **Z Hotel**, Chakratirtha Rd., Tel 22554, populäres Travellerhotel

✉ **Post and Telegraph Office**, Tel. 22057.

✚ **ID Hospital**, Red Cross Rd., Tel. 22094. **Goparbandhu Ayurvedic Hospital**, Armstrong Rd., Tel. 22072.

▦ **Polizei**, Tel. 22039.

▣ Am *Mahashivaratri* (Feb/März) werden in den Shiva-Tempeln Orissas Zeremonien abgehalten – besonders beeindruckend in Bhubaneshwar und Puri. *Ashokashtami* (Wagen-Fest des Gottes Lingaraja, März/April) in Bhubaneswar wird von Tausenden besucht, die der Prozession des Wagens mit Shivas Bild folgen. Das 21-tägige Fest *Chandan Yatra* findet in Puri und Bhubaneswar statt (April/Mai). Bildnisse des Jagannath und anderer Gottheiten werden im Narendra-Becken in Booten herumgefahren. Danach folgt *Shan Yatra* (Puri), dann werden die Götter in einer Zeremonie gewaschen. Das größte Fest ist das einwöchige *Rath Yatra* (Wagenfest in Puri, Juni/Juli). *Bali Yatra* (Cuttack, Okt/Nov) wird am Ufer der Mahanadi abgehalten. Auch *Dussehra*, *Durga Puja*, *Diwali*, *Ganesh Puja*, *Holi*, *Janmashtami* und *Ramnavami* werden in Orissa gefeiert.

Ein bedeutendes Stammesfest (das auch von Nicht-Stammesangehörigen besucht wird) ist *Chaitra Parba* (April).

▨ Kunsthandwerk: Silberfiligranarbeiten, schön gemalte *patachitras*, *Ikat*-Textilien, *Vichitrapuri-Saris*. Federn, Muscheln, Elfenbein, Nüsse, Stein und Horn werden zu Souvenirs verarbeitet.

KONARAK (☎ 06758)

▤ **Panthanivas**, Tel. 8831. **Ashok Traveller's Lodge**, Tel. 8823.

GOPALPUR-ON-SEA (☎ 0680)

▤ ☺☺ **Oberoi Palm Beach**, Tel. 8201. **Mermaid**, **Sea Breeze**, **Sea View Lodge**. ☺ **Youth Hostel**.

CHILIKA LAKE

▤ **Panthanivas** (bei Rambha), Tel. 346. **Panthanivas** (bei Barkul), Tel. Balugaon 621867. **Ashok** (bei Balugaon). **Chilika** (Balugaon), Tel. 68.

CUTTACK (☎ 0671)

▤ **Ashok**, Ice Factory Rd, College Sq, Tel. 613508. **Neeladri**, Tel. 614221. **Oriental**, Tinikonia Bagicha, Tel. 24249. **Panthanivas**, Baxi Bazar Chowk, Tel. 23867. **Trimurti International**, Link Rd, Tel. 22918.

SIMLIPAL GAME RESERVE

▤ **Rest houses** bei Joshipur, Nawana, Chahala, Gudgudia, Talbandha, Kanchida, Upper Barkamara Dhudru und Champa (zwischen 5 und 30 km vom Reservat). Reservierung: Field Director, Simplipal Tiger Project, Baripada, District Mayurbhanj; oder beim District Forest Officers der Karanjia und Baripada Divisions; kaum tour. Infrastruktur.

BANGALORE

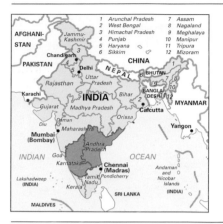

	1 Arunchal Pradesh	7 Assam
	2 West Bengal	8 Nagaland
	3 Himachal Pradesh	9 Meghalaya
	4 Punjab	10 Manipur
	5 Haryana	11 Tripura
	6 Sikkim	12 Mizoram

QUERSCHNITT EINES SUBKONTINENTS

KARNATAKA
ANDHRA PRADESH

Karnataka (in side margin)

KARNATAKA

Karnataka (190 000 km²) mit seiner Bevölkerung von 45 Millionen war früher als der Staat Mysore bekannt. Es ist anzunehmen, daß die westlichen Ghats und das weitgehend zerklüftete Landschaftsbild ehedem den Namen *Kalnadu* („Gebiet mit der felsigen Oberfläche") prägten. Die Region Malnad, die an der Küste nahe den Ausläufern der westlichen Ghats liegt, ist für seine Teak- und Rosenholzwälder sowie für Pfeffer, Kardamom und Betelnuß-Bäume bekannt. Es ist auch eines der feuchtesten Gebiete in Indien. Oben in den Ghats, im Bezirk **Coorg**, wird Kaffee angebaut.

Dank ausgedehnter Sandelholzwälder und vieler Elefanten hatten es die Handwerker von Karnataka schon zu Hoysala-Zeiten zu großer Kunstfertigkeit in der Elfenbein- und Sandelholzschnitzerei gebracht; dies sind auch heute noch die beiden wichtigsten Kunsthandwerkszweige in Karnataka.

Bangalore

Bangalore mit seinem angenehmen Klima ist die von westlichem Lebensstil

Vorherige Seiten: Farbenfrohe Saris im Hoysala-Tempel von Somnathpur, Mysore.

geprägte Hauptstadt von Karnataka und ein bedeutendes Industrie- und Handelszentrum. Das **Assembly Building**, die Gärten, **Tipus Palast** und das **Museum** gehören zu den Attraktionen. Historisch stand es unter der Herrschaft der Gangas, Cholas und später der Hoysalas. An Tipu Sultan erinnert man sich gerne wegen seines Mutes, den er im Kampf gegen die Briten im 18. Jh. bewiesen hat. Bangalore hat auch ein sehr bekanntes Naturheilzentrum. Nicht weit von Bangalore entfernt liegen die **Kolar Goldfields**, die einzige große Goldmine in Indien.

Mysore

Die Palaststadt **Mysore**, die auch wegen ihrer Seide bekannt ist, liegt 170 km von Bangalore entfernt. Hier hängt der Duft von Jasmin, Sandelholz und Weihrauch in der Luft. Das Herz der Stadt ist der **Maharaja-Palast** mit seiner prunkvollen Innenausstattung. Der Palast wurde im späten 19. Jh. im indo-sarazenischen Stil erbaut. Ein Teil davon wird noch immer von der jetzigen Königsfamilie bei festlichen Anlässen bewohnt; ein anderer Abschnitt ist ein Museum. Die Sammlung, die auch eine goldene *howdah* birgt, in welcher der König bei Prozessionen getragen wurde, läßt den aufwendigen Lebensstil der Herrscher

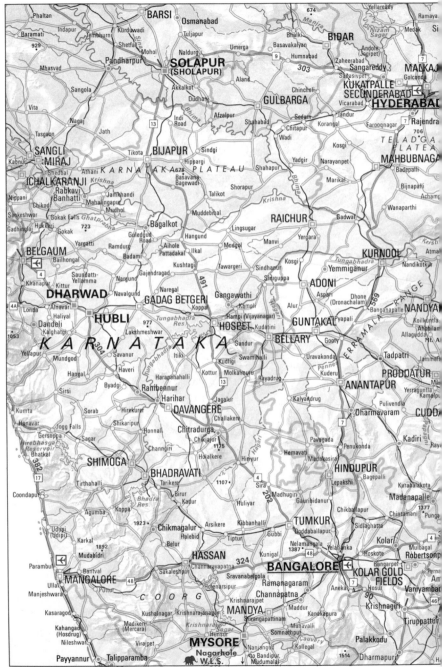

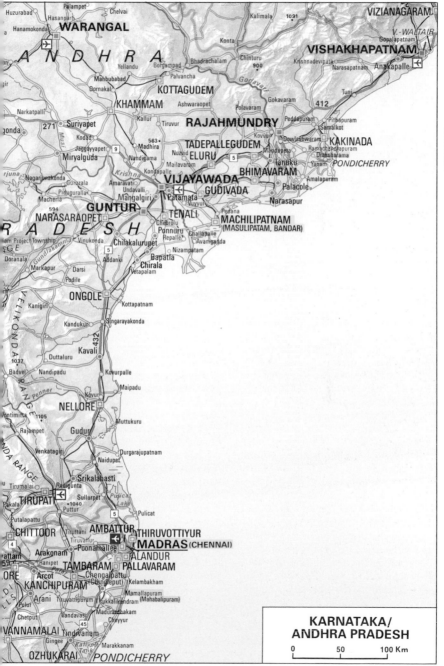

Karnataka

KARNATAKA/
ANDHRA PRADESH

0   50   100 Km

von Mysore ahnen. Das 10-tägige Fest *Dussehra* (Oktober), bietet als herausragendes Ereignis eine aufwendige Prozession, mit Musik, Tanz und Feuerwerk.

Die Familiengöttin der Herrscher von Mysore war die Göttin Chamundesvari, die auf dem **Chamundi Hill** (13 km, 4 km über einen Treppenaufstieg) in einem Tempel, der auf das 12. Jh. zurückgeht, residiert. Auf halbem Weg zur Bergspitze findet man den gigantischen Stier **Nandi**, einen ungefähr fünf Meter hohen Monolithen. 19 km von Mysore entfernt liegt der **Krishnaraja Sagar Dam** (oder **Brindavan Gardens**), ein hübsch angelegter Park mit Picknickplätzen.

Tipu Sultan widersetzte sich den Briten nahezu 20 Jahre, bis er schließlich 1799 von ihnen getötet wurde. Er hatte seine Hauptstadt in **Srirangapattinam**, 15 km von Mysore entfernt. Srirangapattinam

Oben: Shivas Reittier Nandi auf dem Chamundi Hill. Rechts: Dieser sternförmige Grundriß ist einmalig in der Hoysala-Tempelarchitektur (Somnathpur - Kesava).

liegt auf einer Insel im Kaveri-Fluß; von alters her ist diese ein heiliger Ort Vishnus, dem hier auch ein Tempel geweiht ist. Tipu Sultans Festung nimmt einen großen Teil der Insel ein. Außerdem gibt es dort jedoch noch einen hübschen Sommerpalast, **Dariya Daulat**. In dem mit verzierten Bögen geschmückten Palast befinden sich zahlreiche Wandgemälde, die Tipu Sultan, seinen Vater Hyder Ali und viele Geschichten aus ihrem Leben darstellen. Das Grab von Hyder Ali und die umliegenden Gärten sind ebenfalls beachtenswert.

Für Besucher, die an der Tierwelt interessiert sind, bieten sich die Schutzgebiete **Nagarhole** (80 km südwestlich von Mysore) sowie **Bandipur** und **Mudumalai** (80 km südlich von Mysore) hervorragend zum Beobachten von Elefanten an. Diese feuchten, sommergrünen Dschungelwälder sind wegen ihrer Vorkommen an Teak und Rosenholz bekannt. Sie waren einst Teil einer riesigen Waldfläche, die den Herrschern von Mysore und Travancore gehörte.

Sravanabelgola

Dieses Zentrum der Jaina-Kultur, bekannt wegen seiner kolossalen 20 Meter hohen Statue des Heiligen Gomatesvara, die aus einem einzigen Steinblock gehauen wurde, liegt ungefähr 170 km von Bangalore entfernt. Schon in vorchristlicher Zeit kamen Jainas aus der Gangesebene und ließen sich hier nieder. Seitdem ist die Stadt ein Wallfahrtsort für die Jainas geblieben. Auf dem kleineren Berg findet man über 100 Gedenksteine zur Erinnerung an jene Jainas, die den Ritualtod durch zu Tode fasten starben. Im Lauf der Jahrhunderte wurden auch Jaina-*bastis* (Tempel) gebaut; einige wie die **Chamundaraya Basti** sind von historischem Interesse. Ende des 10. Jh. begann sich die Aufmerksamkeit jedoch auf die Spitze des größeren Berges zu richten, wo der Gomatesvara-Koloß 980 n. Chr. von Chamundaraya, einem Minister des Ganga-Königs, aufgestellt wurde, um den Traum seiner Mutter zu erfüllen. Die mächtige Statue, die man schon aus

15 km Entfernung sieht, wurde im 12. Jh. von einem Zaun und einer Absperrung umgeben. Alle zwölf Jahre wird der große Gomatesvara in einer feierlichen Zeremonie gesalbt, die Tausende von Gläubigen aus ganz Indien anzieht.

An der Westküste von Karnataka liegt ein weiteres Zentrum der Jainas. **Mudbidri**, wo ein großartiger Jaina-Tempel mit 1000 Säulen im 15. Jh. errichtet wurde. Seit mindestens 2000 Jahren ist Karnataka das Hauptzentrum des Jaina-Glaubens in Südindien.

Hoysala-Prunk

Die Hoysala-Tempel sind wegen ihrer reichen und kunstvollen Steinmetzarbeiten berühmt; keine andere Gruppe von indischen Tempeln hat derart aufwendigen Skulpturenschmuck. Zwischen den Jahren 1125 und 1225 errichteten die Hoysala-Herrscher mehr als 100 Tempel. Die bedeutendsten befinden sich in der Nähe von Hassan, zu erreichen über die Straßen von Mysore und Bangalore.

Somnathpur, 30 km von Mysore entfernt, bietet sich als Einführung an. Der **Kesava-Tempel**, der Vishnu geweiht ist, wurde von Somanatha, einem Hoysala-Premierminister im 13. Jh. erbaut. Die Hoysalas bauten ihre Tempel mit einem, zwei oder drei Türmen, die letzten beiden Bauweisen sind eine Besonderheit. Der Kesava-Tempel von Somnathpur zum Beispiel besitzt drei Türme. Die Reliefs von Elefanten, rennenden Pferden und marschierenden Soldaten, mit denen die Mauern übersät sind, rufen ein starkes Gefühl der Bewegung hervor. In Augenhöhe befinden sich Skulpturen von Göttern und Göttinen, die in fließenden Gewändern und mit Juwelen geschmückt dargestellt sind. Diese Steinmetzarbeiten ergänzen die einzigartige sternförmige Anordnung des Tempels.

Hassan, (189 km von Bangalore entfernt) ist ein passender Ausgangsort für einen Besuch der Hoysala-Tempel in **Halebid** und **Belur**. Halebid, das in früheren Zeiten Dvarasamudra oder Dvaravatipura genannt wurde, war die Hauptstadt der Hoysalas von der Gründung ihres Imperiums im 11. Jh. bis zu dessen Untergang im 13. Jh. Hier gibt es shivaitische, vishnuitische und Jaina-Tempel, die meisten davon wurden im 12. Jh erbaut. Der außergewöhnlichste ist der Tempel **Hoysalesvara**, im Jahr 1125 errichtet. Er ist noch kunstvoller als der Tempel in Somnathpur. Der Tempel Hoysalesvara besaß einst Zwillingstürme, die jedoch nicht mehr erhalten sind. Unter den Skulpturen findet man Elefanten, Pferde, Schwäne, Krokodile und andere Tiere sowie eine Schar von Musikern und Tänzern, über denen Götter und Göttinnen thronen.

Unter den Hoysalas sind Hunderte von Tempeln entstanden. Bemerkenswert ist, daß einige Skulpturen signiert sind – in der indischen Kunst absolut einmalig.

Rechts: Gopuram des Virupaksha-Tempels in der Felslandschaft von Hampi.

Unter diesen Tempeln findet man den **Manikesvara-Tempel** (1136) und den **Kedaresvara-Tempel** auf der westlichen Seite des Dvarasamudra-Beckens. Dieser Tempel behielt seinen Turm tatsächlich bis ins 19. Jh.; doch aufgrund fehlender Pflege verfiel er.

Belur war ebenfalls eine Hauptstadt der Hoysalas. Der große Hoysala-Herrscher Vishnu Vardhana baute den **Chenna Kesava Vishnu-Tempel** im Jahr 1117. Traditionsgemäß war der König ein Jaina; er wurde von dem vielverehrten Heiligen Ramanuja zum Vishnuismus bekehrt. Der Tempel besitzt einen herrlich skulptierten Eingang. Prächtige Friese mit Tieren, Reitern, Göttern und Göttinnen sind hier zu sehen. Die Hallendecke wie auch die gemeißelten Pfeiler sind ebenfalls äußerst kunstvoll gestaltet.

Hampi (Vijayanagar)

Hampi (**Vijayanagar**), wohl eine der weltweit faszinierendsten Ruinenstädte, ist eine völlig neue Erfahrung für den Reisenden. Hier ist der Anblick der wilden Schönheit dieser Landschaft zumindest ebenso bewegend wie das Studium der Ruinen. (Die Hampi am nächsten gelegene Stadt ist Hospet, 14 km). Die Geschichte dieser Hauptstadt des Vijayanagar-Reiches hat ihren mythischen Ursprung als ein Schauplatz des *Ramayana*, des berühmten Hindu-Epos von Prinz Rama und seiner entführten Gattin Sita. Dieser beeindruckende Ort beiden Seiten der Tungabhadra soll Kishkinda, das Land des Affenkönigs, sein. Hier traf Rama den göttlichen Affengeneral Hanuman und Sugriva, den Affenkönig. Das Flußgelände heißt nach der hiesigen Göttin Pampatira; der Platz am Fluß wird seit Urzeiten als heilig angesehen. Seit der Zeit der Hoysalas gab es hier eine Stadt und ein Pilgerzentrum für die Göttin. Im 14. Jh. usurpierten die Sankamas den Thron der Hoysalas und gründeten das letzte hinduistische Großreich Indiens,

Karnataka

welches im 15. und 16. Jh. ganz Südindien beherrschte. Mit großen militärischen Anstrengungen gelang es, gegen die anstürmenden Moslems standzuhalten. 1565 wurde die Stadt jedoch von einer Konföderation der zentralindischen Sultanate zerstört, der Staat zerfiel in kleine Nachfolgestaaten.

Die Überreste der alten Stadt Vijayanagar sind über ein 26 km² großes Areal verstreut, das heutzutage auch eine Reihe von Dörfern umfaßt, darunter das Dorf Hampi. Die meisten Ruinen findet man auf dem rechten Ufer des Tungabhadra. Jüngst angestellte Forschungen ergaben drei Hauptzonen: die heilige Stätte in den felsigen Außenbezirken mit einer Reihe von Tempeln, einige davon aus dem 8. und 9. Jh.; der Stadtkern mit seinen Befestigungen, der von der heiligen Stätte durch Bewässerungskanäle und ein liebliches Tal mit grünen Feldern getrennt ist, und der königliche Bereich, die aus den Überresten des Palastes, Zuschauersälen, Zeremonienbühnen, Wasserbecken, Wachtürmen und Ställen innerhalb von

Einfriedungen besteht. Die Stadt wurde nach und nach, aber immer getreu ihrem ursprünglichen Plan erbaut. Der **Vittala-Tempel** ist ein hervorragendes Beispiel der Bauhütte von Vijayanagar. Ein Objekt von besonderem Interesse ist ein kleines Gebäude, das wie ein perfekt modellierter Tempelwagen aussieht; ursprünglich besaß es einen Überbau. In ihm war einst der Göttervogel Garuda, das Reittier Vishnus, untergebracht, dem der Haupttempel gewidmet ist. Im Südwesten des Tempels steht ein hohes Steingebäude, das „Königs-Waage" genannt wird. Die Herrscher ließen sich dort an Festtagen gegen Gold und Juwelen aufwiegen, die dann unter Brahmanen und Arme verteilt wurden.

Ein Krishnatempel wurde 1510 von Krishnadevaraya erbaut. Am Eingangsturm sind Stuckfiguren, einige davon stellen den König dar. Er soll vom König erbaut worden sein, um ein Bildnis Krishnas aufzustellen, das aus Udayagiri in Orissa stammt. Zwei weitere Skulpturen lohnen ebenfalls einen Besuch: ein riesiger Monolith des Elefantengottes Ganesh, der in einem Tempel südlich des Berges Hemakuta steht, sowie ein eindrucksvolles Bildnis von Vishnu in seiner Inkarnation als Löwe, ursprünglich von seiner Gemahlin Lakshmi begleitet. Diese große Skulptur wurde 1529 von Krishnadevaraya aufgestellt.

Der **Hazara Rama-Tempel** war der Haustempel der Könige und befindet sich in der königlichen Residenz. In den harten Granit sind Szenen aus dem *Ramayana* und *Mahabharata* und Figuren von Tänzern und Kämpfern eingemeißelt.

Im herrscherlichen Bezirk fällt besonders die riesige Plattform **Mahanavami Dibba**, auf, auf der zum *Mahanavami*-Fest ein temporärer Schrein der Göttin Durga errichtet wurde. Die Plattform bietet eine überwältigende Aussicht auf die großen Doppelhallen, das terrassenförmige Wasserbecken, den Aquädukt auf Steinsäulen, die Gemächer der Fürsten und Adligen, die Münzstätte, Haremsgemächer und andere, erst kürzlich entdeckte Überreste.

Ganz in der Nähe befinden sich der **Lotus Mahal** und der Elefantenstall. Abdur Razzak, der die Stadt 1443 besuchte und dem *Mahanavami*-Fest beiwohnte, schrieb einst: „An drei aufeinanderfolgenden Tagen – von Sonnenaufgang bis Sonnenuntergang – wurde das königliche Fest in einem höchst prunkvollen Stil abgehalten, mit Feuerwerken, Spielen und lustigem Treiben. Der Thron von außergewöhnlichem Ausmaß war aus Gold und mit kostbaren Edelsteinen geschmückt. Auf Veranlassung des Königs von Vijayanagar kamen die Generäle und die wichtigsten Persönlichkeiten des ganzen Landes zum Palast. Sie brachten 1000 Elefanten mit sich, die mit erlesenen Decken geschmückt waren, sowie zahllose prächtige Kamele."

Rechts: Der Maharaja-Palast von Mysore, vollendet 1912 im indo-sarazenischen Stil.

Das Zentrum von Hampi ist der vielbesuchte **Virupaksha-Tempel**, der aus dem 9. Jh. stammt und noch immer dem Gottesdienst dient. Sein hoher Turm wurde 1510 von Krishnadevaraya erbaut. Der Tempel ist Shiva und der Göttin Pampadevi geweiht, den Familiengottheiten der Herrscher von Vijayanagar. Bis heute ist er ein Wallfahrtsort.

Badami, Pattadakal und Aihole

Im nördlichen Teil Karnatakas liegt die alte Hauptstadt **Badami** (6. Jh.), deren natürliche Lage sowohl von dem Chalukya-Herrscher Pulakesin I. als auch von Tipu Sultan als Festung genutzt wurde.

Ein See, in der Mitte der felsigen Berge gelegen, verleiht Badami sein reizvolles Ambiente. Auf dem Berg, der steil von der südlichen Ecke des Sees aus in den Himmel ragt, befinden sich vier aufeinanderfolgende Höhlen, allesamt in der Tradition der Architektur, wie man sie auch in Ajanta und Ellora fand, angelegt. In den Höhlen befinden sich rechteckige Hallen mit Heiligtümern im hinteren Teil, die Eingangshalle liegt jeweils an der Vorderseite. Die Bildhauerarbeiten an Stützpfeilern und Decken, sowie die großartigen Skulpturen des vielarmigen tanzenden Shiva und von Vishnu, wie er das Weltall mißt, von Durga, den büffelköpfigen Dämon erstechend, und nochmals Vishnu, diesmal in seiner Eberinkarnation, gehören zu den besten in Indien. Die ersten beiden Höhlen sind Shiva geweiht, die dritte Vishnu und die vierte den Jaina-Heiligen.

Am anderen Ufer des Sees steht ebenfalls eine Tempelgruppe, während der **Malegitti Shivalaya** die Bergspitze krönt. Im **Badami-Museum** sind viele interessante Skulpturen untergebracht, darunter das seltene Bild einer nackten, sitzenden Göttin mit einem Lotuskopf. Solche Figuren findet man in ganz Indien; sie stammen aus der Zeit vom 1. Jh v. Chr. bis zum Mittelalter. Gegenüber

vom Museum liegt ein Gesteinsbrocken mit einer Pallava-Inschrift (von Mamalla I. aus dem 7. Jh.). Im Ort selbst findet man eine alte Moschee und die Überbleibsel von Tipu Sultans legendärem Schatz.

An den Ufern der Malaprabha, in **Pattadakal** (30 km von Badami) steht eine ganze Ansammlung von Tempeln. Ihre Anzahl deutet an, daß dies wohl einst ein Platz von größter Wichtigkeit war. Experten zufolge wurden hier die Chalukya-Herrscher gekrönt; der Name Pattadakal weist jedenfalls darauf hin.

Alle diese Tempel wurden von Chalukya-Herrschern erbaut, manche im südlichen Stil, während andere die im Norden üblichen, konvex gekrümmten Türme haben. Nur wenige Tempel sind genau datiert. Der **Sangamesvara** wurde 750 n. Chr. von Vijayaditya erbaut, der **Virupaksha-Tempel** der Königin Lokamahadevi, um an des Königs siegreiche Expedition in die Hauptstadt der Pallavas zu erinnern. Man glaubt, daß Künstler aus dem eroberten Kanchipuram an diesem

Tempel gearbeitet haben; er besitzt große Ähnlichkeit mit dem dortigen Kailasanatha. Mit seinen außergewöhnlich schönen Skulpturen, einem Nandi Mandapa und einem eindrucksvollen Innenhof ist der Virupaksha der erhabenste Tempel von Pattadakal. Seine Schönheit wird noch dadurch gesteigert, daß an seinem Eingang die Malaprabha vorbeifließt.

In **Aihole** (20 km von Pattadakal) befinden sich viele Jaina- und Hindu-Tempel, die im Stil sehr unterschiedlich sind – von Höhlentempeln bis hin zu freistehenden Gebäuden. Der aus dem Fels gehauene Höhlentempel **Ravala Padi** beherbergt eine der schönsten Darstellungen des tanzenden Shiva und der acht göttlichen Mütter.

Der **Ladkhan-Tempel** gilt aufgrund seiner archaischen Bauweise und Planung als eines der frühesten Bauwerke Südindiens. Doch der **Durga-Tempel**, einst halbrundförmig geplant, ist ohne Zweifel der beeindruckendste; hier stehen bemerkenswerte Skulpturengruppen, die meisten stellen Vishnu dar.

Islamisches Erbe

Ungefähr 120 km von Aihole entfernt liegt **Bijapur**; es zeugt von der islamischen Herrschaft im Dekkan. Das Königreich von Bijapur wurde im 15. Jh. von Yusuf Adil Shah gegründet. Bijapur besitzt eindeutig islamischen Charakter; die Stadt ist mit Bauwerken übersät, die von ihren Herrschern während des 16. und 17. Jh. errichtet wurden. Sie stehen im starken Gegensatz zu den überschwenglichen Bauten der Hoysalas, sind aber trotz ihrer Schlichtheit nicht weniger schön.

Gol Gumbaz, das Mausoleum von Mohammad Adil Shah, wurde 1659 vollendet und ist berühmt, weil es die zweitgrößte Kuppel der Welt besitzt. Sie wölbt sich über einer riesigen Halle mit 1704 Quadratmetern Fläche. Doch ist die bezaubernde **Ibrahim Rauza**, die von Ibrahim Adil Shah II. für seine Königin Taj Sultana erbaut wurde, noch schöner als

Oben: Hier wird für Sauberkeit gesorgt – die Brindaran Gardens in Mysore.

dieses majestätische Grabmal. **Jami Masjid** und **Asar Mahal** (oder Halle der Gerechtigkeit) sind weitere sehenswerte Gebäude.

Eine zerfallene Zitadelle, von Befestigungen umgeben, befindet sich im Herzen der Stadt. **Gagan Mahal** (1501) und **Jal Manzil** (Wasserpavillon) innerhalb der Zitadelle lassen die ursprüngliche Größe und Schönheit dieses Orts ahnen. Bijapur ist auch bekannt wegen der **Malik-e-Maidan**, eine 55 Tonnen schwere Kanone.

Gulbarga, 150 km nordöstlich von Bijapur, war die Hauptstadt des bahmanischen Königreiches im 14. Jh. Innerhalb der Festungsruinen befindet sich die **Jami Masjid**, als Imitation der großen Moschee in Cordoba, Spanien, erbaut; wegen ihrer vielen Kuppeln ist sie einzigartig. **Bidar**, 160 km weiter nordöstlich, war ebenfalls eine Hauptstadt des bahmanidischen Königreiches. Innerhalb der Festung aus dem 15. Jh. stehen eindrucksvolle Gebäude wie **Chini Mahal** und **Turkish Mahal**.

BANGALORE (☎ 080)

𝑖 **Government of India Tourist Office**, KFC Bldg., 48 Church St., Tel. 5585417. **KSTDC**, 10/4 Kasturba Rd., Tel. 2212901. Information: Bangalore Airport, Tel. 571467. Bahnhof, Tel. 70068.

📠 *FLUG:* Flüge von Bangalore nach Chennai, Delhi, Goa, Hyderabad, Kolkata, Kochi, Mangalore, Mumbai, Pune, und Thiruvananthapuram, sowie internationale Flüge nach Singapur, Sharjah, Muscat, sowie mit Lufthansa nach Frankfurt. *BAHN / BUS:* Regelmäßige Verbindungen mit allen Hauptstädten in Süd- und Zentral-Indien.

🛏 😊😊😊 **Taj Residency**, 41/3 M.G. Rd., Tel. 5584444. **Meridien**, 28 Sankey Rd., Tel. 2262233. **Oberoi**, 37-39 Mahatma Ghandi Rd., Tel. 5585858. **Windsor Manor Sheraton**, 25 Sankey Rd., Tel. 2269898. **Taj West End**, Race Course Rd., Tel. 2255055. 😊😊 **Gateway**, 66 Residency Rd., Tel. 5584545, Taj Hotel mit sehr gutem Restaurant. **Ivory Tower**, M.G. Rd, Tel. 5589333, im 12. Stock gelegen, komfortable, goße Zimmer, schöner Ausblick. **Kensington Terrace**, Kensington Rd., Tel. 5594666, Fax 5594029, gutes Stadthotel. 😊 **Nilgiris Nest**, Brigade Rd., Tel. 5588401, komfortabel, zentral, preiswert. **Brindavan Hotel,** 108 MG Rd., Tel. 5584000, ruhig, geräumige Zimmer, sehr gutes veg. Restaurant. **Ajantha**, 22 A MG Rd., Tel. 5584321, geräumige Zimmer und Bungalows, veg. Restaurant.

❌ *CHINESISCH:* **Blue Heavens**, Church St. **Rice Bowl**, Ecke Brigade/M.G. Rd., tibetanische Küche, gutes Bier, freundlich, teuer. **Ulla's Refreshments**, M.G. Rd., exzellente indische vegetarische Küche, freundlich. **Noodles**, Ramanashree Comfort Inn. *INTERNATIONAL:* **Blue Fox**, 80 M.G. Rd., Tel. 5587608. *MUGHLAI:* **Tandoor**, 28 M.G. Rd. **Khyber**, 17/1 Residency Rd. *SÜDINDISCH:* **Amaravathi**, 45/3 Residency Cross Rd., Tel. 5585140. **Chalukma**, Race Course Rd., leckere vegetarische Gerichte.

🏛 **Government Museum** und **Venkatappa Art Gallery**, Kasturba Rd., 10.00-17.00 Uhr, Mo geschl. **Visveswaraya Museum. of Science and Technology**, Kasturba Rd. 9.30.-18.30, Mo geschl.; **Trade Centre**, nebenan, Kunsthandwerk der Region.

MYSORE (☎ 0821)

𝑖 **Tourist Office**, Old Exhibition Bldg., Irwin Rd., Tel. 22096.

📠 *FLUG:* Der nächste Flughafen ist Bangalore. *BAHN UND BUS:* Verbindungen mit Bangalore, Madras und anderen Hauptstädten.

🛏 😊😊😊 **Ashok Lalitha Mahal**, T. Narsipur Rd., Tel. 571265-76, schönes Palasthotel, außerhalb gelegen 😊😊 **Rajendra Vilas Palace**, Chamundi Hills, Tel.

560690, kleines Palasthotel, schön, aber außerhalb gelegen. **Ramanashree Comfort**, L-43/A, Harding Circle, Tel. 522202, gutes Hotel, aber ohne Pool. **Dasaprakash Paradise**, 104, Vivekananda Rd., Yadavagiri, Tel. 515565, ruhig, preiswert, sehr gutes veg. Restaurant. **Southern Star**, 13 Vinobha Rd., Tel. 426426, luxuriöse Zimmer, schöner Pool. 😊 **Mayura Hoysala**, 2 Jhansi Laksmi Bai Rd., Tel 425349, staatliches Hotel, gute A/C Suiten. **Indra Bhavan**, Dhanvantri Rd.Tel. 423933, preiswert, gut.

❌ *CHINESISCH:* **Shanghai**, Vinoba Rd. Gute chinesische Restaurants in den Hotels Metropole, Southern Star, King's Court. *INDISCH:* **Dasaprakash**, Gandhi Square. **Ritz**, Bangalore-Nilgiri Rd., Nähe Central Bus Station. **Goverdhan**, Sri Harsha Rd., gute vegetarische Küche. **Shilpashri Restaurant Bar**, Gandhi Sq.

🏛 **Maharaja's Palace and Museum**, 10.00-17.00 Uhr. **Railway Museum**, K.R.S. Road. 10.00-13.00, 15.00-17.00 Uhr, Mo geschl.,für Eisenbahnfans.

📅 **Jan-April:** *Wagenfest* in Srirangapatnam (16 km von Mysore). *Banashankari* Tempelfest nahe Badami. *Purandaradasa Aradhana* beim Vittala Tempel (Hampi). *Virupaksa-Tempelwagen-Fest* in Hampi und Pattadakal. *Siddheswara* Tempelfest (Bijapur). *Wagenfest* des Ramalinga Tempels (Aihole). *Karaga*-Fest in Bangalore. Jedes Jahr findet ein *Wagenfest* im Chennakesava Tempel (Belur) statt. **Sept-Dez:** Das 10-tägige *Dussehra*-Fest (Sept-Okt) wird in Mysore prunkvoll gefeiert. Im Chamundeswari Tempel (Chamundi Hill, 13 km von Mysore) findet während dieser Zeit ein *Floß*- und *Wagenfest* statt. *Erdnuß-Volksfest* im Bullentempel von Bangalore (Nov).

BADAMI (☎ 08657)

🛏 **Mayura Chalukya**, Ramdurga Rd., Tel. 65046, staatliches Hotel. **Badami Court**, Tel. 65230, etwas außerhallb gelegenes, bestes Hotel am Ort. **Mookambika**, Tel. 65067, zweitbestes Hotel, nähe Busstation.

BIJAPUR (☎ 08352)

🛏 **Mayura Adil Shahi**, Anand Mahal Rd., Tel. 20934, einfaches staatl. Hotel, Rest. in schönem Innenhof, Bierausschank. **Madhuvan**, Tel. 25572, bestes Hotel am Ort, vegetarisches Restaurant, kein Alkohol.

HASSAN (☎ 08172)

🛏 **Hassan Ashok**, B.M. Rd., Tel. 68731, komfortabel, gutes Rest.. **Amblee Palika**, Tel. 66307, preiswert.

HOSPET (☎ 08394)

🛏 **Malligi Tourist Home**, Tel. 28101, gut, Pool, unterschiedliche Zimmer & Preise. **Mayura Bhuvaneswar** staatl. Hotel nahe Hampi-Ruinen, Tel. 41574.

Karnataka

ANDHRA PRADESH

Andhra Pradesh (275 000 km^2) liegt im Herzen des Dekkan mit seiner geopolitischen Schlüsselstellung. Der Staat kann grob in drei Regionen aufgeteilt werden: Telengana, das die hügligen Gegenden im Norden der Godavari abdeckt; das Delta-Gebiet, das sich zwischen den Mündungen der Krishna und Godavari erstreckt; und das Hinterland, dessen felsiges Plateau von heißen, trockenen Tälern durchzogen ist.

Telugu ist hier seit dem 4. Jh. die Hauptsprache, obwohl seit Beginn der islamischen Herrschaft (14. Jh.) auch Urdu von einem gewissen Prozentsatz der Bevölkerung gesprochen wird. Telugu ist eine drawidische Sprache, mit einem größerem Anteil Sanskrit als Tamil oder Kannada.

Die geographische Lage Andhras bestimmte zum großen Teil seine Geschichte und Kultur; die Menschen profitieren daher sowohl von den Traditionen des Nordens als auch des Südens. Trotz seiner starken drawidischen Basis war Andhra einst ein bedeutendes Zentrum des Buddhismus und später der islamischen Herrschaft.

Hyderabad

Hyderabad, Andhras Hauptstadt mit rund 5 Mio. Einwohnern, wird heute wegen seiner boomenden Software-Industrie bisweilen auch schon „Cyberabad" genannt. Die moderne, in eine schöne Landschaft eingebettete Stadt wurde erst Ende des 16. Jh. von Muhammad Quli Qutb Shah begründet und ist nach seiner Königin, Hyder Mahal benannt. 1687 eroberte der Mogul-Kaiser Aurangzeb die Stadt, im Jahr 1725 machte sich dort sein Vizekönig, Nizam-ul-Mulk, unabhängig. Er erhob Hyderabad zum Zentrum seines

Vorherige Seiten: Die Qutb Shahi-Gräber von Hyderabad.

Reiches und begründete die Asaf-Jahi-Dynastie, die als Nizams von Hyderabad knapp 225 Jahre lang über ein riesiges Gebiet regierten. Während der sechste Nizam Mir Mahbub bis heute wegen seiner charismatischen Persönlichkeit und seinem aufwendigem Lebenstil unvergessen blieb, galt der siebte und letzte Nizam, Osman Ali Khan seinerzeit als reichster Mann der Welt und war dennoch für seine an Geiz grenzende persönliche Bescheidenheit bekannt. Als ranghöchster Prinz von Britisch-Indien hat er sein Reich durch eine aufgeklärte Politik in die Moderne geführt. Zu Beginn des 20. Jh. war Hyderabad das größte Fürstentum des kolonialen Indien, mit eigener Flagge, Geldwährung, Postwesen, Eisenbahn, einer Fluggesellschaft und eigenem Staatsradio. Der Nizam war eng mit den Briten verbunden. Während die meisten Fürstentümer nach der Unabhängigkeitserklärung freiwillig der indischen Union beitraten, mußte der Nizam erst dazu gezwungen werden. Hyderabad wurde die Hauptstadt von Andhra Pradesh, als man die Unionsstaaten auf einer sprachlichen Basis neuorganisierte.

Die Zwillingsstädte Hyderabad und Secunderabad sind nur durch den **Hussain Sagar-See** getrennt. **Secunderabad** war ursprünglich Residenz des britischen Gesandten. Das bedeutendste Wahrzeichen Hyderabads ist der **Charminar**. Dieser Triumphbogen wurde vom Gründer der Stadt erbaut, um an das Ende der Pest im Jahr 1593 zu erinnern. Der viertürmig Bau ist 60 Meter hoch und ermöglicht eine gute Sicht auf die Stadt. Seine Architektur ist typisch für den Qutb Shahi-Stil. In seiner Nähe befindet sich die Hauptmoschee der Stadt, **Mecca Masjid**. Sie wurde 1614 n. Chr. von Qutb Quli Shah begonnen, aber erst 1687 fertiggestellt; sie ist eine der größten Moscheen der Welt. Auch die **Gräber der Nizams** liegen ganz in der Nähe.

Auf einem Berggipfel, 4 km vom Charminar entfernt, steht der **Falaknuma-**

 Karte S. 116-117, Info S. 138

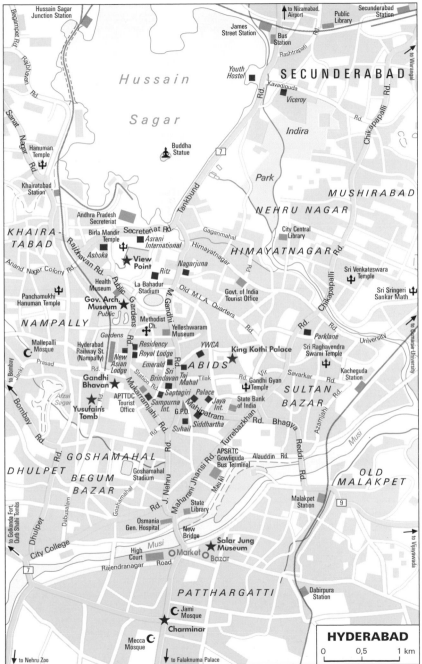

Andhra Pradesh

Hussain Sagar
Junction Station

to Nizamabad,
Airport

Public
Library

Secunderabad
Station

James
Street Station

Bus
Station

Rashtrapati

SECUNDERABAD

Youth
Hostel

Kavadiguda

Viceroy

to Warangal

Hussain

Sagar

Indira

Park

MUSHIRABAD

Buddha
Statue

7

NEHRU NAGAR

City Central
Library

Chikapapalli Rd.

Hanuman
Temple

Sanat Nagar Rd.

Rajbhavan Rd.

Begampet Rd.

Khairatabad
Station

Andhra Pradesh
Secreteriat

Secreteriat Rd.

Gaganmahal

HIMAYATNAGAR

Sri Venkateswara
Temple

**KHAIRA-
TABAD**

Birla Mandir
Temple

*Asrani
International*

Himayatnagar

Ashoka

Himayatnagar Rd.

Rajbhavan Rd.

★ **View
Point**

Ritz

Nagarjuna

Sri Sringeri
Sankar Math

Anand Nagar Colony

Health
Museum

*La Bahadur
Stadium*

Govt. of India
Tourist Office

Old M.L.A. Quarters

Public Gardens

★ **Gov. Arch.
Museum**

Chikapapalli

NAMPALLY

Panchamukhi
Hanuman Temple

Public
Gardens

Methodist
Ch.

Yelleshwaram
Museum

Parklane

to Osmania University

University

Mallepalli
Mosque

Prasad

Hyderabad
Railway St.
(Nampally)

Gardens

*Residency
Royal Lodge*

YWCA

★ **King Kothi Palace**

Sri Raghavendra
Swami Temple

Kacheguda
Station

*New
Asian
Lodge*

Emerald

ABIDS

*Sri
Brindavan*

*Taj
Mahal*

Tilak

Savarkar

to Bombay

Bombay Rd.

★ **Gandhi
Bhavan**

Mukarramjahi Rd.

Station Rd.

Saptagiri

Palace

Gandhi Gyan
Temple

**SULTAN
BAZAR**

*Afzal
Sagar*

★ **Yusufain's
Tomb**

APTTDC
Tourist
Office

*Sampurna
Int.*

Mahipatram

*Jaya
Int.*

State Bank
of India

Siddhartha

G.P.O.

Suhail

Turrebazkhan Rd.

Bhagya

Musi

Azamjahi

GOSHAMAHAL

Maharani Jhansi Rd.

Rd. J. Nehru

APSRTC
Gowliguda
Bus Terminal

Alauddin Rd.

Reddi Rd.

**OLD
MALAKPET**

DHULPET

**BEGUM
BAZAR**

Goshamahal
Stadium

Goshamahal

Mauki

Malakpet
Station

9

to Golkonda Fort,
Qutb Shahi Tombs

Dabusalam

Dhulpet

Osmania
Gen. Hospital

State
Library

New
Bridge

to Vijayawada

City College

High
Court

Musi

★ **Salar Jung
Museum**

7

Rajendranagar

○ Market

Road

○ Bazar

Dabirpura
Station

PATTHARGATTI

C **Jami
Mosque**

★ **Charminar**

Mecca C
Mosque

to Nehru Zoo

to Falaknuma Palace

HYDERABAD

0   0,5   1 km

Palast, der zu Lebzeiten des sechsten Nizam gebaut wurde. Man behauptet, daß mehrere Geschäfte in Europa leergekauft wurden, um sein extravagantes Inneres auszu- schmücken. Berühmtheit erlangte die Stadt jedoch durch den Mann, nach dem das **Salar Jung Museum** benannt ist. Mit der Benzoni-Skulptur *Die verschleierte Rachel*, die er 1867 erstand, begann Salar Jung I. eine der größten Kunstsammlungen der Welt aufzubauen. Im Laufe von drei Generationen sammelten sich hier 35 000 (!) Kunstgegenstände an, einschließlich des Toilettentisches von Marie Antoinette.

Ein wichtiges Zentrum für das Studium von Urdu, Arabisch und Persisch ist die **Osmania-Universität**. Die Basare von Hyderabad sind faszinierend, besonders die Gegend um den Charminar. *Ikat*- Textilien, *poccampalli*- und *venkatagiri* Saris, *bidri*-Waren (Silber fein eingelegt in

Glockenmetall), Steinreifen und lackierte *kondapalli*-Puppen sind nur einige der Besonderheiten. Die Stadt ist auch seit der Zeit der Qutb Shahi-Herrscher berühmt wegen ihrer Perlen. Der Hauptperlenmarkt befindet sich in **Patherghatty Road**. Ursprünglich wurden die Perlen von Basra zur Wertbestimmung hierhergebracht, heute kommen sie jedoch hauptsächlich aus Japan. Es überrascht nicht, daß die Stadt eine stattliche Anzahl von Antiquitätengeschäften hat. Man sagt ihr auch eine exzellente Küche nach.

Golkonda (11 km) war die Hauptstadt des Qutb Shahi Geschlechts, gegründet wurde sie von dem turkmenischen Sultan Qutb Quli Shah. Er war Gouverneur von Telengana während des zentralindischen Bahmani-Sultanats. 1512 erklärte er sich selbst für unabhängig, Golkonda machte er zu seiner Hauptstadt. Bis zur Gründung Hyderabads blieb das auch so. Obwohl ein paar Gebäude aus früheren Hindu-Dynastien stammen, wurden die meisten der Denkmäler in und um das eindrucksvolle **Golkonda Fort** in der

Oben: Der Charminar, Hyderabads Wahrzeichen und Mittelpunkt. Rechts: Die Festungsmauern von Golkonda bei Hyderabad.

Zeit der Qutb Shahi-Herrscher angelegt. Hier leistete der letzte Qutb Shahi dem Eroberer Aurangzeb sieben Monate lang Widerstand; dann wurde er durch Verrat besiegt. Charakteristisch für die Moscheen, Pavillons und Gräber sind die schön gearbeiteten Fassaden, imposanten Kuppeln und mit Stuck verzierten Minarette. Das Grab von Abdullah Qutb Shah ist von allen das schönste. Golkonda ist auch wegen seiner Diamanten berühmt; von hier stammen der *Orloff*, der *Regent* und der historische *Kohinoor.*

Warangal

Warangal (120 km nordöstlich von Hydrabad) war früher als Ekasilanagar bekannt. Vom 12. bis zum 14. Jh. war es die Hauptstadt der hinduistischen Kakatiya-Dynastie, danach geriet es unter die Herrschaft des Sultanats von Delhi. Hier befinden sich zwei bemerkenswerte Gruppen von Bauwerken, zu denen mehrere Tempel und eine Festung mit drei Ringwällen gehören. Im Zentrum liegen die Ruinen eines Shiva-Tempels mit vier reich ornamentierten Toren von bemerkenswerter Schönheit.

In **Hanamokonda** steht der berühmte 1000-Säulen-Tempel, um 1160 n. Chr. vom König Pratapa Rudra errichtet. Er besteht aus einem dreifachen Heiligtum, gebaut über mehrere gestufte Plattformen und verbunden mit einer Haupthalle. Die drei Tempel sind Shiva, Vishnu und Surya, dem Sonnengott, gewidmet. Die Halle mit ihren 300 prächtig geschmückten Säulen ist am faszinierendsten.

Der bei weitem schönste Tempel ist der **Ramappa-Tempel** in **Palampet** (60 km). Die gemeißelten Figuren der graziös tanzenden Mädchen zeugen von der hohen Tanzkunst am Hof der Kakatiyas. Hier hat Jaya, ein Minister des Kakatiya-Herrschers, die *Nrittaratnavali*, eine Abhandlung über den Tanz geschrieben.

Vijayawada

Vijayawada ist eine der größeren Städte von Andhra Pradesh. Im Mittelal-

ter wurde sie Rajendra Cholapuram, nach dem Cholakönig Rajendra I., genannt. Sie ist von zahlreichen Hügeln umgeben, die bedeutendsten sind **Kanaka Durga** und **Sitanagaram**. In dieser Gegend verehrt man die Gottheiten Kanaka Durga und Mallesvara Shiva. Kürzlich wurde auf dem Hügel Kanaka Durga eine bemerkenswerte Tafel – wahrscheinlich aus dem 3. Jh. – gefunden, auf der eine Reihe von Göttern und Göttinnen, ein *linga* sowie eine stehende Göttin mit einem Lotuskopf dargestellt sind; somit scheint die Kunstgeschichte dieser Gegend sehr viel älter zu sein, als man bisher allgemein angenommen hatte.

Es gibt einige Höhlentempel, ähnlich den Pallava-Höhlen von Mamallapuram. Man findet sie am Nordufer des Flusses in **Mogalrajapuram** (3 km östlich), in

Oben: Wasserbüffeln begegnet man fast überall in Südindien. Rechts: Dieser Tempelelefant segnet Gläubige und sammelt damit Spenden.

Vijayawada selbst sowie in **Undavalli** im Bezirk Guntur, wo Vishnu in seiner ruhenden Position dargestellt ist. Sie scheinen im 6. Jh. geschaffen worden zu sein; für den verwitterten Zustand der Skulpturen ist wohl der weiche Fels verantwortlich. Die meisten dieser Höhlen sind shivaitisch, die obere **Akkanna Madanna-Höhle** in Vijayawada wird als die älteste angesehen.

Nagarjunakonda und Amaravati

Nagarjunakonda und **Amaravati** waren einst zwei der schönsten Buddhistenzentren der alten Welt und erlebten ihre Blütezeit zwischen dem 3. Jh. v. Chr. und dem 4. Jh. n. Chr. Amaravati, das außer anderen buddhistischen Bauwerken auch einen riesigen, mit Reliefs versehenen Marmorstupa (1. Jh. n. Chr.) sein eigen nannte, wurde von Bauunternehmern in den Jahren um 1890 geplündert. Die noch verbliebenen Teile sind im **Madras-Museum** und im British Museum in London untergebracht.

Wenn man den Krishna-Fluß weiter hinauffährt, gelangt man nach **Nagarjunasagar**, ungefähr 170 km von Hyderabad und Vijayawada entfernt. Ein Tal, auf drei Seiten von Hügeln umgeben, wurde **Nagarjunakonda** genannt, nach dem großen buddhistischen Philosphen Nagarjuna, der im 2. Jh. n. Chr. lebte. Als Vijayapuri war es die Hauptstadt der Ikshvaku-Dynastie, die im 3. Jh auf die Satavahanas folgte und diese Gegend mehr als 150 Jahre lang regierte. Die Könige waren Hindus und bauten ihre Tempel für Shiva, Vishnu und Karttikeya; die Königinnen waren buddhistisch. Ausgrabungen brachten eine gut angelegte Hauptstadt ans Licht, mit einem von Wällen umgebenen Palast und einem Bade-Ghat. Sie besaß ein Einkaufszentrum und ein Amphitheater, in dem 1000 Besucher Platz fanden. Experten vermuten, daß der Theaterbau von römischer Architektur inspiriert war. Er umschließt einen rechteckigen Platz für Musik und Tanz, aus Backstein gebaut und von Steinen umgeben. Außerdem fand man eine öffentliche Versammlungshalle und einen Verbrennungsplatz. Bekannter ist Nagarjunakonda jedoch seiner buddhistischen Vergangenheit wegen. Dieser Platz, wohl einer der bedeutendsten archäologischen Fundorte des Landes, wurde 1926 entdeckt. Bevor der durch den Bau des größten Steindamms der Erde entstehende Nagarjunasagar das Gebiet überschwemmen konnte, wurde eine großangelegte Rettungsaktion eingeleitet, ein Teil der restlichen Fundstücke wurde entfernt, wieder zusammengefügt und in einem Museum auf einer Insel untergebracht.

Es gab mehr als 30 buddhistische Einrichtungen in Nagarjunakonda. Der **Mahachaitya** wurde von einer Königin namens Chandasiri erbaut und enthält ein Relikt Buddhas. Einige der *chaityas* enthielten Darstellungen Buddhas, während andere, die der hinayanischen Schule folgten, nur Symbole von ihm in ihren Schreinen abbildeten. Skulpturen, die hauptsächlich aus dem 3. und 4. Jh. n. Chr. stammen und hier gefundene Relikte werden im Inselmuseum ausgestellt. Neben brahmanischen und buddhistischen Fundstücken hat man in Nagarjunakonda Skulpturen und beschriebene Säulen gefunden, letztere werden *Chayasthambhas* genannt und sind zur Erinnerung an verstorbene Könige, Königinnen, Adlige, Künstler oder Heilige aufgestellt.

Masulipatam

Die Küstenstadt **Masulipatam** ist wegen ihrer *kalamkari*, handbemalte Stoffe, bekannt. Diese Stoffe waren die Hauptattraktion für westliche Händler im 17. Jh., die ihn als Chintz kannten. Der Baumwollstoff muß zuerst mit Ätzwasser behandelt werden, bevor man ihn färben kann. Da man bei dieser Technik eine *kalam* (Feder) benutzt, wurde er *kalamkari* genannt. Die verwendeten Farben sind Pflanzenfarbstoffe. Seit frühester Zeit schon wurde in Masulipatam der schönsten Stoff dieser Art fabriziert. Der Mogul-Kaiser Aurangzeb ließ das Innere seiner Zelte geschmackvoll mit Chintz dekorieren. Persische Händler des 17. Jh. gaben ihre Aufträge an die Kunsthandwerker Masulipatams. Viele europäische Experten des 17. und 18. Jh. haben die Herstellung dieser Stoffe beobachtet und dokumentiert. Einige westliche Museen zählen *kalamkari*-Stoffe aus Masulipatam zu ihren unbezahlbaren Ausstellungsstücken. Obwohl die moderne Technik ihren Lebensstil verändert hat, gibt es auch heute immer noch Kunsthandwerker-Familien in Masulipatam, die *kalamkari*-Stoffe in der Tradition ihrer Vorväter herstellen. Die Muster sind völlig traditionell und stellen oft Szenen aus Heldenepen wie dem *Ramayana* und *Mahabharata* dar.

Weiter nördlich an der Küste, in der Nähe von **Rajahmundry**, wurde das Konzept der *pancaramas*, der fünf Tempel, entwickelt, die Shiva geweiht sind.

Rechts: Fröhliches Lachen einer Angehörigen des Banjara-Stammes.

Diese Tempel befinden sich in **Amaravati, Draksharama, Samalkot, Bhimavaram** und **Chebrolu**. Jenseits der Hafenstadt **Visakhapatnam** liegt der Distrikt **Srikakulam**, der Teil des alten Kalinga (Orissa) war. Der **Madhukeshvara-Tempel** aus dem 8. Jh. ist der wichtigste in diesem Distrikt und hat große Ähnlichkeit mit den Tempeln in Bhubaneshwar.

Srisailam

Dieser heilige Hügel (130 km von Kurnool entfernt), der unter den Namen **Srisailam**, **Sriparvatam** oder **Sri Kailasha** bekannt ist, ist schon seit undenklichen Zeiten ein Wallfahrtsort für Shivaiten verschiedener Richtungen. Er wird im Epos *Mahabharata* und in allen großen Legenden (*Mahapuranas*) erwähnt. Srisailam war in früheren Zeiten auch ein buddhistisches Zentrum; die chinesischen Reisenden Fa Hsien und Hsüan Tsang verknüpften diesen Platz mit dem berühmten buddhistischen Philosophen Nagarjuna.

Der Tempel auf dem Hügel, Mallikarjuna geweiht, wurde von den tamilischen Heiligen des 7. Jh. gerühmt. In der Vergangenheit erwiesen alle großen Herrscher dieser Gegend dem Hügel persönlich ihre Ehrerbietung und machten Schenkungen, besonders der Vijayanagar-Herrscher Krishnadevaraya. Die Chenchu-Ethnien von Andhra sehen Mallikarjuna als ihre Schutzgottheit an. Dieser malerische Hügel im Distrikt Kurnool erhebt sich über dem Südufer des Flusses Krishna, der hier als Patala Ganga bekannt ist.

Der **Ahobilam-Berg**, 140 km südöstlich von Kurnool, ist Vishnu in seiner Löweninkarnation, Narasimha, geweiht. Im Heiligtum auf der Bergspitze befindet sich eine Skulptur, die in einer natürlichen Felsspalte aufrecht steht; sie wird als eine sich selbst manifestierende Gottheit angesehen. Das Heiligtum am Fuße des Hügels zeigt Narasimha mit seiner

Gemahlin Lakshmi. Dem Hindu-Glauben zufolge ist Narasimha eine mächtige Gottheit, die alle Unternehmungen zum Sieg führen kann. Der Tempel wurde schon vor dem 10. Jh. verehrt. Im 14. Jh. ließ der Kakatiya-Herrscher ein Metallbild für festliche Prozessionen weihen.

Das Hinterland

Hemavati, im Anantapur-Bezirk, wird im allgemeinen nicht auf der Reiseroute der Touristen aufgeführt, da es etwas schwierig zu erreichen ist. Hemavati war die Hauptstadt der Nolamba Pallava-Dynastie, einem Zweig der Pallavas, der im 9. und 10. Jh. n. Chr. bekannt wurde. Obwohl die Zahl der von ihnen hinterlassenen Baudenkmäler nicht besonders groß ist, ist die Qualität ihrer Handwerkskunst außergewöhnlich. Aus architektonischer

Oben: Farbenfroher Blumenschmuck bei einer islamischen Hochzeit in Hyderabad. Rechts: Hyderabad ist auch berühmt für seinen herrlichen Perlenschmuck.

Sicht sind die Tempel nicht besonders bedeutsam, die Skulpturen jedoch sind wunderbare Kunstwerke. Der oft überschwengliche Hoysala-Stil scheint seine Inspiration von dieser Schule bezogen zu haben.

Lepakshi, in der Nähe von Anantapur, ist für die besten Vijayanagar-Wandgemälde des 16. Jh. bekannt. Sie befinden sich im **Virabhadra-Tempel**, der Mitte des 16. Jh. erbaut wurde. Seine drei Heiligtümer, die mit einer zentralen Halle verbunden sind, beinhalten Gemälde, die Szenen aus den Heldengeschichten darstellen. Auch die Porträts der Erbauer befinden sich hier.

Tirupati

Das religiöse Zentrum von Andhra Pradesh ist **Tirupati**, das Vishnu als Venkateswara geweiht ist. Dieses Wallfahrtszentrum kann von Madras aus leicht erreicht werden. Der Tempelbezirk existiert seit mehr als 2000 Jahren und wird in dem Tamilen-Epos *Silappadhikaram* er-

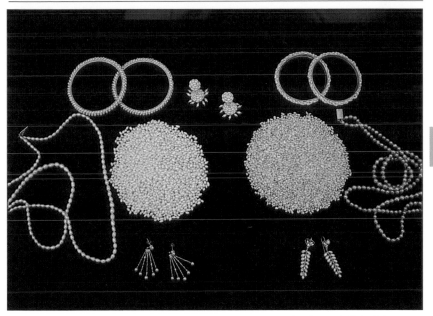

Andhra Pradesh

wähnt. Der Hügel ist als der glorreiche mythische Berg Meru dargestellt, und es heißt, er verkörpere sieben Gipfel. Hier wird Vishnu als der „Gott der sieben Gipfel" angebetet. Es gibt mehrere Tempel, im Ort Tirupati am Fuß des Berges und den am meisten verehrten Haupttempel auf der Bergspitze **Tirumala**. Inschriften aus der Zeit der Pallavas wurden gefunden, die Cholas sind dafür bekannt, daß sie den Tempel unterstützten. Jedoch am häufigsten wurden die Vijayanagar-Herrscher mit ihm in Verbindung gebracht. Der Oberaufbau wurde (1570 n. Chr.) vom königlichen Priester der Vijayanagar-Herrscher mit Gold bedeckt, ein Vorgang, der viele Male wiederholt wurde. Viele der Gebäude, wie z. B. der Eingangsturm und die Säulen-Pavillons stammen aus der Zeit von Vijayanagar. Dessen Herrscher gaben riesige Summen für die Bauten aus, veranstalteten Feste und initiierten Bräuche im Gottesdienst, die bis zum heutigen Tag Bestand haben. Der Vijayanagar-Herrscher Krishnadevaraya, der diesen Tempel zweimal besuch-

te, schenkte eine beträchtliche Menge an Gold und Juwelen. Tatsächlich gab er eine eigene Goldwährung heraus, die den Gott Venkateswara auf der Vorderseite und seinen Namen auf der Rückseite trug.

Ramanuja, der große vishnuitische Reformator, ist eng mit Tirupati verbunden. Mehr als die Architektur oder die Skulpturen hat sich der Glaube der Menschen hier manifestiert. Der Tirupati-Tempel ist der reichste Hindu-Tempel des Landes. Im Ort befindet sich ein Museum für Tempelkunst. Nicht weit von Tirupati entfernt liegt ein Dorf namens **Gudimallam**, in dem das älteste bekannte phallische *linga* (1. Jh. v. Chr.), Symbol des Gottes Shiva, verehrt wird.

Srikalahasti, 30 km von Tirupati entfernt, ist ein altes Zentrum der Shivaiten und liegt zwischen zwei steilen Bergen an den Ufern des Swaranamukhi. Das *linga* im Allerheiligsten stellt die Personifizierung eines der fünf Elemente, des Windes, dar. Dieser Platz wird besonders mit Kannappan, einem Jäger, der Shiva ergeben war, in Verbindung gebracht.

HYDERABAD / SECUNDERABAD (☎ 040)

ℹ️ Government of India Tourist Office, 2nd Floor, Sandozi Bldg., 26 Himayat Nagar, Tel. 7630087. **AP Travel and Tourism Dev. Corp. (APTTDC)**, 5th Floor, Gagan Vihar, M.G. Road, Tel. 5015195. Die Andhra Pradesh Tourism Travel Development Corporation organisiert geführte Touren zu allen Sehenswürdigkeiten. **APTTDC**, Yatri Nivas, S.P. Road, Secunderabad, Tel. 816375. Schalter: Begumpet Airport, Tel. 848944. Hyderabad Railway Station, Tel. 221352, und Secunderabad Railway Station, Tel. 70144.

🛫 *FLUG:* Indian Airlines fliegt von Hyderabad zu Großstädten in Indien und nach Jeddah in Saudi Arabien. Einige Orte werden auch von Jet Air angeflogen. *BAHN / BUS:* Busverbindungen nach Nagarjunasagar, Srisailam und Amravati. Macherla (29 km) und Kazipet sind die günstigsten Bahnhöfe nach Nagarjunakonda und Warangal.

🏨 🙂🙂🙂 **The Krishna**, Road No. 1, Banjara Hills, Tel. 3392323. **Taj Residency**, Road No. 1, Banjara Hills, Tel. 3399999. **Grand Kakatiya Hotel & Towers**, Begumpet, Tel. 310132. 🙂🙂 **Golconda**, Tel. 3320202, Fax 3320404, Masab Tank, modernes, großes Hotel der guten Mittelklasse. Ähnlich, aber noch etwas gehobener ist das **Viceroy**, Tank Bund Rd., Tel 7538383, Fax 7538797. **Asrani International**, M.G. Rd., Secunderabad, Tel. 842267, ist billiger. 🙂 **Taj Mahal**, 4-1-999 Abid Rd., Tel. 237988, Dachterasse, preiswert, aber nicht billig. **Rock Castle**, Rd. 6 Banjara Hills, Tel. 229841, schön gelegenes, kleines Hotel mit Garten. **Imperial**, Tel. 3202220, Station Rd., unweit vom Bahnhof, günstiges großes indisches Hotel.

❌ *INTERNATIONAL:* **The Cellar**, Banjara Hills, Tel. 393662. **The Country Club**, Begumket, Tel. 312000. **Manju Café**, 4-1-873 Tilak Rd. *CHINESISCH:* **Palace Heights**, **Golden Deer** und **Golden Dragon**, alle Abid Rd., exzellente chinesische Küche. *ÖRTLICHE KÜCHE:* **Mughal Durbar**, Basheerbagh Rd., Hyderabad. **Akbar**, 1-7-190 M.G. Rd., Secunderabad. **The Paradise Garden**, MG Road. *VEGETARISCH:* **Shalimar Restaurant**, Hotel Brindavan.

🏛️ **Salar Jung Museum**, Afzal Ganj, 9.30-17.15 Uhr, Fr und an staatl. Feiertagen geschlossen. **Govt. Archaeological Museum**, Public Gardens, Nampally, Tel. 32267. 10.30-17.00 Uhr, Mo und an staatl. Feiertagen geschlossen. **Golconda Fort** und **Qutb Shahi Tombs Complex**, Golconda, 10.00-16.30 Uhr, Fr und an staatl. Feiertagen geschlossen.

✉️ **General Post Office** und **Central Telegraph Office**, Abid Rd., Hyderabad. **Head Post Office**, R.P. Rd., Secunderabad.

➕ **General Hospital**, Nampally, Tel. 234344.

📅 Das muslimische *Id*-Fest folgt auf die einmonatige Fastenzeit Ramadan und wird besonders in Hyderabad gefeiert. Die *Tazia*-Prozessionen bei der ernsten Veranstaltung des *Muharram* erinnern an das Martyrium des Enkels des Propheten. *Makar Sankranti* (Jan.) ist ein dreitägiges Erntefest, bei dem jeder Haushalt seine Puppensammlung ausstellt. Es ist auch die Gelegenheit für das *Batakamma* oder *Bonalu*-Fest, das nur von Frauen gefeiert wird. Am darauffolgenden Tag, *Kanumma*, wird im ganzen Land das Vieh verehrt. Andhraiter feiern ihr Neujahrsfest *Ugadi* am Tag *Chaita Sudda Padyami* (März/ April) und die Geburt des Gottes Rama, *Ramnavami*, im April. Die verstreut liegenden Hindu-Heiligtümer sind Schauplätze verschiedener Feste. Das 10-tägige *Kalyana Mahotsavam* in Srisailam ist ein Fest zu Ehren Shivas (Feb./März).

🛍️ *Kalamkari*-Stoffe, Silberfiligran (aus Karimnagar), *Wirmal*-Arbeit auf Holz, lackiertes Spielzeug (aus Kondapalli); bestickte und mit Spiegeln versehene Taschen und Kleider der Banjara-Nomaden; gewebte Textilien aus Venkatagiri und Ponchhampalli; *Himroo*-Seide und *Bidri*-Waren. Perlen und Teppiche aus Warangal können zu guten Preisen erstanden werden. Haupteinkaufszentren: die Märkte um Charminar, Abid Road, Basheerbagh, Sultan Bazar und Nampally in Hyderabad; M. G. Road und Rashtrapati Road in Secunderabad. Besuchen Sie **Nirmal Industries**, Khairatabad, und **Handloom House**, Mukkaram Jahi Road.

VIJAYAWADA (☎ 0866)
🏨 **Kandhari International**, M. G. Rd., Tel. 471311. **Krishnaveni**, Gopal Reddi Rd., Tel. 426382. **Mamata Hotel**, Eluru Rd., Tel. 571251. **Raj Towers**, Congress Office Rd., Tel. 571311, Restaurants, Bar.

NAGARJUNAKONDA (☎ 08680)
🏨 **Soundarya Tourist Annexe** (APTTDC), Hill Colony. **Project House** (APTTDC) Hill Colony, Tel. 76240. **Youth Hostel**, B & R Hill Colony, Tel. 72672.

VISAKAPATNAM (☎ 0891)
🏨 🙂🙂🙂 **Taj Residency**, Beach Rd., Tel. 567756. **Park Hotel**, Beach Road, Tel. 554488. 🙂🙂 **Dolphin**, Daba Gardens, Tel. 567072, Pool, gute Restaurants. 🙂 **Meghalaya**, Asilametta Junct., Tel. 555141. **Palm Beach**, Beach Rd., Tel. 554026, am Meer gelegen.

TIRUPATI (☎ 08574)
🏨 **Bhimas Hotel**, 42 G Car Street, Tel. 25744. **Bhimas Deluxe Hotel**, 34-38 G Car Street, Tel. 25521. **Mayura Saptagiri**, Pravasi Mandir, Tel. 25925.

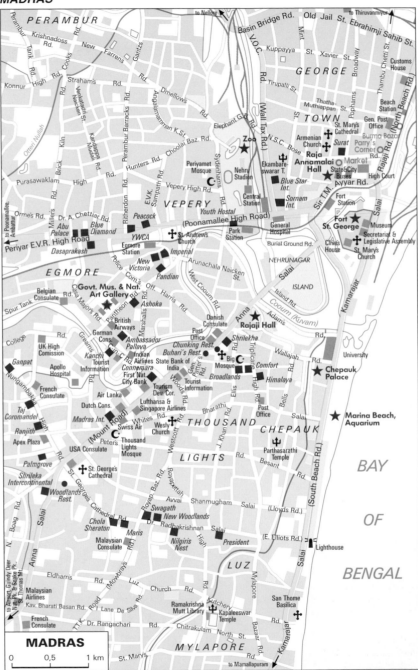

MADRAS

0   0,5   1 km

EIN HORT DER TRADITION

	1 Arunchal Pradesh	7 Assam
	2 West Bengal	8 Nagaland
	3 Himachal Pradesh	9 Meghalaya
	4 Punjab	10 Manipur
	5 Haryana	11 Tripura
	6 Sikkim	12 Mizoram

MADRAS

TAMIL NADU

MADRAS (CHENNAI)

Madras (heute offiziell Chennai), die viertgrößte Stadt Indiens, ist die Landeshauptstadt von Tamil Nadu. Ursprünglich bestand sie aus Dutzenden von kleinen Ortschaften, die nach und nach eingemeindet wurden. Vor allem in den letzten Jahrzehnten wuchs Madras weit über seine ehemalige Stadtgrenze hinaus. Nichtsdestoweniger hat sich die Stadt eine relativ friedvolle Atmosphäre erhalten können, vergleicht man sie mit der von Bombay, Delhi oder Calcutta.

Im modernen Madras, einer britischen Kolonialgründung des 17. Jh., kann man heute noch einige Monumente aus vorbritischer Zeit finden: Tempelanlagen, die im 7. und 8. Jh. n. Chr. durch Besuche der in dieser Region hochverehrten shivaitischen und vishnuitischen Sänger geheiligt wurden; die bekanntesten sind **Tiruvanmiyur** im Süden, **Mylapore** und **Triplicane** im Zentrum sowie **Tiruvottiyur** im Norden der Stadt. Triplicane ist ein religiöses Zentrum der Vishnuiten, während die drei anderen Tempelanlagen Anziehungspunkt für viele Shivaiten sind. Die Tempel spielen im kulturellen und religiösen Leben der Stadt eine ungeheuer wichtige Rolle.

Vom 4. bis zum 9. Jh. n. Chr. wurde die Region von den Pallavas regiert. Verschiedene Pallava-Könige trugen den Titel „Herrscher von Mylapore". Unter dieser Dynastie konnten sich neben dem Hinduismus auch noch andere Religionen wie der Buddhismus und der Jainismus entfalten.

Gegen Ende des 9. Jh. wurde das Land von den Cholas erobert. Sie machten viele Stiftungen und bauten neue Anlagen, die man in Mylapore und anderen Stadtteilen findet. Einige davon wurden reiche und bedeutende Pilgerzentren. **Egmore**, in dem sich das **Madras Museum** befindet, und **Puliyur**, wo sich heute die Filmindustrie etabliert hat, entstanden in dieser Zeit. Im 14. Jh. geriet die Stadt unter die Herrschaft der Vijayanagar-Könige.

Etwa um das Jahr 1520 gründeten die Portugiesen hier eine Handelsniederlassung und errichteten auch ein religiöses Zentrum um den legendären Sterbeort des Apostels Thomas, der hier den Märtyrertod erlitten haben soll. Etwas nördlich liegt **Pulicat**, dort gründeten die Holländer ihren Handelsstützpunkt. Da sie sich mit den Portugiesen als Handelskonkurrenten ständig bekriegten, errichteten sie im 17. Jh. eine Festunganlage. Um die europäischen Händler besser kontrollie-

Vorherige Seiten: Beim Reisdreschen. Auf dem Olakkanatha-Tempel von Mamallapuram. Detail eines Gopuram.

Info S. 149

ren zu können, baute der Gouverneur des Vijayanagar-Königs, zu Beginn des 17. Jh. mit seinem Bruder eine Stadt, die er nach seinem Vater, Chennapa, **Chennapattanam** nannte. Nördlich des Flusses Coovum lag **Madras Kuppam**. Ursprünglich wollten auch die Briten eine Handelsniederlassung in Pulicat gründen, was ihnen allerdings wegen des Widerstandes der Holländer nicht gelang; so richteten sie ihr Augenmerk auf **Madrasapattanam**. Die Erlaubnis, sich hier niederzulassen, erhielten sie im Jahr 1641 von dem Vijayanagar-Herrscher Venkata. Noch im selben Jahr wurde **Fort St. George** errichtet. Die Siedlungen, Chennapattanam und Madrasapattanam, lagen dicht beieinander; erstere wurde von Einheimischen, letztere von Engländern bewohnt. Schließlich wurde Madras zum Zentrum der britischen Expansion in Südindien.

Oben: Kinoreklame in Madras, der südindischen Filmmetropole.

Fort St. George

Ursprünglich war der Grundriß dieser Festung quadratisch. Innerhalb der Wehrmauern befanden sich ein Warenlager und mehrere Wohnhäuser. In seiner unmittelbaren Umgebung lebten einige einheimische Künstler und Weber – damals hieß dieses Wohngebiet Black Town. Einige reiche armenische Kaufleute hatten sich ebenfalls im Schutz der Festung niedergelassen; an sie erinnern noch heute die **Armenian Street** und die **Armenian Church**, die im 17. Jh. erbaut wurde. Später wurde Fort St. George vergrößert, neue Gebäude entstanden, hübsche Straßen wurden angelegt. Seit dieser Zeit ist die Festung Sitz der Verwaltung, noch heute befinden sich hier die **Madras Legislative Assembly** und die Amtsstuben des **Government Secretariats**. Auch der **Archaeological Survey of India** ist hier untergebracht. **St. Mary's Church** war die erste anglikanische Kirche, die auf indischem Boden gebaut wurde (1680). Im **Fort Museum** läßt sich die Geschichte der Anlage zurückverfolgen. Ausgestellt werden Waffen, Münzen, Medaillen und andere Gegenstände, die die Kolonialherren benutzten. Das große Marmorstandbild am Museumseingang stellt Lord Cornwallis mit zwei gefangenen Söhnen Tipu Sultans von Mysore, des größten Gegners der Briten im 18. Jh., dar.

Der **Kapalisvara-Tempel** in Mylapore ist Shiva (hier als Kapalisvara verehrt) geweiht; er geht auf das 6. Jh. n. Chr. zurück. Ursprünglich stand er dort, wo sich heute die **San Thome-Kathedrale** mit dem Wohnsitz des Bischofs befindet: im 16. Jh. hatten die Portugiesen den Tempel zerstört, der dann an der Stelle, wo er heute steht, wieder aufgebaut wurde. Die Tempelanlage setzt sich zusammen aus dem *sanctum* zu Ehren des Gottes Shiva, seiner Gemahlin Parvati sowie weiterer Gottheiten, aus dem im Osten gelegenen Eingangsturm, der erst 1906 gebaut wurde, und der Zisterne im Westen.

Regelmäßig werden hier Feste gefeiert, das sich jährlich wiederholende Fest im März und April ist das bedeutendste der Stadt. Die Götterstandbilder werden während der Prozession durch die Straßen getragen, in denen sich dann Millionen von Gläubigen drängen. Die hohen Eingangstürme (*gopuram*) sind das markanteste Merkmal aller Tempelstädte und -anlagen Tamil Nadus.

Der **Parthasarathi-Tempel** in Triplicane ist zwar sehr alt, aber nicht mehr in seinem ursprünglichen Zustand erhalten, da er von den Portugiesen derart beschädigt wurde, daß er im Jahr 1564 wiederaufgebaut werden mußte. Er ist Krishna in seiner Erscheinungsform als Wagenlenker Arjunas geweiht.

Im **Shiva-Tempel**, der in **Tiruvanmiyur** steht, stammen viele Strukturen und Inschriften aus der Chola-Zeit. Zwar ist Nicht-Hindus der Zutritt zu den genannten Tempeln nur bis zu einem gewissen Punkt erlaubt, dennoch kann man sich auch aus der Entfernung ein Bild über den Ablauf hinduistischer Rituale machen, die am besten frühmorgens und abends zu beobachten sind.

Von Madras aus auf dem Weg nach Süden erreicht man das 40 km entfernte **Mamallapuram** (Mahabalipuram), welches bedeutende mittelalterliche Höhlen- und Freibautempel beherbergt.

Museen

In der **Pantheon Road** stehen zwei Museen: das **Madras Government Museum** und die **National Art Gallery**. Erstgenanntes ist bekannt wegen seiner ausgezeichneten Sammlung von über 2000 südindischen Bronzen und den Reliefs des Stupa von Amaravati.

Das Museum – damals hieß es Zentralmuseum – wurde 1850 gegründet und bereits vier Jahre später dorthin verlegt, wo es heute steht. Ehedem befand sich an dieser Stelle das sogenannte Pantheon, eine riesige Halle, die Ende des 18. Jh. inmitten eines großen Parks gebaut wurde. Sie diente den Europäern als Speisesaal, Ballsaal und Theater. Das Pantheon existiert zwar nicht mehr, hat aber der Straße ihren Namen gegeben. Drei architektonische Meisterleistungen stehen heute an seiner Stelle – das **Museum Theatre**, die **Extension Hall** und die **Connemara Public Library**, die allesamt 1896 erbaut wurden. Die Bibliothek ist die größte des Landes.

Das Museum besteht aus verschiedenen Abteilungen: der Hindu Sculpture Gallery, der Amaravati Gallery, der Bronze Gallery und der National Art Gallery. In der **Hindu Sculpture Gallery** kann man die Entwicklung der Bildhauerkunst unter der Förderung der Pallava-, Chola- und Vijayanagar-Dynastien verfolgen. In der **Amaravati Gallery** sind über 100 buddhistische Reliefs des Amaravati *stupa* ausgestellt, die den Zeitraum von 2. Jh. v. Chr. bis zum 2. Jh. n. Chr. repräsentieren. Diese gehören zu den Höhepunkten der frühen Kunst Indiens und verraten

Madras

uns vieles über das Leben der Menschen dieser Zeit und über den damals lebendigen Buddhismus. Die Reliefs gehörten ursprünglich zu einer gigantischen *stupa*-Anlage, die als Nachbau ebenfalls im Museum steht.

In der **Bronze Gallery** befindet sich eine Sammlung meisterhaft gearbeiteter Stücke – die umfangreichste Sammlung südindischer Bronzen überhaupt. Der Ardhanarisvara (die zweigeschlechtliche Darstellung Gott Shivas) von Tiruvenkadu, verschiedene Nataraja-Abbildungen, die entzückenden Parvati-Bronzen, einige buddhistische (aus Nagapattinam) und jainistische Bronzen komplettieren diese kostbare Sammlung.

Zweifelsohne werden die wertvollsten Bronzen jedoch in der benachbarten **National Art Gallery** ausgestellt – Skulpturen, die Rama, Lakshmana, Sita und Hanuman (aus dem *Ramayana*) abbilden. Außerdem werden Gemälde der großen Maler Indiens gezeigt. Das Gebäude der National Art Gallery selbst ist ein Wahrzeichen der Stadt. Es wurde 1902 zum Gedenken an Queen Victoria gebaut.

Die Tanz- und Musikschule **Kalakshetra**, der „Wohnsitz der Kunst", ist ein wahres Schmuckstück für Madras. Gegründet wurde sie von Rukmini Devi Arundale, einer Frau, die ihr ganzes Leben der Kunst widmete. Die Schule liegt im alten Tiruvanmiyur, inmitten von Gärten und Bäumen. Hier lernen die Studenten traditionellen Tanz, Musik und Malerei. Außerdem hat sie ein Theater, in dem alljährlich im Dezember Tanz-Festspiele abgehalten werden. Während der Feierlichkeiten werden das *Ramayana* und andere poetische Werke aufgeführt.

Ebenfalls in diesem Stadtteil, am Südufer des Adyar, befindet sich der Hauptsitz der **Theosophical Society**, die von der Russin Helena Petrowna Blavatsky zusammen mit Colonel H.S. Olcott 1875 gegründet und 1882 von New York nach Madras verlegt wurde. Die Theosophische Gesellschaft hat die schönste Gartenanlage der Stadt.

Madras besitzt ein reichhaltiges Kulturleben, seine Einwohner sind gleichsam süchtig nach klassischer Musik, Tanz und Literatur. Zwar finden das gesamte Jahr über Konzerte statt, doch sind die bevorzugten Monate für Musik- und Tanzaufführungen Dezember und Januar. In jedem Winkel der Stadt zeigen Musiker und Tänzer ihr Können. Alle Tanz- und Musikschulen sind an dem Spektakel, das von der **Music Academy** organisiert wird, beteiligt. Jung und Alt drängen sich an jedem der 30 Tage des tamilischen Monats um die Tempel, wo die Lieder der shivaitischen und vishnuitischen Heiligen gesungen werden.

Weitere Sehenswürdigkeiten

Die **San Thome-Kathedrale**, die unmittelbar am Strand steht, wurde im 16. Jh. von den Portugiesen errichtet. Die später umgebaute Kathedrale ist die eindruckvollste der Stadt; in unmittelbarer Nähe befindet sich der Bischofssitz. Bei Saidapet liegt **Little Mount** und an der Straße Richtung Madras **Thomas Mount**, beide etablierte christliche Gemeinden. Sehenswert sind auch **St. George's Cathedral** und **St. Andrews Kirk**.

Nach dem Niedergang der Vijayanagar-Dynastie herrschten einige Zeit die Nawabs von Arcot in Madras. Sie trugen islamische Elemente zum Stadtbild bei – Moscheen, Paläste und das **Universitätsgebäude**. Hier und dort blieben auch einige viktorianische und georgianische Häuser erhalten. **Rajari Hall** erreicht man von der Hauptverkehrsader, der Mount Road, aus. Lohnend ist auch ein Besuch des **Guindy Deer**- und des **Snake Parks**. **Marina Beach**, der Badestrand, ist rund 13 Kilometer lang; obwohl er ein beliebter Treffpunkt für den abendlichen Spaziergang ist, sollte man dort nicht unbedingt schwimmen gehen.

MADRAS (CHENNAI, ☎ 044)

🛈 **Government of India Tourist Office**, 154 Mount Rd., Tel. 8524295. Schalter am Ankunfts-Terminal für Inlandsflüge, Tel. 8273884. **ITDC**, Commander-in-Chief Road, Victoria Crescent, Tel. 8274216/4240. **ITDC**, 25 Dr. Radhakrishnan Salai, Tel. 836825. **Tamil Nadu Tourism**, 143 Mount Rd., Tel. 840752. Informationsschalter: Im Ankunftsbereich des Flughafens für In- und Auslandsflüge; Inland, Tel. 2340569; Ausland, Tel. 2341269. Central Railway Station, Tel. 563351. Egmore Railway Station, Tel. 8252165.

📞 Madras ist von allen anderen großen Städten des Landes mit dem Flugzeug, der Bahn oder dem Auto zu erreichen. Es gibt internationale Flugverbindungen nach Sri Lanka, Südostasien und mit Lufthansa nach Deutschland. Passagierschiffe verkehren zwischen Madras und den Andamanen. Als Nahtransportmittel dienen Busse, Taxis, Touristenwagen, Auto- und Fahrrad-Rikschas. Madras hat außerdem schnelle und häufig fahrende Vorortzüge. Staatliche unf private Busse verbinden mit sämtlichen Ortschaften der näheren Umgebung und allen größeren Städten Südindiens.

🛏 😊😊😊 **Taj Coromandel**, 17 Nungambakkam High Rd., Tel. 8272827, Fax 8257104. **Chola Sheraton**, 10 Cathedral Rd., Tel. 8280101, Fax 8278779. **Holiday Inn Crown Plaza**, 1 GST Rd., Tel. 2348976, Fax 4340429. **Park Sheraton**, 132 T.T.K. Rd., Tel. 4994101, Fax 4997201. **Taj Connemara**, Binny Rd., Tel. 8520123, Fax 8523361, zentrales Traditionshotel. **Trident**, 1/24 GST Rd., Tel. 2344747, in Flughafennähe. 😊😊 **Breeze**, 850 Poonamalee High Rd., Tel. 6413334, Fax 6413301, komfortables Businesshotel. **Residency**, 49 GN Chetty Rd., Tel. 8253434, Fax 8250085, komfortables Hotel der gehobenen Mittelklasse. **Blue Diamond**, 934 Poonamaalle High Rd., Tel. 6412244, kleineres, etwas billigeres Hotel. **Kanchi**, 28 Commander in Chief Rd., Tel. 8271100, großes indisches Mittelklassehotel, geräumige, aber etwas heruntergekommene Zimmer. **The Grand Orient**, 693 Anna Salai, Tel. 8534111, Fax 8523412, komfortabel, zentral, 24 Std. Coffeeshop. **New Victoria**, 3 Kennet Lane, Egmore, Tel. 8253638, ruhig, in Bahnhofsnähe. **New Woodlands**, 72-75 Dr. Radhakrishna Rd., Tel. 8273111, kleiner Pool, einfache, ordentliche Zimmer, sehr gutes veg. Rest., preiswert. **Savera**, 69 Dr. Radhakrishnan Rd., Tel. 8274700, älteres Hotel mit schönem Pool. 😊 **Broadlands**, 16 Vallabha Agraharam St., Tel. 8548131, populäres Travellerhotel in schönem altem Haus, grüner Innenhof, unterschiedliche Zimmer, nicht billig, akzeptiert keine indischen Gäste. **Dasaprakash**, 100 Poonamaalle High Rd., Tel. 8255111, mit veg. Rest. **Pandyan**, Kennet Lane, Egmore, Tel.

8252901, nahe Egmore Station. **YMCA**, Vepery, 17 Ritherdon Rd., Tel. 5322831 und 14 Westcott Rd., Royapettah, Tel. 8532158.

❌ *CHINESISCH:* **Chunking**, 67 Anna Salai. **China Town**, 74 Cathedral Rd. **Golden Dragon**, Taj Coromandel. **Cascade**, Kakani Towers, 15 Khaderi Nawaz Khan Rd., auch thailändische, japanische und malayische Küche. *VEGETARISCH:* **Dasaprakash**, Anna Salai. **Woodlands**, 30 Cathedral Rd., Tel. 8271981. **Dasa**, 806 Mount Rd. *NICHT-VEGETARISCH:* **Peshwari**, Hotel Chola Sheraton. **Dakshin**, Park Sheraton. **Buhari's**, 83 Anna Salai. **Jewel Box**, Hotel Blue Diamond, 934 Poonamallee High Rd.

🏛 **Government Museum and Art Gallery**, Pantheon Rd., Egmore, 8.00-17.00 Uhr, Fr und an Feiertagen geschl. **Fort Museum**, im Fort St. George, South Beach Rd, 9.00-17.00 Uhr, Fr und an Feiertagen geschl. **Birla Planetarium** mit **Science and Technology Centre**, Kotoor, 10.00-17.45 Uhr. **Cholamandal**, Künstlerdorf 10 km südl. Chennai.

✉ **Central Post Office**, Rajaji Salai, Tel. 512011. **Post and Telegraph Centre**, Mount Rd., Tel. 848832. **Speed Post Centre**, Tel. 845051.

➕ **General Hospital**, Park Town, Tel. 563131. **Kilpauk Hospital**, Poonamallee High Rd., Tel. 8255331. **St. John's Ambulance**, Tel. 864630, 24-Std.-Dienst.

🛍 Das Haupteinkaufsgebiet in Madras ist die Mount Road, neuerdings **Anna Salai**. Neben Buchläden und Kaufhäusern bieten hier auch Kunsthandwerker ihre Waren an. Andere Einkaufszentren: **Parry's Corner** und **Burma Bazar**, die aus etwa 500 kleinen Geschäften bestehen. Angeboten werden Seide, Bananenfaserkörbe, Kokosmatten und Rohrmöbel, Holzschnitzereien und dekorative Einlegearbeiten. Bronzen, Steinmetzarbeiten und Messing sind andere kunsthandwerkliche Spezialitäten Tamil Nadus.

🎭 Zu den wichtigsten religiösen Festen gehört das *Kapalisvara* Tempelfest, besser bekannt unter dem Namen *Aruvathumoovar* (jährlich März/ April). Der Kapalisvara-Tempel ist dem Gott Shiva geweiht und enthält 63 Bronzestatuen von shivaitischen Heiligen. Am achten Tag des zehn Tage dauernden Festes werden diese Standbilder in einer farbenprächtigen Prozession durch die Straßen getragen. Im Adhispurisvar-Tempel feiert man ein 15-tägiges Fest zu Ehren der Göttin Durga. Ein wichtiges christliches Fest findet in Little Mount am vierten Wochenende nach Ostern statt, und zwar in der Kirche „Our Lady of Health". Es bietet eine gelungene Mischung aus religiöser Andacht und Ausgelassenheit und erinnert an mittelalterliche Feste. Beim *Carnatic Music and Dance Festival* zum Jahreswechsel treten die besten Musiker und Tänzer des südindischen Stils auf.

TAMIL NADU

Tamil Nadu, an der Südspitze des Dekkan gelegen, bietet prachtvolle alte Tempelanlagen und -städte. Die Tradition des Ausbaus von Tempeln zu riesigen Zentren ist hier fast nie unterbrochen worden, ein einmaliger Glücksfall für das ansonsten von muslimischen Bilderzerstörern heimgesuchte Indien. Diese religiösen Zentren sind heute noch sehr lebendig und vermitteln Anschauungsunterricht in praktiziertem Hinduismus.

Die Landschaft am Meer, hauptsächlich aus üppig grünen Reisfeldern bestehend, wird eingesäumt von den West-Ghats und den Nilgiri-Bergen. **Uthagamandalam (Ooty)** und **Kodaikanal**, die auf einer Höhe von über 2100 Metern liegen, sind angenehm kühle Orte, wobei Ooty britisches *Hill Station*-Flair konserviert hat, Kodaikanal aber noch schöner gelegen ist.

Das für seine Elefanten bekannte **Mudumalai Wildlife Sanctuary** liegt ganz in der Nähe Bandipurs, das bereits zu Karnataka gehört. Entlang der Küste trifft man immer wieder auf malerische Fischerdörfer und Städte, in denen Europäer ab dem 17. Jh. Handelsniederlassungen gründeten.

Mamallapuram

Die Hafenstadt **Mamallapuram (Mahabalipuram)**, 61 km von Madras, bietet eine Auswahl großartiger Baudenkmäler, einen schönen Strand und ausgezeichnetes Essen (speziell Meeresfrüchte). Die Stadt war seit vorchristlicher Zeit ein wichtiges internationales Handelszentrum, zahlreiche römische Münzfunde beweisen dies. Unter der hinduistischen Pallava-Dynastie (6.-9. Jh.) zeitweise Residenz, wurde hier der südindische Tempelbaustil experimentell entwickelt und herrliche Reliefs geschaffen. Die Bauten fußen auf dem aus dem Fels herausgearbeiteten monolithischen Tempel und dem Höhlentempel, der auf buddhistische Klöster zurückgeht. Am Schluß der Entwicklung steht der aus Steinquadern errichtete Freibautempel.

Vier Kilometer vor Mamallapuram liegt **Tiger Cave**, ein von neun Löwenköpfen umrahmtes Höhlenheiligtum. Im Zentrum von Mamallapuram erhebt sich ein großer Fels, der mit einem großartigen Relief bedeckt ist. Es ist unter dem Namen **Arjuna's Penance** bekannt. Tatsächlich ist hier jedoch der Mythos „Herabkunft der Ganga auf die Erde" dargestellt. Der Asket Baghirata ist links oben in Meditaiton auf einem Bein stehend zu sehen. Durch seine Askese veranlaßt er den Fluß Ganga (Ganges), der durch den senkrechten Spalt dargestellt ist, auf die Erde zu kommen. Himmelswesen, Götter, Menschen und die Tiere des Waldes wohnen diesem frohen Ereignis bei. Die Tiere sind besonders liebevoll gestaltet. Ein kleiner Elefant stolpert zu Füßen seiner Mutter, eine Katze karikiert die Meditationshaltung des Asketen. Dieses Felsrelief ist von einzigartiger Qualität und künstlerischem Ausdruck.

Nördlich des Felsens steht der **Ganesha Ratha**, ein zweistöckiger rechteckiger Schrein, mit Löwen verziert und dem Elefantengott geweiht; südlich des Schreins liegen die Höhlentempel **Varaha-Mandapa** (7. Jh. n. Chr. mit sehenswerten Skulpturen) und **Krishna-Mandapa** mit einem Großrelief; es zeigt Krishna, wie er mit seiner Fingerspitze den Berg Govardhan anhebt, um die Hirten vor den Regenfluten Indras zu schützen.

Etwas weiter südlich, beim neuen Leuchtturm, lohnt ein Besuch der **Mahishasuramardini-Höhle**, in der zwei herrliche Reliefs zu bewundern sind. Das erste stellt ein Prunkstück der Pallava-Bildhauerkunst dar; abgebildet ist die Göttin Durga auf ihrem Löwen, wie sie den arroganten büffelköpfigen Dämon bezwingt. Das zweite Relief stellt Vishnu dar, der auf der Weltenschlange ruht.

TAMIL NADU

0   50 Km

Oberhalb der Höhle bietet der aus Granitblöcken erbaute **Olakkanatha-Tempel** („Alter Leuchtturm") von 715 n. Chr. einen herrlichen Rundblick über Mamallapuram. 1,5 km weiter südlich, an der Stadtgrenze, stehen die **Fünf Rathas** (Pancha Pandava), mit Skulpturen geschmückte Monolithen-Tempel. Sie sind aus einem großen Felsen herausgehauen und entstanden vielleicht im Rahmen eines Architekturwettbewerbs. Einige der hier entwickelten Formen wurden später als südindischer Stil verbindlich.

An der Küste gibt es noch drei weitere Tempel, die zusammen **Shore Temple** genannt werden. Zwei von ihnen sind Shiva, der dritte, zwischen ihnen förmlich eingekeilt, ist Vishnu geweiht. Sie sind aus dem 8. Jh. und zeigen als Freibau aus Steinquadern den Abschluß der frühen

Oben: Arjuna's Penance, eines der kunstvollsten Felsreliefs Indiens, Mamallapuram. Rechts: Die Göttin Durga tötet den büffelköpfigen Dämon, Relief im Mahishasuramardini-Höhlentempel, Mamallapuram.

Tempelentwicklung an. Aus dieser Form entwickelten sich alle späteren Tempel Tamil Nadus.

Mamallapuram war nicht die Hauptstadt der Pallavas, jedoch als wichtige Handelsstadt wohl besonders weltoffen. Genaues weiß man über dieses Experimentierfeld der frühen Architektur nicht. Es fällt auf, daß die meisten Bauten unvollendet sind, oder zum Teil, wie die fünf Rathas, auch nur Modellgröße haben und gar nicht begehbar sind. Die Pallavas waren die erste südindische Dynastie, die ihre Städte mit repräsentativen Tempelbauten ausstattete, eine Sitte, die aus Nordindien kam und sehr wahrscheinlich mit aus dem Norden eingeladenen Brahmanen die südindischen Könige erreichte.

Kanchipuram

Etwa 70 Kilometer von Madras, an der Hauptstraße nach Bangalore, liegt **Kanchipuram**, eine der sieben heiligen Städte Indiens – der Legende nach die schöns-

te Stadt des alten Indien. In vorchristlicher Zeit war sie ein theologisches Zentrum aller indischen Religionen. Bis zum 18. Jh. diente sie vielen Dynastien als Hauptstadt, danach wurde Madras bedeutender. Den Pallavas, die vom 3. bis zum 9. Jh. herrschten, folgten die Cholas, die indes an Kanchi als ihrer nördlichen Hauptstadt festhielten.

Kanchipuram war vor dem Erstarken des Hinduismus bereits ein Zentrum des Buddhismus. Hier gab es über 100 buddhistische Klöster, die bis zu 10 000 Mönche beherbergten. Dharmapala, ein buddhistischer Lehrer aus Kanchi (6. Jh.), stand später der berühmten Nalanda-Universität vor. Ein anderer Denker des Buddhismus, Bodhi Darma (520 n. Chr.), Sohn eines Königs von Kanchipuram, reiste nach China, wo er den *Dyana-Marga*-Buddhismus gründete. In China wird diese Art des Buddhismus *Chang-*, in Japan *Zen*-Buddhismus genannt.

Kanchipuram ist in drei Gebiete, nach der jeweils ausgeübten Religion, unterteilt: Shiva Kanchi, Vishnu Kanchi und Jaina Kanchi; Gläubige haben die Gelegenheit, über 100 Tempel zu besuchen. Einige davon sind bereits über 1400 Jahre alt.

Der **Kailasanatha-Tempel** ist der älteste erhaltene Bau und gehört zu den schönsten Tempelanlagen. Gebaut wurde er von dem Pallava-Herrscher Rajasimha als direkter Nachfolger des Shore Tempels in Mamallapuram. Im Unterschied zu anderen Tempeln wurde an ihm seit dem 8. Jh. nichts mehr verändert, so daß man hier die reine klassische Form bewundern kann. Die acht kleinen Schreine am Eingang stammen von den Ehefrauen des Herrschers und zeigen verschiedene Aspekte Shivas mit jeweils gütigem oder furchteinflößendem Ausdruck. Der rechteckige Tempel ganz in der Nähe des Eingangs wurde von einem Sohn Rajasimhas errichtet; er beherbergt ein *linga* in seinem Sanktum. Hinter dem großen Schrein befindet sich ein Innenhof mit einer Reihe kleinerer Schreine. Hinter dem Innenhof steht der majestätische Turm des Sanktum.

Auch die meisten anderen Tempel Kanchis gehen auf die Pallavazeit zurück, wurden jedoch später vielfach umgebaut. Der Vishnu geweihte **Vaikunta Perumal-Tempel** enthält drei übereinanderliegende Heiligtümer. In der Umfriedung wird die ganze Geschichte der Pallava-Dynastie geschildert – von den legendären Vorfahren bis zu den Heldentaten von Nandivarman II., dem Erbauer.

Der Shiva-Tempel **Ekambaresvara** diente über 1300 Jahre der Götterverehrung. Die konzentrischen Granitmauern des Tempels wurden im Lauf der Jahrhunderte von verschiedenen Herrschern und Adligen hinzugefügt. Der größte Eingang und die größte Mauer wurden im Jahre 1525 n. Chr. vom Vijayanagar-Herrscher Krishnadevaraya errichtet. Innerhalb des Tempels, der eine 1000-Säulen-Halle hat, steht ein heiliger Mangobaum, der angeblich über 2000 Jahre alt sein soll.

Am anderen Ende der Stadt liegt die Vishnu geweihte monumentale Tempelanlage **Varadaraja** mit einer 1000-Säulenhalle aus dem 16. Jh. mit aufwendigem Skulpturenschmuck.

Wer sich für die Kunst des Jainismus interessiert, sollte Jain Kanchi (**Tirupparuthikunram**) auf der anderen Seite des ausgetrockneten Flußbettes besuchen. Die Gründung dieses Teils des Stadt geht auf das 6. Jh. zurück. Die Deckenfresken der ersten Halle beschreiben die jainistische Kosmologie.

Der **Kamakshi-Tempel** ist der Göttin Kamakshi geweiht, der Schutzpatronin Kanchis. Er und der **Subrahmanya-Tempel** sind wichtige Glaubenszentren der Stadt, in der einst Shankaracharya lebte, einer der großen Denker der Advaita-Philosophie. Noch heute wird der Hohepriester des Tempels, wegen seiner Frömmigkeit und Weisheit verehrt.

Links: Eine Bronze-Statue zeigt Shiva als kosmischen Tänzer Nataraja (Chidambaram).

Pondicherry

Pondicherry liegt an der Küste, 115 km von Kanchipuram entfernt. Die Stadt wurde im 18. Jh. als französische Kolonie gegründet und erst 1954 an Indien zurückgegeben. Heute gehört sie zu den sogenannten Unions-Territorien.

Pondicherry unterscheidet sich ziemlich stark von anderen Städten Tamil Nadus. Die Uferstraße, die öffentlichen Gebäude um den **Government Square**, die neogotische **Sacred Heart Church** und selbst die Uniformen der Polizisten zeugen noch immer vom Einfluß der französischen Kolonialherren.

Bekannt wurde Pondicherry durch den **Aurobindo Ashram** und **Auroville** (10 km), eine Stadt, wo Menschen aus aller Welt versuchen, friedlich in einer spirituellen Gemeinschaft zusammenzuleben.

Von Pondicherry kann man über **Cuddalore**, ein ehemaliges europäisches Handelszentrum, nach Chidambaram weiterfahren. In **Panrutti**, am Stadtrand Cuddalores, steht der Shiva-Tempel **Tiruvadigai**, das Paradebeispiel für einen Pallava-Ziegelbautempel. Hier gründete im 7. Jh. Appar, einer der für Tamil Nadu so wichtigen Sänger und Mystiker, eine bedeutende shivaitische Sekte.

Chidambaram

Chidambaram, die Stadt des „kosmischen Tänzers", liegt 50 km von Cuddalore entfernt. Hier wird Shiva als *Nataraja*, Gott des Tanzes, verehrt. Die Bronzestatue des Gottes stellt die vollkommenste in Metall gegossene Synthese zwischen Kunst, Literatur und Wissenschaft dar, die man sich vorstellen kann. Der Tanz des Nataraja wird *ananda tandava*, glückseliger Tanz, genannt.

Der **Chidambaram**-**Tempel** liegt im Stadtkern und wird eingesäumt von vier breiten „Tempelwagen"-Straßen. Vier *gopuras* (Eingangstürme) bilden den Zugang zur Tempelanlage. Die Türme, die

Tamil Nadu

Außenmauer und die gepflasterten Abschnitte wurden von Vikrama Chola und seinem Sohn Kulottunga Chola II. im 11. Jh. geplant und erbaut. Der Nordturm wurde von Krishnadevaraya von Vijayanagar um das Jahr 1525 n. Chr. erneuert. Im nordöstlichen Teil der Anlage steht eine 1000-Säulen-Halle, die unter den Chola-Herrschern im 12. Jh. entstand.

Die Hauptskulptur des **Nataraja** befindet sich in einem rechteckigen Heiligtum, das mit vergoldeten Kupferplatten bedeckt ist. Es wird die „Goldene Halle" genannt und bildet das Zentrum des Universums, in dem der kosmische Tanz aufgeführt wird. Die vier Veden, die Upanischaden, die sechs Äste der Weisheit, die 18 Puranas und all die anderen kanonischen Schriften und frommen Hymnen werden mit dem einen oder anderen Teil des Tempels identifiziert, so daß er in seiner Gesamtheit das gesammelte Wissen Indiens symbolisiert.

Die Brahmanen des Tempels, seit altersher die „3000 Dikshitas" genannt, führen täglich Rituale in der vedischen Tradition aus und organisieren verschiedene Tempelfeste. Nataraja galt einst als Familiengott der Cholas, die nur in seiner Gegenwart gekrönt wurden. Der Tempel der Göttin **Sivakami**, der Gefährtin Natarajas, befindet sich innerhalb des Tempelkomplexes. Auch er wurde während der Chola-Dynastie gebaut; sehenswert sind vor allem die Skulpturen der Tänzer. Unweit des Nataraja-Heiligtums steht ein Vishnu geweihter Schrein. Der Anblick, wie Nataraja von den Gläubigen angebetet wird, ist unvergeßlich, und man sollte ihn nicht versäumen (Fremde haben Zutritt zum Tempel). Im günstigsten Fall besucht man den Tempel im Dezember oder Januar, wenn das große Tempelfest abgehalten wird. Während des fünf Tage dauernden *Nattiyanjali*-Tanzfestes im Februar und März kommen Tänzer aus allen Teilen Indiens angereist, um in diesem Tempel Nataraja zu Ehren zu tanzen.

Auf dem Weg nach Tanjore

70 km von Chidambaran, an der Straße von Madras nach Tanjore, liegt **Gangaikondacholapuram**. Etwa einen Kilometer abseits der Hauptstraße steht der riesenhafte Tempel **Gangaikonda Cholisvaram**, der vom Chola-Herrscher Rajendra I. im Jahr 1020 erbaut wurde. Er ragt in eine Höhe von 60 Metern empor und besteht ganz aus Granit. Ungewöhnlich ist die Tatsache, daß nicht der Eingangsturm, sondern der Turm des Sanktums der höchste ist. Ähnlich verhält es sich beim Tempel von Tanjore, der 20 Jahre früher gebaut worden ist.

Dieser Tempel, von Rajendra Chola errichtet, erinnert an seine Eroberung der Ganges-Ebenen – das nördlichste Gebiet, daß jemals von einem südindischen Herrscher erobert werden konnte. Er enthält wunderschöne Steinskulpturen, die sehenswertesten sind die von Nataraja, Shiva, Parvati und Saraswati, der Göttin des Lernens. Das *linga* im Sanktum ist eines der größten Südindiens. Außerdem werden in diesem Tempel noch bemerkenswerte Bronzen aus der Epoche der Cholas aufbewahrt. Neben dem Tempel liegt ein großes Wasserbecken, das von Vasallen der Chola-Herrscher mit Wasser aus dem Ganges gefüllt wurde.

Der Kaiser gründete hier seine Hauptstadt, baute Paläste und Festungsanlagen. Über 250 Jahre lang wurde von hier aus der gesamte Süden des Landes kontrolliert. Die Stadt diente als Ausgangspunkt für Eroberungen in Übersee wie das Srivijaya-Königreich, das Malaysia, Singapur, Sumatra, Java und andere Inseln umfaßte. Sie blieb Hauptstadt der Cholas bis zu deren Niedergang gegen Ende des 13. Jh. Die Überreste, die sogenannte Palast-Stelle, findet man einen Kilometer südwestlich des Tempels.

Rechts: Pilger im Brihadesvara-Tempel, Tanjore.

Einst als Heimat der gebildetsten Brahmanen, bekannt, kann man **Kumbakonam** durchaus als die zweite Hauptstadt des Tanjore-Bezirks bezeichnen. Sie liegt am fruchtbaren Ufer der Kaveri. Hört man Kumbakonam, denkt man an Kunst und Literatur, an Musik und Tanz, vor allem aber an die sprichwörtliche Schlauheit seiner Bürger.

Der sehenswerteste Tempel hier ist sicherlich der **Nagesvara-Tempel**. Obwohl vergleichsweise klein, werden in ihm einige großartige Skulpturen aufbewahrt, die im 9. Jh. zu dem Zeitpunkt entstanden, als die Chola-Dynastie die der Pallavas ablöste. Zwei in Stein gemeißelte Frauenfiguren in diesem Tempel sind einmalig in der Kunst der Tamilen. Entlang des Tempelsockels wurden Miniurtäfelchen von erstaunlicher handwerklicher Meisterschaft angebracht, die Geschichten aus dem *Ramayana* erzählen. Ein weiterer sehenswerter Tempel ist der Vishnu-Tempel von **Sarangapani**.

Unweit Kumbakonam liegt die Ortschaft **Swamimalai**, die wegen des **Subrahmanya-Tempel** bekannt ist. Aber sie zieht auch Kenner der indischen Kunst an, denn hier leben noch einige Künstlerfamilien, in denen man den traditionellen Bronzeguß pflegt. Die handwerklichen Fähigkeiten der Chola-Künstler, die hier vor rund 1000 Jahren wirkten, leben weiter in den geschickten Händen der Swamimalai-Kunsthandwerker. Man kann ihnen bei der Arbeit zusehen, und es ist sogar möglich, den Künstlern gleich ein paar kleine Bronzen abzukaufen.

5 km westlich von Kumbakonam liegt **Darasuram** (früher hieß es Rajarajapuram) mit einem Tempel aus dem 12. Jh. Dieser Shiva-Tempel gilt als das Meisterwerk seines Jahrhunderts und ist der Schönheit seiner Skulpturen wegen unbedingt einen Besuch wert.

Rechts: Tempelaufgang im Brihadesvara-Tempel, Tanjore.

Tanjore

Tanjore (Thanjavur) legt Zeugnis ab vom Glanz und der Blütezeit der Chola-Herrscher. All ihre Leistungen auf dem Gebiet der Verwaltung, der Architektur, der Künste und der Philosophie manifestieren sich im **Brihadesvara-Tempel** (im Jahr 1000 n. Chr. von Rajaraja Chola erbaut). Möglicherweise ist er der großartigste Tempel, der jemals in Indien errichtet wurde.

Die Anlage besticht durch Kühnheit der Konzeption, perfekte Symmetrie und handwerkliche Vollendung. Der pyramidenförmige Turm im Zentrum der Anlage erreicht eine Höhe von 70 Metern und strahlt eine majestätische Würde aus, die von der visionären Kraft und der Frömmigkeit seines Erbauers, Rajaraja, zeugt. Die einzelnen Steinskulpturen, die für sich allein genommen eine wuchtige Größe erreichen, erscheinen, verglichen mit dem gewaltigen Gesamtbauwerk, wie winzige Teile.

Die Innenwände des Sanktums sind mit wunderschönen Fresken aus der Epoche der Cholas versehen, auf ihnen sind die Inkarnationen Shivas und Szenen aus dem Leben verschiedener Mystiker abgebildet. Die erhaltenen Malereien beweisen die Meisterschaft der Chola-Künstler, erhabene Gefühle und feinste Bewegungen malerisch umzusetzen. An den Innenwänden der ersten Etage des Sanktums werden 108 Tanzpositionen, ausgeführt von Shiva und in den Bharata-Abhandlungen tiefergehend erklärt, dargestellt. Im Inneren des Turmes ist es atemberaubend zu sehen, wie der Raum genutzt wurde und wie geometrisch perfekt gebaut worden ist. Der begnadete Architekt, der dieses majestätische Bauwerk entworfen und bei dessen Errichtung mitgeholfen hat, war Rajaraja Perum Taccan. Er wird in verschiedenen Inschriften immer wieder erwähnt.

Im Sanktum befindet sich unweit des Hauptgebäudes ein großes *linga*. Die ur-

sprünglich zweigeschossige Eingangshalle scheint in den nachfolgenden Jahrhunderten beschädigt worden zu sein, denn im 17. Jh. wurde sie erneuert. Der große Nandi (Bulle), der in einem Säulenpavillon steht, entstand ebenfalls im 17. Jh. Die beiden Eingangstürme sind entschieden kleiner als der Sanktums-Turm, und auch sie tragen den Namen Rajarajas, der für ihren Bau verantwortlich zeichnete.

Es gibt in ganz Indien keinen anderen Tempel, der mehr Inschriften seines Gründers aufweist als dieser. In schönster tamilischer Schrift sind sie in Wände und Säulen eingraviert. Die Namen der Bauherren sind ebenfalls aufgelistet, und auch die Mitglieder der königlichen Familien werden genannt. Überdies erlauben die Inschriften einen Einblick in die Verwaltung der Tempelanlagen, in die rituellen Bräuche und Feste. Es ist genau bekannt, wie viele Sänger, Musikanten, Schauspieler und der Tänzerinnen, deren Tanz ein Bestandteil des Tempelrituals war, dort beschäftigt waren. Die über 100

Bronzeskulpturen, die Rajaraja und andere dem Tempel stifteten, können heute leider nicht mehr besichtigt werden; nur eine Bronzefigur Natarajas ist erhalten geblieben. Versäumen Sie nicht, einen Blick darauf zu werfen. Die Figur steht in einem Schrein nördlich des Eingangs.

Tanjore hat noch zwei weitere Sehenswürdigkeiten: die **Tanjore Art Gallery**, die über 100 Chola-Bronzen von hohem Wert ausstellt, darunter den weltbekannten Vrishavahana Shiva und seine Gefährtin Parvati und die **Sarasvati Mahal Library** mit einer Sammlung seltener Palmblattmanuskripte und illustrierter Bücher. Beide Einrichtungen sind im **Palast** untergebracht, der von den Nayaks im 16. und 17. Jh. erbaut und in der Folgezeit von den Maratha-Herrschern vergrößert wurde. Die Malereischule der Marathen, an der die Künstler in die sogenannte Tanjore-Malerei eingewiesen wurden, existiert heute noch. Tanjore ist außerdem durch die Herstellung von Musikinstrumenten bekannt. Die *veena*, ein Saiteninstrument, das seit jeher von den

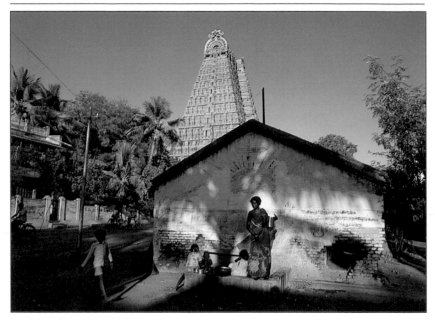

traditionellen Kunsthandwerkern der Stadt hergestellt wird, ist sehr gefragt.

Die Küste entlang

Die Küstenstraße südlich von Chidambaram führt durch traditionsreiche Ortschaften. In **Sirkali**, der Geburtsstadt des shivaitischen Heiligen Sambandar, steht ein großer, Shiva geweihter Tempel.

Ein Stück weiter die Straße entlang kommt man in die Hafenstadt **Poompuhar**, wo der Kaveri ins Meer mündet. Dieser alte und wichtige internationale Hafen wurde in den abendländischen karthographischen Aufzeichnungen des 1. Jh. n. Chr. *Kaberis Emporium* (Handelsplatz) genannt; zu dieser Zeit lebte hier eine Kolonie römischer Griechen. Poompuhar wurde später zu einem buddhistischen Glaubenszentrum, das häufig von Mönchen aus dem Fernen Osten besucht wurde. Zwei Kilometer außerhalb der Stadt liegt **Tiruvenkadu**, ein Schwerpunkt der Bronzekunst, in dem über 30 Bronzen aus der Chola-Epoche erhalten geblieben sind.

Weiter im Süden liegen **Karaikal**, eine ehemals französische Siedlung, sowie **Tranquebar**, in der die Dänisch-Ostindische Handelsgesellschaft 1620 die Burg **Danesborg Castle** erbaut hat, nach einer Übereinkunft zwischen dem König von Dänemark, Christian IV., und dem König von Tanjore, Raghunatha Nayak. Danesborg Castle, sowie der alte, von den Dänen erbaute Stadtkern, sind in recht ursprünglicher Form erhalten geblieben. Die dänische Siedlung **Nagapattinam** war vormals ebenfalls ein bedeutendes buddhistisches Zentrum. Nicht weit entfernt davon liegen **Nagore**, wo man ein islamisches Heiligtum besuchen kann, und **Velankanni**, eine christliche Siedlung.

Tiruvarur liegt 24 km von Nagapattinam entfernt weiter im Inland. Der dorti-

Oben: Reich verzierter Gopuram im Srirangam-Tempel, Tiruchirappalli. Rechts: Pferdehalle im Srirangam-Tempel.

ge **Shiva-Tempel** gehört mit zu den größten Tempelkomplexen Südindiens. Die 1000-Säulen-Halle hier hat nur 807 Säulen. Die „musikalische Dreieinigkeit", drei berühmte indische Musiker des 18. und 19. Jh., die als die Väter der modernen klassischen Musik bezeichnet werden, stammen von hier.

Tiruchirappalli

Tiruchirappalli, kurz Trichy genannt, liegt 55 km westlich von Tanjore. In der lebhaften Altstadt hat sich noch ein fast dörfliches Flair erhalten können; man findet farbenfrohe Basarstraßen, z. B. den Diamond Bazar, den China Bazar und den Big Bazar. Die katholische **St. Joseph's College Church** ist eine Mini-Version der Basilika von Lourdes, mit einem schönen Sandelholzaltar. Das **Rock Fort** wurde etwa um 1660 auf einem 84 m hohen Hügel erbaut. Man kann ihn über 437 in den Felsen gehauene Stufen erklimmen. Auf dem Weg nach oben passiert man den **Tayumanasvami-Tempel**, der Shiva geweiht ist und aus dem 17. Jh. stammt.

Ein Stück weiter oben liegt ein **Höhlentempel** aus dem 7. Jh. mit interessanten Skulpturen, den der Pallava-Herrscher Mahendra I. erbauen ließ. Er geriet einst vor Begeisterung völlig außer sich, als er die Spitze des Hügels erreicht hatte und vor sich die Flußschleifen der Kaveri mit ihrem klaren Wasser liegen sah, dessen Ufer bewachsen waren mit Blumengärten und gesäumt von Kokospalmen. Der **Vinayaka-Tempel** auf dem Gipfel des Hügels besitzt einen Schrein des Elefantengotts Ganesh.

Von hier aus sieht man den **Raghanatha-Tempel** von **Srirangam**, das größte Vishnu-Heiligtum in Südindien, das 3 km nördlich auf einer kleinen Insel zwischen Kaveri und Kollidam liegt. Einer Legende nach wurde dieser Tempel bereits im Zeitalter der großen indischen Epen erbaut. Ramanuja, ein vishnuitischer Heiliger, starb hier; seitdem wird dieser Tempel mit ihm in Verbindung gebracht. Der Komplex stellt eine regelrechte Tempel-

stadt dar, in der innerhalb von sieben konzentrischen Mauern sieben Höfe liegen. Die 21 *gopurams* werden nach außen hin immer höher. Der Bau des äußersten, 73(!) m hohen Torturms an der Südseite wurde erst 1987 fertiggestellt.

In der **1000-Säulen-Halle** im vierten Hof werden die 4000 vishnuitischen Verse der heiligen Sänger des Mittelalters rezitiert, begleitet von anmutigen Tänzen, die von den sogenannten Arayars aufgeführt werden.

Der gegenüberliegende **Horse Court** (Pferdehalle) ist eine besondere Meisterleistung der Bildhauer- und Baukunst. Die Skulpturen an den Säulen variieren das Thema von Reitern auf sich aufbäumenden Pferden. Doch stehen dieser Leistung die wunderschönen Skulpturen in den Nischen des älteren Krishna-Heiligtums im selben Hof in keinerlei Hinsicht nach. Hier wird im Dezember auch das *Vaikunta-Ekadasi*-Fest gefeiert.

Oben: Verschwenderisch gestaltete Gopuram-Türme des Minakshi-Tempels in Madu-

Madurai

In **Madurai** steht der berühmte **Minakshi-Tempel**, ein klassisches Beispiel der südindischen Tempelstädte. Seit über 2000 Jahren blüht hier das religiöse Leben, und der Tempel wird von großen Pilgerscharen besucht. Man nimmt an, daß um 300 v. Chr. die erste der drei Sangams, der berühmten Dichterschulen, gegründet wurde. Der dritte Sangam, dessen Gedichte erhalten blieben, existierte bis zum 3. Jh. n. Chr. Madurai war die Hauptstadt der Pandyas, die die tamilische Kultur förderten. Die Stadt wurde anfangs von den Pandyas, anschließend von den Cholas und letztlich wieder von den Pandyas bis zum 14. Jh. regiert. Danach fiel sie in die Hände der Moslems, woraufhin das hinduistische Königreich für etwa 70 Jahre verschwand, bis es dann von den Vijayanagar-Herrschern wiederhergestellt wurde. Vom 16. bis zum 18. Jh. regierte die Nayak-Dynastie, ehemalige Gouverneure der Vijayanagar-Könige, das Gebiet um Madurai. Nach dem Selbstmord

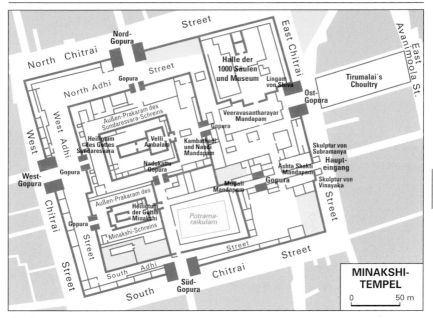

Halle der 1000 Säulen und Museum

Lingam von Shiva

Tirumalai's Choultry

Nord-Gopura

Gopura

North Chitrai   Street

North Adhi   Street

Außen-Prakaram des Sundaresvara-Schreins

Heiligtum des Gottes Sundaresvara

Velli Ambalam

Kambathadi und Nandi Mandapam

Veeravasantharayar Mandapam

Gopura

Ost-Gopura

Nadukattu Gopura

Skulptur von Subramanya

Haupt-eingang

Ashta Shakti Mandapam

Skulptur von Vinayaka

West-Gopura

Gopura

Außen-Prakaram des

Heiligtum der Göttin Minakshi

Minakshi-Schreins

Modell Mandapam

Gopura

Potrama-raikulam

Gopura

South   Adhi

South   Chitrai

Street

Street

Süd-Gopura

Tamil Nadu

MINAKSHI-TEMPEL

0   50 m

der letzten Herrscherin Minakshi 1739 wurde das Reich durch Thronfolgestreitigkeiten geschwächt und fiel 1781 an die Briten.

Das zentrale Heiligtum des Gottes Sundaresvara (Shiva) sowie das der Göttin Minakshi wurden vom ersten Nayak-Herrscher im 16. Jh. errichtet. später fügte sein Enkel viele Gebäude hinzu, unter anderem die beachtenswerte 1000-Säulen-Halle mit kunstvollen Skulpturen von Reitern, Göttern und Helden der Hindu-Epen. Auch die meisten der großen, eindrucksvollen Eingangstürme wurden in dieser Epoche errichtet. An jeder der vier Seiten des Tempels steht solch ein *gopuram*, überreich verziert mit steinernen Skulpturen. Der imposanteste ist der südliche Torturm mit rund 50 m Höhe und neun Stockwerken, der von einer Fülle mythologischer Figuren aus dem Pantheon des Hinduismus bestückt ist. In nur 100 Jahren, von 1550 bis 1650, wuchs die Tempelanlage zu ihrer heutigen Größe heran.Die heilige Zisterne des Tempels, die goldene Lotus-Zisterne, wird von den Hindus hoch verehrt. Innerhalb der Anlage befindet sich ein Devotionalien-Basar, wo Blumengirlanden sowie Bilder von Göttern und Göttinnen verkauft werden. Die ganze Stadt ist auf den Tempel ausgerichtet, und das Leben der Einwohner kreist mehr oder weniger um die Göttin Minakshi.

Von 1623 bis 1659 regierte der bekannteste Herrscher der Nayak-Dynastie, Tirumalai Nayak. Er ließ sich einen herrlichen Palast bauen, der im 19. Jh. restauriert wurde. Den Thronsaal überwölbt eine Kuppel von 20 m Durchmesser. In der Tanzhalle findet man schöne Skulpturen. Nayak rief neue Feste ins Leben, unter andem das *Chitrai*-Fest, das noch heute jedes Jahr im April/Mai gefeiert wird. Es erinnert an die Göttin Minakshi, die drei Brüste hatte. Nach einer Prophezeiung sollte die dritte verschwinden, wenn die Göttin den ihr bestimmten Mann treffen würde. Sie begegnete Shiva, das Wunder geschah, und in Madurai fand die Hochzeit mit Sundaresvara, dem „Herrn der Schönen", statt.

In der nahe gelegenen Ortschaft **Ti-rupparankundram** führte Tirumalai Nayak ein neues Ritual der Anbetung in dem Subrahmanya geweihten Tempel ein. Von gleich großer Bedeutung ist sein Beitrag zum Vishnu-Tempel von Alagar-koil. Er veranstaltete einst ein prächtiges Fest für den Gott Alagar am Vollmondtag des Aprils, bei dem das Götterbild in einer Prozession nach Madurai gebracht wurde. Dieses Fest wird auch heute noch gefeiert, wobei sich die Menschen in farbenprächtige Kostüme des 17. Jh. kleiden.

Rameswaram und Kanniyakumari

Rameswaram liegt auf einer Insel im Golf von Mannar. Angeblich verdankt es seinen Namen dem Gott Rama, der ein aus Sand geschaffenes *linga* weihte, um für seinen Mord an Ravana zu büßen. Von

Oben: In Kanniyakumari (oder Cape Como-rin), dem südlichsten Punkt Indiens.

der Pracht des **Rameswaram-Tempels** zeugen die bis zu einen Kilometer langen Säulengänge, die im 17. Jh. von den Set-hupatis angelegt wurden. Seit der Sikh-Guru Govind Singh den Tempel besuchte, ist er auch zum Wallfahrtsort für Sikh-Gläubige geworden.

Weiter südlich liegt **Kanniyakumari** (**Cape Comorin**), an dem das Arabische Meer, der Golf von Bengalen und der Indische Ozean aufeinandertreffen. An dieser äußersten Spitze des Subkontinents sind die Sonnenauf- und -untergänge ein überwältigendes Erlebnis; Viele Pilger, die die jungfräuliche Göttin Kanniyaku-mari verehren, kommen zum **Kanniya-kumari-Tempel** (Zutritt nur für Hindus). Die Gedenkstätte **Gandhi Mandapa** markiert die Stelle, an der Gandhis Asche von Verehrern besucht wurde, ehe man sie ins Meer streute. An Gandhis Geburtstag (2. Oktober) scheint die Sonne genau um 12 Uhr mittags auf das Denkmal. 400 m weit im Meer steht auf dem Vivekananda-Felsen das **Vivekananda-Denkmal**.

MAMALLAPURAM (☎ 04113)

i Tamil Nadu Tourism, E Raja St.
Nächster Flughafen ist Madras; zahlreiche Busse fahren von dort nach Mamallapuram.
Fisherman's Cove, Covelong Rd. (8 km nördl.), Tel. 44304, knapp 10 Km von den Sehenswürdigkeiten entfernt, Cottages schöner als die Zimmer.
Temple Bay Ashok, Tel. 42251, gute Lage, aber etwas heruntergekommen. **Ideal Beach Resort**, Covelong Rd. 3 1/2 km nördl.,Cottages, Pool, Tel. 42240.
Golden Sun, Covelong Rd. (3 km nördl.), Tel. 42245, einfach, ordentlich. **Sea Breeze**, Tel. 43035, gute Lage direkt am Strand, ordentliche Zimmer. **Ramakrishna Lodge**, 8 Ottaivadai St., gutes Preis-/Leistungsverhältnis. **Mamala Bhavan Annexe**, 104 East Raja Rd., Tel. 42260, gut und preiswert.

KANCHIPURAM (☎ 04112)

Baboo Soorya, 85 E Raja St., Tel. 22555, freundlich, gutes Preis-/Leistungsverhältnis, Restaurant. **Sri Rama Lodge**, 20 Nellukkara St., Tel. 22435/6, mit gutem veg. Restaurant. **Sri Vela**, Railway Station Rd., sauber, gut. **Rajas Lodge**, Nellukara St., zentral, mit Atmosphäre. **Shri Krishna Lodge**, 68-A Nellukara St., Tel. 22831, sauber, hilfsbereites Personal.

PONDICHERRY (☎ 0413)

i Pondicherry Tourism, Goubert Salai, Tel. 23590. **Ashram Reception Service**, Rue de la Marine, Tel. 24836.
Anandha Inn, Tel. 30711, Fax 31241, modern, bestes Hotel. **Pondicherry Ashok**, Chinnakalapet, Tel. 65160-8, am Strand außerhalb gelegen.
Youth Hostel, Solaithandavan Kuppam, Tel. 23495. **Tourist Home**, Uppalam Rd., Tel. 26376. Zum **Aurobindo Ashram** gehören folgende gute Guest Houses (rauch- und alkoholfrei): **Seaside Guest House**, 10 Goubert Ave., Tel. 36494; **Ajantha Guest House**, 22 Goubert Salai, Tel. 38898, empfehlenswert; **Park Guest House**, Goubert Salai., Tel. 34412.
Pondicherry Museum, südl. vom Govt. Park, 10.00-17.00 Uhr, Mo und an staatl. Feiertagen geschl. **Bharati Museum**, 20 Esaran Koil St. **Aurobindo Ashram**, Marine St., 8.00-12.00, 14.00-18.00.
General Hospital, Rue Victor Simone.

CHIDAMBARAM (☎ 04144)

Afsun Plaza, 2 VGP St., Tel. 23312, neu.
Saradharam, 19 V.G.P. St., Chidambaram, Tel. 22966.

TANJORE (☎ 04362)

Parisutham, 55 Grand Anicut Canal Rd., Tel. 31801, gut, schöner Garten mit Pool, empfehlenswert.

Sangam, Trichy Rd., Tel. 25151, Pool. **Oriental Towers**, 2889 South Pillai Rd., Tel. 30725, modernes Businesshotel, Pool, Supermarkt im Untergeschoß.
Raja Guest House, Gandhiji Rd., Tel. 30365.

TIRUCHIRAPALLI (☎ 0431)

Sangam, Collector's Office Rd., Tel. 464700. **Jenney's Residency**, Macdonald's Rd., Tel. 461301. **Anand**,1 VOC Rd., Tel. 415545, gutes veg. Rest.

MADURAI (☎ 0425)

i Tourist Office, W Veli St., Tel. 34757, Schalter auch am Bahnhof und am Flughafen.
Flüge nach Madras und Trichy, regelmäßige Verbindungen mit Bahn und Bus zu den größeren Städten.
Taj Garden Retreat, Pasumalai Hills (6 km), Tel. 601020. **Pandiyan**, Race Course Rd., Tel. 537090. **Madurai Ashok**, Alagarkoil Rd., Tel. 537531. **Supreme**, 110 W Perumal St., Tel. 742637. **Tamil Nadu Star**, Alagarkoil Rd., Tel. 46461. **Hotel Ranson**, 9 Perimal Tank Street, Tel. 740407. **YMCA**, Dindigul Rd., Tel. 33649. **YWCA**, Vallabhai Rd., Tel. 24763.
Temple Museum, Minakshi Temple, 9.00-17.00 Uhr. **Gandhi Museum**, alter Palast von Rani Mangammal, 10.00-13.00; 14.00-17.30 Uhr, Fr geschl. **Thirumalai Nayak Palace Museum**, 9.00-13.00; 14.00-17.00 Uhr, Fr geschl.
Christian Mission Hospital, E Veli St. **Grace Kennet Foundation Hospital**, 34 Kennet Rd.

RAMESWARAM (☎ 04573)

Tamil Nadu, Tel. 21077. **Maharaja**, 7 Middle St., Tel. 21271.

KODAIKANAL (☎ 04542)

Carlton, Lake Rd., Tel. 40071. **Kodai International**, Laws Ghat Rd., Tel. 40649. **Sterling Lake View**, 44 Gymkhana Rd., Tel. 40313. **Sornam Apartments**, Fernhill Rd., Tel. 40731.
Sri Bala, Club Rd. nahe Hilltop Tower, hübsche Anlage. **Tamil Nadu**, Fernhill Rd., Tel. 41336, mit **Youth Hostel**.
Thyagaraja Music Festival (Jan) in Thanjavur. Erntefest *Pongal* (Jan) in ländlichen Gegenden mit Stierkämpfen und Ochsenwagen-Rennen. *Float Festival* (Jan/Feb) in Madurai; die Götter des Minakshi-Tempels werden über Wasser gefahren. *Masai Magam* (Feb/März, in Pondicherry). *Arupathumoovar-Fest*, im Kapalisvara-Tempel, Mylapore (März). *Chitrai* (April/Mai) in Madurai. 10 Tage lang wird die Hochzeit von Minakshi gefeiert. Festival *Our Lady of Health* (Aug-Sept, in Velankanni).

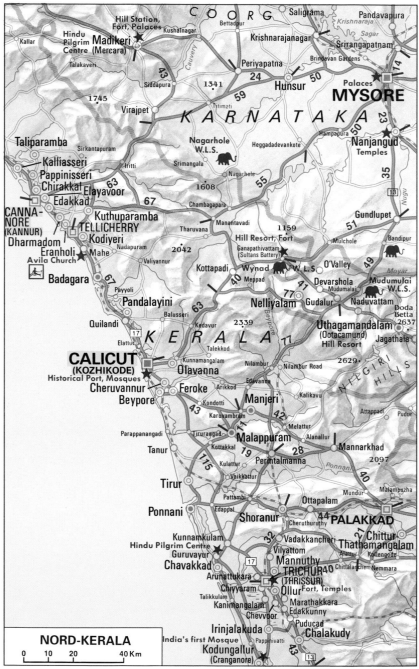

NORD-KERALA

0   10   20   40 Km

DAS FEST
DES LEBENS

KERALA
COCHIN

Kerala

KERALA

Kerala ist ein Erlebnis. In diesem kleinsten südindischen Unionsstaat leben auf einem schmalen Landstreifen zwischen den West-Ghats und der Küste des Arabischen Meeres 30,2 Millionen Menschen auf einer Fläche von 38 900 km², was einer Bevölkerungsdichte von 776 Einwohnern pro km² entspricht.

Kerala liegt wie ein Bananenblatt auf der südwestlichen Seite des indischen Subkontinents, wo der Monsun, der Anfang Juni einsetzt, für drei Monate das Leben lähmt. Das moderne Kerala wurde 1956 ins Leben gerufen, als die Grenzen der Unionsstaaten, unter Berücksichtigung der Sprachgrenzen, neu festgelegt wurden. Die Sprache Keralas ist das Malayalam.

Nach dem Monsunregen erblüht alljährlich das Leben auf der roten Erde Keralas, während seine 44 Flüsse das Land, das reich an Reisfeldern, Bananenplantagen, Kokosnuß- und Betelnußpalmen ist, durchströmen. Im nebligen Hochland erstrecken sich fast unübersehbar die Kautschuk-, Tee- und Kaffeeplantagen über die Hügel.

Vorherige Seiten: Fischer an der Küste von Kerala (Kovalam).

Überall im Land findet man eine wie Weinreben wachsende Pflanze mit kleinen grünen Früchten, die einen scharfen Geschmack haben: Pfeffer! Wegen des Pfefferhandels wurde Kerala bereits frühzeitig in alten geographischen Karten eingezeichnet.

Den Regenmonaten folgen die Monate des Feierns. Das wichtigste Fest ist das *Onam* in den Monaten August und September. Kinder sammeln wilde Blumen, mit denen die Frauen Teppiche gestalten. Am zehnten Tag des *Onam* werden die Arbeiten abgeschlossen und mit einem großen Fest gefeiert. In der Regel beginnen alle Feste in Kerala mit einem rituellen Bad und enden mit dem eigentlichen Fest. Am Schlußtag des *Onam* grüßen die Einwohner Keralas ihre mythischen Herrscher mit Tapferkeitsbeweisen und Bootsrennen, bei denen die Bewohner verschiedener Dörfer gegeneinander antreten. Die bekanntesten sind in **Aranmulla**, **Haripad** und **Alleppey**. Die Männer fahren in sogenannten Schlangenbooten und rudern im Takt der Rufe ihres Steuermanns; das Publikum, das die Flußufer säumt, treibt die Mannschaften lauthals an.

Es gibt aber auch Schauspiele, wie zum Beispiel das *kalaripayattu*, in dem die Kriegskunst der Männer Keralas vorgeführt wird, oder das *panthukali*, in dem

zwei gegnerische Mannschaften sich in einer Linie gegenüberstehen und einen Lederball hin- und herwerfen, der mit Kokosbast gefüllt ist.

Ganz im Gegensatz zu diesem in aller Öffentlichkeit gefeierten Fest steht das zweitwichtigste Fest Keralas, das *Vishu*, das zu Beginn der Aussaat im Februar zu Hause gefeiert wird. Anhand eines ausgeklügelten Rituals wird dabei das Schicksal für das kommende Jahr vorhergesagt.

Kerala ist trotz seiner üppiggrünen Landschaft und dieser religiösen Feste nicht nur ein Staat einfacher Bauern geblieben. Schon kurz nach seiner Gründung im Jahr 1957 sorgte es für Schlagzeilen in der Weltpresse, da es der erste Staat war, in dem eine Kommunistische Partei auf demokratischem Wege an die Regierung gelangte. Seither wurde sie mehrfach wiedergewählt oder auch abge-

Oben: Fresko im Mattancherry-Palast, das die Göttin Lakshmi darstellt. Rechts: Die meisten der Christen in Kerala sind fleißige Kirchgänger.

wählt, aber jedem Besucher Keralas fallen die vielen roten Fahnen auf, die wie Burgflaggen an den Ortseingängen wehen.

In den Städten Keralas sind sowohl die Prozessionen wie auch die politischen Massenveranstaltungen am lautesten und spektakulärsten von allen in Indien. Während einer politischen Demonstration sind alle mit ganzem Herzen dabei, die Demonstranten, die Zuschauer und sogar die Polizei, genauso wie bei Tempelprozessionen, den *padayani*, bei denen die prächtig ausstaffierte Statue der Göttin Bhagwati durch die Straßen getragen wird.

Die frühe Geschichte

Am Anfang unserer Zeitrechnung konnten sich in den südlichen Regionen des indischen Subkontinents die Königreiche der Cheras, der Cholas und der Pandyas etablieren. Obwohl sich die Grenzen häufig änderten, kann man sagen, daß die Cheras in etwa das Gebiet

des heutigen Kerala beherrschten. Durch die stark untergliederte geographische Beschaffenheit gab es dort zumeist Kleinstaaten, die ihre Basis an der Küste hatten und vom Handel zwischen den Ausländern, darunter römische Kaufleute, und ihrem Hinterland lebten.

Seit der Zeit der Cheras begannen die ursprünglichen Stammesfürstentümer, vedenkundige Brahmanen aus Nordindien einzuladen und orientierten sich nun zunehmend am hinduistischen Wertesystem. Das Kastensystem faßte Fuß, und in Kerala entstand eine sehr dominante Brahmanenkaste, die *namboodris*. Sie stellen auch heute noch die höchste Brahmanenkaste dar.

Die Nairs, die rituell zweithöchste Bevölkerungsgruppe, zählten bereits zur niedrigen Shudra-Kaste und waren Krieger und Bauern. Die Ezhavas, die als Unberührbare gelten und wahrscheinlich aus Sri Lanka kamen, waren Kleinbauern.

Das in Kerala praktizierte Kastensystem weicht also stark von dem in den Sanskrittexten vorgeschriebenen System

ab; außer den Brahmanen finden sich fast keine oberen Kasten. Die Namboodris hielten ihre durch die Schenkung von Landbestiz einmal erworbene Position durch strenge Erbregelung, bei der der Besitz keinesfalls geteilt werden durfte. Auch die später zahlreich zugewanderten tamilischen Brahmanen konnten deren Position nicht erreichen.

Das Christentum

Südindien kam schon im 1. Jh. mit dem Christentum in Berührung. Einer Überlieferung nach kam der heilige Thomas im Jahr 52 n. Chr. nach Indien und gründete dort sieben Kirchen, alle in wichtigen Hafenstädten gelegen. Tatsächlich geht die erste Christianisierung Keralas wahrscheinlich auf die Syrischen Christen, Anhänger des antiken westasiatischen Christentums, zurück, die um das 4. Jh. als Händler kamen. Diese wurden als Händlerkaste in die Gesellschaft eingegliedert und gingen eine überaus enge Bindung mit dem Hinduismus ein. Sie se-

hen sich selbst als die Brahmanen unter den Christen, die portugiesischen Katholiken konnten einen solchen Status nie erreichen.

Der Islam

Die Araber kontrollierten die Schiffahrtswege nach Indien bis zur Ankunft der Portugiesen. Sie waren die ersten, die die Monsunwinde so zu nutzen wußten, daß sie in kürzester Zeit mit ihren seetüchtigen *dhaus* die berühmte Küste der Gewürze erreichten. Die Araber kamen in friedlicher Absicht, sie wollten nur Handel treiben. Die zwangsweise Islamisierung fand fast nur in Nordindien, im Verband mit den Eroberungen der Sultane, statt.

Im Jahr 664 n. Chr. kamen zwei Führer der Moslems nach **Cranganore** (heute wieder wie früher **Kodungallur** genannt), zusammen mit einigen Handwerkern und ihren Familien, die in Kerala willkommen geheißen wurden. So entstand auch die erste Moschee in Cranganore, der schon bald andere nachfolgten.

Die ältesten Moscheen Keralas sind kaum von den Tempeln zu unterscheiden. Sie haben ebenso leicht geneigte Dächer und Giebel und unterscheiden sich nur dadurch, daß die Skulpturen durch stilisierte Blumen und eine geometrisch strenge Ornamentik ersetzt wurden. Ein hervorragendes Beispiel, bei dem sich die strenge Eleganz der islamischen mit der Überschwenglichkeit der Baukunst von Kerala verbindet, ist **Muchchandipalli** in **Calicut**.

Die Juden

Die erste jüdische Gemeinde kam vor etwa 2000 Jahren nach Indien, ließ sich in Cranganore nieder und blieb dort unbehelligt – bis zur Ankunft der Portugiesen. Die Araber sahen ihr Monopol im Pfef-

Oben: Bei der Arbeit auf dem Baum des Lebens. Rechts: Jüdischer Gewürzhändler in Cochin. Ganz rechts: Synagoge in Cochin.

ferhandel nun von allen Seiten bedroht. Da sich die Juden darüber beklagten, die Araber würden ihre Pfefferexporte verfälschen, nahmen es diese zum Anlaß, einige Mitglieder der jüdischen Gemeinde zu massakrieren und auch noch deren Besitztümer zu plündern. Just zu dem Zeitpunkt hatte der Raja von Cochin den Juden etwas Land seines Herrschaftsgebietes abgegeben, das aber unglücklicherweise dicht neben den Niederlassungen der Portugiesen lag, die keine Gelegenheit ausließen, die Juden ebenfalls zu verfolgen.

Die Portugiesen

Es existieren zahlreiche historische Zeugnisse, daß der Fürst (*Zamorin*) von Calicut den portugiesischen Entdecker Vasco da Gama empfing, als dieser zum ersten Mal im Jahr 1498 indischen Boden betrat. Die Portugiesen ersuchten um die Erlaubnis, eine Handelsniederlassung gründen zu dürfen, und baten um Handelsrechte für – natürlich – den Pfeffer,

um dessentwillen sie die weite Reise um das Kap der Guten Hoffnung angetreten hatten. Doch traute weder der Zamorin den Portugiesen, noch trauten sie ihm, woraufhin sie mit derselben Bitte bei dem Fürsten von Cannanore vorstellig wurden. Da der ebenfalls nicht gut auf den Zamorin zu sprechen war, kam er ihnen weit entgegen, und Vasco da Gama konnte schließlich mit einer Gewürz-Fracht nach Hause segeln, deren Wert die Kosten der Reise um das Sechzigfache überstieg.

Zwei Jahre später landete Pedro Alvarez Cabral in Indien, erreichte als erstes Calicut und segelte dann tiefer in den Süden nach Cochin, wo er den Raja von Cochin gegen die Oberherrschaft des Zamorin von Calicut zürnen sah. Wiederum zwei Jahre später hatte es Vasco da Gama geschafft, das Handelsmonopol für Pfeffer in portugiesische Hände zu bekommen: Mittlerweile war mit dem Bau einer Festung in Cochin begonnen worden, das die nächsten 450 Jahre von der fremden Macht regiert werden sollte.

Zu Beginn der Kämpfe des Zamorin gegen die Portugiesen stand der islamische Admiral Kunjali Maraikar an seiner Seite, dessen Name zu einer Bezeichnung für alle Admirale wurde. Zwei Jahrzehnte lang lieferten sich die Kunjali Maraikars auf dem Indischen Ozean schwere Seegefechte mit den Portugiesen, doch mußte der Zamorin schließlich kapitulieren. Die Legenden von den Maraikars leben noch heute in den Liedern der Fischer fort, wenn sie singend in See stechen.

Die Anwesenheit der Portugiesen beeinflußte das gesellschaftliche Gefüge in vielen Regionen Keralas. Noch heute kann man das portugiesische Erbe in den kleinen Dingen des Alltags entdecken. Die Portugiesen brachten die Cashewnuß nach Kerala und Früchte wie Guave, Zimtapfel und Papaya. Sie haben auch den Pfefferanbau auf wissenschaftlicher Grundlage verbessert und den kommerziellen Anbau und die Nutzung der Kokospalmen ausgeweitet, indem sie den Bedarf an Kokosmatten förderten.

Die Portugiesen bauten zwar viele Kirchen in ganz Kerala, doch gelang es ihnen nicht, die hinduistischen und syrisch-christlichen Bewohner Keralas zum Übertritt in den strengen Katholizismus römischer Prägung zu bekehren. Zu Beginn des 17. Jh.versuchten die Portugiesen, die orthodoxe Kirche zu reformieren und Latein in die Liturgie einzuführen, als sich unter den Christen in Mattancherry das Gerücht ausbreitete, daß der syrische Patriarch gewaltsam in Madras inhaftiert worden sei, was zu einer Massenrevolte führte. Mit den Holländern, die später die Portugiesen als Kolonialherren ablösten, kam auch der Protestantismus nach Kerala. Ihnen folgten die Engländer. Heute sind immerhin 24 Prozent der Bevölkerung Keralas Christen.

Das moderne Kerala

Als der heutige Unionsstaat gegründet wurde, setzte Kerala sich aus einzelnen

Oben: Leuchtendes Rot in Kerala, der Bastion des Kommunismus in Indien.

Fürstentümern und Provinzen zusammen. Im Norden des Landes lag Malabar, ein Teil der britischen Provinz Madras, in deren Mittelpunkt Cochin stand. Weiter südlich befand sich der wichtige Staat Travancore, der sich bis zur Südspitze des Subkontinents, bis Cape Comorin, erstreckte. Das „Hauptquartier" der Herrscher von Travancore war der heutige **Padmanabhapuram-Palast**. Die ehemaligen britischen Vorposten – die Festungen Cochin und Anjengo – wurden schrittweise integriert, während Mahe, ein winziges französisches Protektorat, ein Teil des französischen Pondicherry wurde, das heute allerdings zu den sogenannten Unionsterritorien gehört.

Zur Hauptstadt Keralas wurde **Trivandrum** gemacht. **Cochin** mit seinem natürlichen Hafen wurde das Haupthandelszentrum, **Ernakulam** auf dem Festland wurde als notwendige wirtschaftliche Stütze kurzerhand eingemeindet. Die Häfen der Antike, in denen die Schiffe mit Teakholz, Elfenbein, Gold und Pfauenfedern für König Salomon oder mit Gewürzen für die Ägypter und später mit Pfeffer für das alte Rom beladen wurden, existieren immer noch. In Kerala wird seit damals bis zu 40 Prozent der Weltpfefferproduktion angebaut.

Cannanore (neuerdings Kannur) und **Calicut** (heute Khozikode; von hier stammt der Kattun) sind die Standorte der baumwollverarbeitenden Industrie, die hier hergestellten Textilien werden in alle Welt verschickt. **Alleppey** ist wegen seiner Kokosfasern bekannt, **Quilon**, ein ebenfalls alter Hafen, für seine Cashewnüsse, während das im Inland liegende **Kottayam** ein Zentrum für Kautschuk, Teakholz, Tee und Kaffee ist. **Palghat** (neuerdings Palakkad), ein malerisches Städtchen, das in den West-Ghats liegt, wird sinnigerweise als „Reistopf Keralas" bezeichnet. Und im nebligen Hochland der West-Ghats liegen die Teeplantagen von **Munnar**, **Peermade** und **Wynad**.

Berühmte Tempelstädte sind **Trichur**, **Guruvayur**, **Vaikom** und **Kodungallur**, wo sehr häufig Hinweisschilder darauf aufmerksam machen, daß der Zugang nur Hindus erlaubt ist. Daneben bietet Kerala dem Besucher Bergstationen und Tierschutzgebiete wie **Thekkady**, **Ponmudi**, **Malampuzha Dam** und **Idukki**. Es hat eine lange Küstenlinie und kann mit einigen schönen Stränden aufwarten. Der bekannteste ist der bei Rucksackreisenden beliebte Strand von **Kovalam**.

Kerala kann auf eine lange Tradition in Tanz und Theater zurückblicken. Eine besondere Form des hiesigen Tanzdramas ist der *kathakali*. Kerala hat auch einige ungewöhnliche Filmemacher und viele Dichter hervorgebracht – übrigens hat Kerala die höchste Alphabetisierungsrate Indiens. Mineralienvorkommen findet man in der ganzen Provinz. Die erste Fabrik, die aus Muschelschalen Zement herstellte, wurde in Kottayam gebaut. Kerala verfügt auch über eine Raffinerie und ein Atomkraftwerk.

COCHIN

Cochin (neuerdings Kochi) bietet dem Besucher alles, was Kerala so sehenswert macht, in konzentrierter Form. Am besten nimmt man den Service der Kerala Tourism Development Corporation (KTDC) in Anspruch, um sich ein Besuchsprogramm zusammenzustellen. So bietet die KTDC eine Bootsfahrt zwischen dem alten und dem neuen Cochin an, und auch **Bolgatty Island** wird angesteuert, wo die holländischen Kolonialherren sich im 17. Jh. niederließen. Ein weiterer Anlaufpunkt ist **Gundu Island**, wo Kokosmatten hergestellt werden. Der Hauptsitz des **Tourist Office** liegt unweit des **Malabar Hotels** auf **Willingdon Island**. Die Fahrt beginnt am Pier in **Ernakulam**, doch können Touristen auch am Pier von Willingdon zusteigen.

Das quirlige Leben in der **Festung Cochin** ist ansteckend. Der Geist der Portu-

Kerala

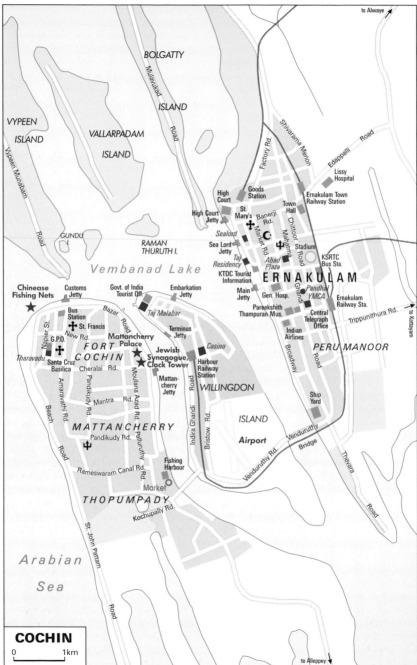

COCHIN

0   1km

giesen, der Holländer und der Briten weht noch immer durch die Gassen, zumal viele alte Gebäude der Kolonialherren erhalten geblieben sind, so auch die **St. Francis-Kirche**, wo im Jahr 1524 Vasco da Gama beigesetzt wurde. 14 Jahre später holte man zwar seine sterblichen Überreste nach Lissabon zurück, doch steht sein Grabstein noch immer an der Stelle, wo er begraben wurde. Diese älteste von Europäern gebaute Kirche auf indischem Boden war anfangs eine einfache Holzkirche, errichtet von Franziskaner-Mönchen, die zusammen mit Pedro Alvarez Cabral nach Indien kamen. Als die Portugiesen merkten, daß sie sich hier etablieren konnten, bauten sie die Kirche aus Stein neu. Fast ein Jahrhundert später verdrängten die Holländer die Portugiesen, und St. Francis wurde eine protestantische Kirche. Im Jahr 1795 wandelten die Briten sie in eine anglikanische Kirche um. Besuchern wird heute demonstriert, wie früher außerhalb der Kirche sitzende Diener die *punkahs* (von der Decke hängende Fächer) von Hand bedienten, damit die Gläubigen nicht durch zu große Hitze vom Gottesdienst abgelenkt wurden. Auch einen Besuch der **Santa Cruz-Basilika** sollte man nicht versäumen.

Die Frühfähre macht Halt in **Mattancherry**, das unter den Seeleuten bekannt ist für die „Mattancherry Mamas" und berühmt für seinen Palast, der einige kleine Meisterwerke der Wandmalerei zu bieten hat. Der massive **Mattancherry Palace** ist zwei Stockwerke hoch, hat ein solides, rechteckiges Schrägdach ganz im Stil der Holländer, die nicht wie die Portugiesen über den einzelnen Zimmern Dächer bauten, und wird deshalb auch **Dutch Palace** genannt. Ursprünglich hatten ihn die Portugiesen gebaut, als Friedensangebot an den Raja von Cochin, dessen Palast sie zerstört hatten. Später erhielt er allerdings von den Holländern ein neues Gesicht. Teile des Palastes dienen heute einem **Museum** als Ausstellungsraum für Kleider und andere Gegenstände, unter anderem für den *palankin*, den Tragsessel der Rajas.

Die privaten Gemächer sind mit einmlig schönen Fresken verziert, im farblich feinfühligen, detailreichen typischen Kerala-Stil. Abgebildet sind Szenen aus dem *Mahabharata* und dem *Ramayana*, die in der üppigen Landschaft Keralas spielen.

Vom Dutch Palace ist es nur ein Katzensprung ins **Judenviertel**, doch ändert sich dort schlagartig die Atmosphäre: Alles wirkt sehr klein, es ist ruhig und die Luft ist geschwängert vom Duft verschiedener Gewürze. Da die Juden von Cochin den Gewürzhandel kontrollierten, war es einst ein reiches Viertel, das Viertel der „weißen Juden" Keralas (im Gegensatz zu den „schwarzen Juden", die ihre eigenen Synagogen hatten). Weil viele der Juden inzwischen nach Israel ausgewandert sind, ist die jüdische Gemeinde Cochins heute auf eine sehr kleine Anzahl von Personen geschrumpft. Die **Synagoge** ist durch den alles überragenden **Clocktower** gekennzeichnet. Er wurde im 18. Jh. von Ezekiel Rahabi gebaut, der vom Pfefferhandel mit den Chinesen lebte. Von ihm stammen auch die weißen und blauen handgemalten Porzellankacheln, die er aus China importierte. Die Synagoge, bekannt unter dem Namen „Pardesi", ist besonders während der jüdischen Festtage einen Besuch wert. Dann werden die heiligen Schriftrollen in großen silbernen Zylindern ausgestellt, die Wände mit Brokatbehängen geschmückt und im Innenraum die Lüster angesteckt. Vor der Synagoge brennt Tag und Nacht ein siebenarmiger Leuchter, die *menorah*.

Eine weitere Sehenswürdigkeit ist das **Museum of Kerala History and its Makers**. Während einer einstündigen Tonbildschau werden die Höhepunkte der Geschichte Keralas mit Hilfe von Puppen nachgestellt. Am Abend wird eine Kurzfassung des traditionellen Tanzdramas Keralas, des *kathakali*, aufgeführt. Wür-

Kerala

de man sich an den Brauch halten, müßte der *kathakali* an zehn aufeinanderfolgenden Tagen aufgeführt werden. Eigentlich ist er ein Tempeltanz, der anläßlich besonderer Feste die Mythen der Götter wiedererstehen läßt. Der Tanz, die Musik und das Drama werden miteinander verknüpft, um den Menschen die Geschehnisse lebendig vor Augen zu führen. Für Kunstliebhaber ist die Geschichte selbst von eher untergeordneter Bedeutung. Im Vordergrund steht das Können der Schauspieler, eine Stimmung oder ein Gefühl glaubwürdig wiederzugeben. Der Zuschauer soll mitfühlen, von Symphatie oder Zorn erfaßt werden und jeden Schritt der Handlung nachvollziehen können. Deshalb ist die Kurzfassung des *kathakali* für die meisten Menschen nicht so leicht verständlich. Dennoch ist es faszinierend, die Tänzer zu beobachten, wie sie in einem Zustand der Regungslosig-

Oben: Kein Seiltrick, sondern nur ein Fischer bei geruhsamer Arbeit. Rechts: „Chinesische" Fischernetze vor dem Absenken ins Meer.

keit verharren und wie im Laufe der Handlung aus einfachen Menschen Götter werden. Wer mehr erfahren möchte, sollte der Tanzschule **Kerala Kalamandalam** in **Cheraturuthy** in der Nähe von Shoranur (zwischen Palghat und Trichur) einen Besuch abstatten. Diese Schule wurde von dem indischen Dichter Vallathol gegründet, um die traditionalen Tanzdramen Keralas zu erhalten.

Wer idyllische Ruhe schätzt, ist im **Malabar Hotel** auf **Willingdon Island** gut aufgehoben. Willingdon Island, erst um 1920 durch Aufschüttung im Rahmen eines Hafenausbaus entstanden, liegt zwischen dem geschäftigen **Ernakulam** im Osten und Cochin im Westen. Hier erlebt man die schönsten Sonnenuntergänge; während die Sonne allmählich sinkt, scheint sie in die riesigen chinesischen Fischernetze zu fallen, die sich filigran gegen den Horizont abheben. Diese Netze sind ein Überbleibsel der früheren Verbindungen zwischen China und Indien. Man findet sie auch in den Backwaters von Quilon. Die Chinesen kamen hierher,

um sich mit Luxusartikeln einzudecken und kauften Elfenbein, Gold, Perlen, Pfeffer, Mahagoni- und Kampferholz. In der Nähe von Calicut steht noch eine alte Festung der Chinesen, **Chinnakotah**. Auch im täglichen Leben der Keralesen haben sie Spuren hinterlassen, so z. B. den *wok*, eine metallene Henkelpfanne mit gewölbtem Boden.

Tempelstädte

In Kerala stehen einige der ungewöhnlichsten Tempel Indiens, die in einem Stil gebaut wurden, der nicht nur einzigartig ist, sondern zudem von erlesener architektonischer Harmonie zeugt. Einige von ihnen sind kreisrund angelegt und tragen ein kegelförmiges Kupferdach; andere wiederum bekunden ein ausgeprägtes Raumempfinden, und die Form der Dächer bestimmt sich danach, wie diese in das harmonische Gesamtkonzept hineinpassen. Alle Bauelemente sind diesem Gesamtkonzept untergeordnet, seien es die hölzernen Giebel oder die Säulen, die

die Dächer tragen. Leider sind diese architektonischen Meisterleistungen nur für Hindus zugänglich, doch ist es schon ein Erlebnis, das Leben rund um die Tempel zu beobachten. Man sollte allein aus diesem Grund die Tempelbezirke von **Trichur** (heute Thrissur; 74 km nördlich von Ernakulam) und **Guruvayur**, das noch weiter entfernt liegt, besuchen. In Trichur findet in den Monaten April und Mai das *Pooram*-Fest im **Vadakkumnathan-Tempel** statt. Während des Festes wird eine Skulptur der Hauptgottheit auf die Straßen getragen, damit sie einem Wettstreit beiwohnt. In zwei imposanten Reihen stehen sich Elefanten gegenüber, deren Besitzer prächtig geschmückte, auf hohen Bambusstangen befestigte Sonnenschirme hin- und herschwingen. Die Zuschauer feuern die bessere Seite an, und die Musiker ihrerseits sorgen dafür, daß man später, wenn ein Feuerwerk am Nachthimmel funkelt, den Schauplatz mit tauben Ohren verläßt.

Trichur ist auch der Ausgangspunkt des jüngst eingeführte **Great Elephant**

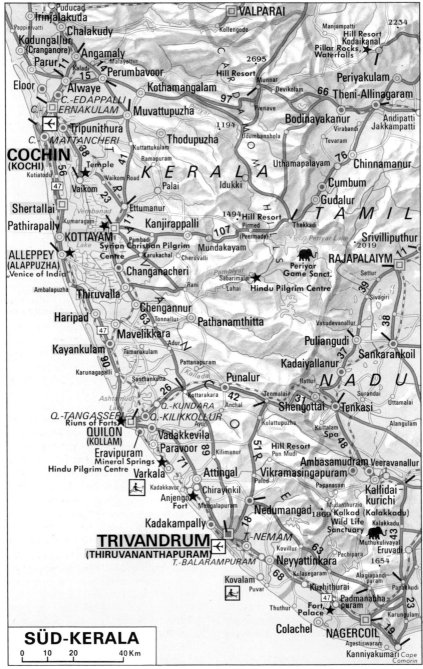

SÜD-KERALA

0   10   20   40 Km

March – eine 4-tägige Tour Mitte Januar durch ganz Kerala mit Veranstaltungen von Elefanten-Shows, Tänzen und Schlangenboot-Rennen.

In Richtung West-Ghats

Cochin ist ein gut geeigneter Ausgangspunkt für Ausflüge in die Erholungsgebiete der West-Ghats, die an den nebligen Berghängen liegen. **Kaladi** (48 km nordöstlich Cochins) ist ein berühmter Wallfahrtsort. Hier wurde Adi Shankara geboren, der im 8. Jh. n. Chr. die Philosophie des Nicht-Dualismus lehrte. **Munnar** (137 km von Cochin entfernt) ist umgeben von Teeplantagen, und man hat hier einen atemberaubenden Blick auf die mit sorgsam gepflegten Teepflanzen bedeckten Hügel. Die Plantagenbesitzer leben in den alten Sommerhäusern der Engländer und treffen sich in deren ehemaligen Clubs, wo man manchmal Unterkunft für eine Nacht findet.

Einen landschaftlichen Gegensatz bildet das **Periyar Game Sanctuary**, ein vielbesuchtes Tierschutzgebiet, in dessen Zentrum ein künstlicher See angelegt worden ist. Die Straße nach Periyar führt durch **Kottayam**, ein wichtiges Wirtschaftszentrum, dessen Geschicke in der Hand der syrisch-christlichen Gemeinde liegen. Etliche Kirchen, besonders die in **Cheriapalli** und **Valiapalli**, sind einen Besuch wert. Zwischen Kottayam, das am Ostufer des riesigen **Vembanad-Sees** liegt, und Alleppey existiert eine Schiffsverbindung.

Die Stadt ist außerdem ein günstiger Ausgangspunkt für Ausflüge in die Backwaters mit ihren ursprünglich gebliebenen Inseln **Kannaidy** und **Pulinccano**. **Kumarakam** ist ein beliebtes Erholungsgebiet am Rande von Kottayam in einer Kautschukplantage.

Die Straße nach **Periyar** führt durch Tee-, Kaffee- und Kautschukplantagen und an Teakholzwäldern vorbei. Die Gewürze, die hier in der Gegend angebaut werden, kann man in **Kumily**, einem kleinen Dorf außerhalb von Periyar, kaufen. Der Höhepunkt des Besuchs in Periyar ist zweifellos eine Tour auf dem See, an dessen Ufern sich die Tierwelt versammelt. Die beste Zeit, das Treiben zu beobachten, sind die frühen Morgenstunden, wo sich ungeachtet des Lärms, den die Boote und die Besucher veranstalten, Elefanten und Rehwild fast ständig in der Nähe des Sees aufhalten. Außerdem werden Trekking-Touren in den Dschungel angeboten.

Da sich Periyar an der Grenze zwischen Kerala und Tamil Nadu befindet, liegt es auf der Hand, weiter nach Madurai oder zu anderen Tempelstädten Tamil Nadus zu fahren. Einige Besucher ziehen jedoch die Rückfahrt nach Cochin vor, da die Strecke über Trivandrum ausgesprochen reizvoll ist.

Auf dem Weg nach Alleppey sieht man ständig Menschen bei der Herstellung von Kokosfasermatten, die für die Dorfgemeinschaften ein recht einträgliches Geschäft darstellt. Ein wichtiges Zentrum dieser Mattenherstellung ist **Sherthala**. Die Fasern werden aus den Schalen der Kokosnüsse gewonnen und sind beileibe nicht das einzige Produkt des „Baumes", wie die Kokospalme in Kerala genannt wird. Kein einziges Teil der Palme wird weggeworfen, selbst in der Medizin findet sie eine Verwendung.

In Kerala wird die sogenannte Ölmassage praktiziert. Zentrum für Ölmassage und für Naturmedizin (Ayurveda) ist **Shoranur**. Im Arya Vaidya Sala in **Kottakal** wird von traditionellen Ärzten den *vaidyars* alternative Medizin praktiziert und gelehrt, die die Geheimnisse der Kräuter und Heilpflanzen noch kennen.

Die Backwaters

Alleppey (heute Alappuzha), das zwischen dem Arabischen Meer und dem Vembanad-See (er zieht sich bis nach Cochin) eingekeilt liegt und von Kanälen

Kerala

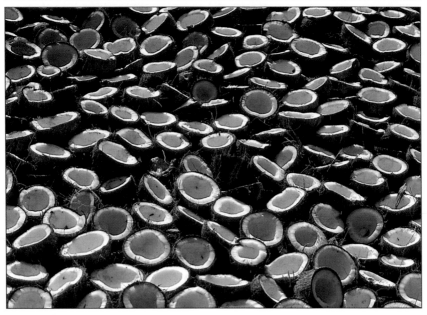

durchzogen ist, wurde einst das „Venedig des Ostens" genannt. Zwar hat die schädliche Wasserhyazinthe die meisten Kanäle verstopft, doch besitzt die Stadt noch immer ihren Charme. Zudem ist sie bekannt wegen der hier veranstalteten Bootsrennen. Auf der Straße nach Quilon liegen einige interessante Tempel, z. B. in **Haripad**, sowie der Palast von **Kayamkulam**.

Alleppey und Quilon sind die Zentren der Backwaters. **Quilon** (heute Kollam) liegt zwischen dem Arabischen Meer und dem riesigen **Ashtamudi-See**. Seine Kanäle, die sich bis ins Landesinnere erstrecken, sind von unvergleichlicher Schönheit. Viele Besucher nehmen ein Boot von hier nach Alleppey oder von Alleppey nach Changanacheri und fahren dann mit dem Taxi oder Bus weiter. Die Idee,

die Backwaters als schnelles Transportsystem zu benutzen, kam bereits Tipu Sultan, dem Herrscher des Staates Mysore, der ein Auge auf Kerala geworfen hatte, doch erst die Briten bauten das Kanalsystem aus.

Die Landschaft ist einzigartig schön; sie wird durchzogen von glitzernden Wasserstraßen, in denen dicht nebeneinander Lotusse und Lilien wachsen und Wasservögel die Sümpfe durchwaten. In den Backwaters, die eine Fläche von 3200 km^2 umfassen, sind die Kanäle die Straßen und die schlanken Boote die einzigen Transportmittel. Eine Reise durch dieses Kanalsystem ermöglicht einen Einblick in das Leben der Menschen, aus dem die Kanäle nicht mehr wegzudenken sind. Ihre Häuser stehen häufig auf einem kleinen Stückchen Land. Am Hauseingang offenbart der Besitzer seinen Glauben oder seine Weltanschauung: Entweder ist er verziert mit einem Kruzifix, mit einer Fotografie von Mekka, Lenins oder des Narayana Guruswami, der sagte, daß alle Menschen gleich sind und jedes Le-

Oben: Noch immer sind Kokosnüsse ein Grundnahrungsmittel in Kerala. Rechts: Eine christliche Prozession am Strand von Trivandrum.

Kerala

bewesen in den Augen Gottes heilig ist. Seit kurzem läßt sich die tropische Szenerie auch komfortabel von einem Luxusboot aus erleben (Buchung im Taj Malabar Hotel, Cochin). Touristen können spezielle Hausboote mieten.

Trivandrum

Trivandrum (heute Thiruvananthapuram), die ehemalige Hauptstadt des Maharajas von Travancore und heutige Hauptstadt Keralas, liegt in eine leicht hügelige Landschaft eingebettet. Es ist eine freundliche Stadt mit breiten Straßen und vielen öffentlichen Gebäuden, die von Parks umgeben sind. Die Stadtverwaltung unterhält einen gepflegten **Zoo**, einen **Botanischen Garten** sowie mehrere Museen. Sicherlich das faszinierendste Museum ist das **Napier Museum**. Es wurde in einem Gebäude untergebracht, das durch sein kunstvoll gearbeitetes Dach besticht und stilistisch betrachtet eine Kombination kolonialer und traditioneller Bauweise ist. Die Maharajas

waren reich und sammelten wahllos Souvenire, die sie liebend gern ihren von Ehrfurcht ergriffenen Untertanen zeigten. Neben diesen Exponaten befindet sich im Haus auch eine ausgezeichnete Bronzen-Sammlung, eine Abteilung für Elfenbeinschnitzereien und eine für den traditionellen Schmuck Keralas; daneben wird ein Tempelmodell ausgestellt. Interessanter ist jedoch die benachbarte **Sri Chitra Art Gallery** mit einer eindrucksvollen Sammlung der Kunst Südasiens. Die Galerie hat den Gemälden der Roerichs (Vater und Sohn), die deren künstlerische Betrachtung des Himalaya widerspiegelt, eine eigene Abteilung eingerichtet. Außerdem werden in der Galerie die Bilder des Raja Ravi Varma ausgestellt, dessen Themen die Geschichten der indischen Mythologie sind. In Trivandrum steht auch der **Padmanabhaswamy-Tempel**, der im drawidischen Stil errichtet wurde; leider ist er nur Hindus zugänglich. Doch direkt daneben bietet das **Puthen Maliga Palace Museum** einen Einblick in die wunderschöne Architektur Keralas.

TRIVANDRUM

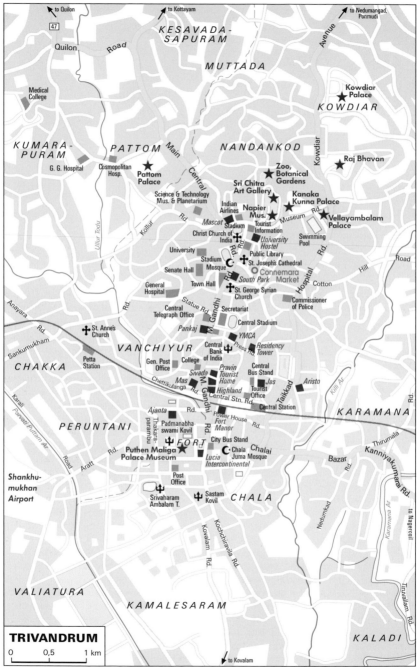

to Quilon

47

Quilon   Road

KESAVADA-
SAPURAM

to Kottayam

MUTTADA

to Nedumangad,
Ponmudi

Avenue

★ Kowdiar
Palace

KOWDIAR

KUMARA-
PURAM

Medical
College

PATTOM

NANDANKOD

Main

★ Raj Bhavan

G. G. Hospital

Cosmopolitan
Hosp.

★ Pattom
Palace

Central

Kowdiar

Science & Technology
Mus. & Planetarium

Zoo,
★ Botanical
Gardens

Sri Chitra
Art Gallery

Kollur   Rd.

Indian
Airlines

Napier
Mus.

★ Kanaka
Kunna Palace

★ Vellayambalam
Palace

Ullur Todu

Mascot
Stadium

Museum

Rd.

Tourist
Information

Swimming
Pool

Christ Church of
India

University
Hostel

University

Public Library

Stadium
Mosque

✝ C
St. Joseph's Cathedral

Hill   Road

Senate Hall

Rd.

Connemara
Market

Hospital

General
Hospital

Town Hall

South Park

Cotton

St. George Syrian
✝ Church

Anayara
Rd.

St. Anne's
✝ Church

Statue Rd.

Central
Telegraph Office

Secretariat

Commissioner
of Police

Rd.

Pankaj

M. Gandhi

Central Stadium

Sankumukham

Petta
Station

VANCHIYUR

YMCA

Press Rd.

Residency
Tower

CHAKKA

Chettikulanga

Gen. Post
Office

College

Central
Bank
of India

Pravin
Tourist
Home

Central
Bus Stand

Karali

Sivada

Jas

Aristo

Mas

M. Gandhi   Rd.

Highland

Tourist
Office

Taikkad

Kili Ar

KARAMANA

Central Stn. Rd.

Central Station

Rd.

Parvati Puttam Ar

PERUNTANI

Ajanta   Rd.

Thakara-
parambu

Padmanabha-
swami Kovil

Power House
Fort   Rd.
Manor

City Bus Stand

Kanniyakumari Rd.

Thirumala
Rd.

Shankhu-
mukhan
Airport

Aratt   Rd.

♁ FORT
★ Puthen Maliga
Palace Museum

Rd.

Lucia
Intercontinental

C Chala
Chalai
Juma Mosque

Bazar
Rd.

Nedumkad

to Nagercoil

Post
Office

♁   ♁
Srivaharam   Sastam
Ambalam T.   Kovil

CHALA

Kovalam   Rd.

Kochchiravila Rd.

Karamana Ar

Tiruvallam   Rd.

VALIATURA

KAMALESARAM

to Kovalam

KALADI

TRIVANDRUM

0   0,5   1 km

Kerala

Der populärste Badeort Keralas liegt nur 11 km von Trivandrum entfernt: der Strand von **Kovalam**. Hier warten einfache Gästehäuser, gute Hotels und zahllose Restaurants auf Badeurlauber. Die starke Brandung lädt zum Body-Surfen ein, aber Vorsicht: Aufgrund starker Strömungen kommt es dort immer wieder zu Badeunfällen. In der Nähe des Flughafens befindet sich der **Shakhamukham-Strand**, wo man allerdings nicht baden sondern lieber das nahegelegene Fischerdorf besuchen sollte.

Da die Gründung der indischen Unionsstaaten auf Grundlage der Sprachgrenzen vorgenommen wurde, liegt heute eine Hauptattraktion der Baukunst Keralas in Tamil Nadu, nämlich 55 km südlich Trivandrums an der Cape Road: Es ist der legendäre Palast von **Padmanabhapuram**. Die Stadt war ehemals Hauptstadt des alten Travancore (vom 16. bis zum 18. Jh.). Die Verlegung des Verwaltungs- und Machtzentrums nach Trivandrum war Resultat des Weitblicks von König Marthanda Varma, der nicht nur die Rekonstruktion des Sri Padmanabha-Tempels in Trivandrum anordnete, sondern auch – trotz einiger Unruhen während seiner Regentschaft – Kunst und Literatur förderte.

Der aus Holz gebaute **Padmanabhapuram-Palast** steht inmitten einer urwüchsig-schönen Landschaft; ein Paradebeispiel für die hochentwickelte traditionelle Architektur Keralas. Das sich hier offenbarende Raum- und Formverständnis der Architekten ist einzigartig in Indien und erinnert an Südostasien. Reizvoll ist auch das **Council Chamber**, in dem der König einst seine Ratgeber empfing: ein schwarz polierter, spiegelnder Fußboden, auf den das Licht in geheimnisvollen Mustern durch die Aussparungen in den Holzwänden fällt, die zugleich für Luftventilation sorgen. Das Dachgebälk ist mit Schnitzereien verziert. Erst die Gesamtheit der einzelnen Gebäude macht den Reiz der Anlage aus.

Oben: Ein Kathakali-Tänzer mit kunstvoller Maske.

KERALA

📅 *FESTE IN KERALA:* Trivandrum: Zehntägiges *Ut-savam*-Fest (März/ April und Okt/Nov) im Padmanab-haswami-Tempel. Zwischen Januar und Mai finden vielerorts Tempelfeste statt. *Ararat*-Fest in Guruvayoor (29 km NW von Trichur), März/April. Das Erntefest *Onam* (Aug/Sept) wird in ganz Kerala gefeiert, mit Schlangenboot-Rennen in Cochin, Kottayam, Aranmula und Alleppey. *Pooram*-Fest in Trichur, April. *Vishu*-Fest, April/Mai, Beginn der Reisanbauzeit.

TRIVANDRUM (☎ 0471)
(THIRUVANANTHAPURAM)

i **Kerala Tourism (KTDC)**, Park View, geg. Museum, Tel. 61132. **KTDC Tourist Rec. Centre**, Hotel Chaitram, Thampanoor, Tel. 330031. Schalter am Flughafen, Ankunftsbereich f. Auslandsflüge: **Govt. of India Tourism**, Tel. 451498, **KTDC**, Tel. 451085. Infos an der Busstation, Tel. 67224.

🛏. 💲💲 **Fort Manor**, Power House Junct., Tel. 462222. **South Park**, M. G. Rd. geg. University College, Tel. 65666. **Mascot**, Mascot Sq., Tel. 438990. **Lucia Continental**, East Fort, Tel. 463443. **Residency Tower**, Press Rd., Tel. 331661. 💲 **Highlands**, Manjalikulam Rd., Tel. 333200, sauber, große Zimmer, preiswert. **Regency**, Manjalikulam Rd., Tel. 330377, indisches Business Hotel, preiswert. **Chaithram**, Station Rd., Thampanoor, Tel. 330977, gut, aber laut. **YMCA Guest House**, Spencer Junct., Tel. 77308.

✖ Gute Restaurants in den meisten Hotels. **Kalavara Family Restaurant**, Press Rd. **Aruljyothi Vegetarian Restaurant**, Statue Junction. **Kalpakavadi**, YMCA Rd., nicht-vegetarisch, modern.

🏛 **Napier Museum**, 9.00-17.00 Uhr; Mo, Mi morgens und feiertags geschl. **Sri Chitra Art Gallery** und **KCS Panicker Art Gallery** sind Teil des Museums. **Science and Technology Museum** und **Planetarium**, PMG Junction, 10.00-17.00 Uhr, Mo geschl. **Puthen Maliga Palace Museum**, Fort, 8.30-12.30; 15.00-17.30.

✉ **General Post Office**, Ambujavilasam Rd., geg. Central Bank of India. **Central Telegraph Office**, Statue Junct., Tel. 61494, 24-Std.-Service.

➕ **General Hospital**, Vanchiyoor, Tel. 443870. **Cosmopolitan Hospital**, Maurinja Palayam, Tel. 448182. **Nirmala Ayurvedic Hospital**, Taliyal, südl. der Stadt.

COCHIN (☎ 0484)
(KOCHI / ERNAKULAM)

i **Govt. of India Tourist Office** (neben Taj Malabar), Willingdon Island, Tel. 668352. **KTDC**, Shanmugam Rd., Tel. 353234; Flughafen, Tel. 353001.

🛏 💲💲💲 **Taj Malabar**, Willingdon Island, Tel.

666811. **Taj Residency**, Shanmugham Rd., Ernakulam, Tel. 371471. 💲💲 **Abad Plaza**, M.G. Rd., Tel. 361638. **Casino**, Willingdon Island, Tel. 668421. **Sealord**, Shanmugham Rd., Ernakulam, Tel. 352682. 💲 **Bharat**, Durbar Hall Rd., Tel. 353501. **Tharavadu**, Quiros St., Fort Kochi, Tel. 226897. **YMCA**, Chittor Rd., Ernakulam, Tel. 355620.

✖ In den Hotels **Sealord** (Fisch, chinesisch), **Casino** (Fisch). **Chinese Garden**, bei M.G. Rd. **Pandhal**, M.G. Rd., süd-indisch, gute Snacks.

➕ **General Hospital**, Hospital Rd., Ernakulam, Tel. 360002. **City Hospital**, M.G. Road, Tel. 368970.

🏛 **Pareekshith Thampuran Museum**, Durbar Hall Rd., Ernakulam, Gemälde (19. Jh.), Münzen, Skulpturen, Musikinstr. **Hill Palace Museum**, Tripunithura, 9.00-12.30; 14.00-16.00, Mo geschl. **Museum of Kerala History**, Edappally, 10.00-12.00; 14.00-17.00, Mo geschl. **Archaeological Museum**, Mattancherry Palace. 9.00-17.00 Uhr, Sa-Do.

✉ **Head Post Office**: Fort Cochin, Willingdon Island und Ernakulam, Hospital Rd.

ALLEPPEY (ALAPPUZHA) (☎ 0477)

🛏 💲💲 **Alleppey Prince**, A. S. Rd., Tel. 243752. 💲 **Komala**, gegenüber dem Pier, Tel. 243631.

CALICUT (KOZHIKODE) (☎ 0495)

🛏 💲💲 **Malabar Palace**, G.H. Rd., Tel. 76071.

KOTTAYAM (☎ 0481)

🛏 💲💲 **Anjali**, K.K. Rd., Tel. 563661. 💲 **Ambassador**, K.K. Rd., Tel. 563293. **Aida**, M.C. Rd., Tel. 568391.

KOVALAM (☎ 0471)

🛏 💲💲💲 **Kovalam Ashok Beach Resort**, Vizhinjam, Tel. 480101. 💲💲 **Samudra**, G.V. Raja Rd., Tel. 480089. 💲 **Neptune**, Lighthouse Beach, Tel. 480222. *TRADITIONS-RESORTS:* **Suryasamudra Beach Resort**, Pulinkudy, Tel. 480413. **Somatheeram Ayurvedic Beach Resort**, Chowara, Tel. 480600.

THEKKADY / PERIYAR WILDLIFE
SANCTUARY (☎ 04869)

🛏 💲💲💲 **Lake Palace**, Tel. 22023. **Spice Village**, Thekkady Rd., Kumily, Tel. 22315. 💲💲 **Aranya Nivas**, Tel. 22023. 💲 **Periyar House**, Tel. 22026.

TRICHUR (THRISSUR) (☎ 0487)

🛏 💲💲 **Casino**, T.B. Rd., Tel. 24699. 💲 **Elite International**, Chembotil Lane, Tel. 21033. *TRADITIONS-HAUS:* **Kalappura**, Tel. 782076, Res.: 0471-66876. 300 Jahre alte Plantage, Kerala-Küche, Ayurveda.

ANDAMANEN UND NICOBAREN

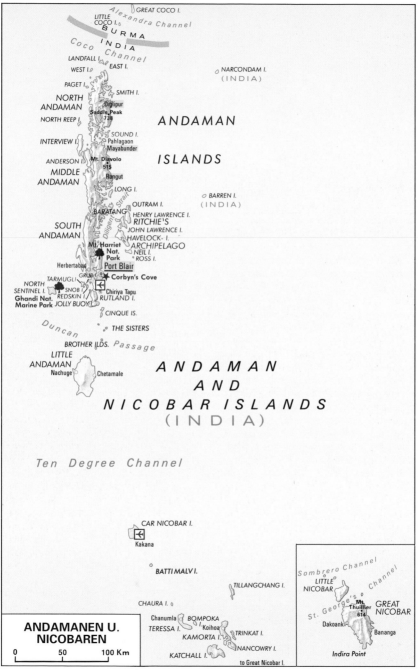

GREAT COCO I.

LITTLE
COCO I.

Alexandra Channel

B U R M A

I N D I A

Coco Channel

LANDFALL I.

WEST I.

EAST I.

NARCONDAM I.
(INDIA)

PAGET I.

SMITH I.

NORTH
ANDAMAN

Diglipur

Saddle Peak
738

NORTH REEF I.

A N D A M A N

INTERVIEW I.

SOUND I.
Pahlagaon
Mayabunder

I S L A N D S

ANDERSON I.

Mt. Diavolo
515

MIDDLE
ANDAMAN

Rangut

LONG I.

BARREN I.
(INDIA)

OUTRAM I.

BARATANG

HENRY LAWRENCE I.

RITCHIE'S

JOHN LAWRENCE I.

SOUTH
ANDAMAN

HAVELOCK- I.

ARCHIPELAGO

NEIL I.

Mt. Harriet
Nat.
Park

ROSS I.

Herbertabad

Port Blair

GRUB I.

NORTH
SENTINEL I.

TARMUGLI

Corbyn's Cove

Ghandi Nat.
Marine Park

SNOB

REDSKIN I.

Chiriya Tapu

RUTLAND I.

JOLLY BUOY I.

CINQUE IS.

Duncan

THE SISTERS

BROTHER ILDS.

Passage

LITTLE
ANDAMAN

Nachuge

Chetamale

A N D A M A N
A N D
N I C O B A R   I S L A N D S
(I N D I A)

Ten Degree Channel

CAR NICOBAR I.

Kakana

BATTI MALV I.

TILLANGCHANG I.

CHAURA I.

Chanumla

BOMPOKA

TERESSA

Koihoa

KAMORTA I.

TRINKAT I.

KATCHALL I.

NANCOWRY I.

to Great Nicobar I.

Sombrero Channel

LITTLE
NICOBAR

St. George's Channel

Mt.
Thuiller
614

GREAT
NICOBAR

Dakoank

Bananga

Indira Point

ANDAMANEN U.
NICOBAREN

0   50   100 Km

INSELN
WIE SMARAGDE

1	Arunchal Pradesh	7	Assam
2	West Bengal	8	Nagaland
3	Himachal Pradesh	9	Meghalaya
4	Punjab	10	Manipur
5	Haryana	11	Tripura
6	Sikkim	12	Mizoram

ANDAMANEN
NICOBAREN
LAKKADIVEN

Andamanen, Nicobaren und Lakkadiven

ANDAMANEN UND NICOBAREN

Nähert man sich den Andamanen aus der Luft, tauchen sie wie Smaragde aus dem tiefblauen Wasser des Indischen Ozeans auf. Das Meer ist so klar, daß man die Wassertiefen-Abstufungen in Form konzentrischer Ringe unterschiedlicher Färbung wahrnehmen kann.

Die **Andamanen** und **Nicobaren** bestehen aus 293 Inseln, die etwa auf halber Strecke zwischen Calcutta und dem Äquator liegen und deren Nord-Süd-Ausdehnung 725 km beträgt. Die Hauptstadt dieses Teils der Indischen Union ist **Port Blair** auf der Insel South Andaman, das auf dem Luft- oder Seeweg von Calcutta (1255 km) oder Madras (1191 km) zu erreichen ist.

Nicht-Inder benötigen eine Genehmigung für den Besuch der Andamanen. Diese bekommt man problemlos bei der Ankunft – mit dem Schiff oder Flugzeug – in Port Blair, für eine Dauer von 30 Tagen. Die Genehmigung erlaubt den Aufenthalt in Port Blair und Umgebung, in Mayabunder, Diglipur, Rangut, auf Havelock Island, Long Island und Neil Island, sowie Tagesausflüge zum Mount Harriet, nach Madhuban und zu den Inseln Jolly

Vorherige Seiten: Ein Fischer in seinem Katamaran vor den Andamanen.

Buoy, Red Skin und Cinque. Ein Besuch der Nicobaren ist Ausländern nicht gestattet.

Im 9. Jh. berichteten arabische Händler erstmals von der Existenz dieser Inseln. Marco Polo nannte sie „Land der Kopfjäger". Gegen Ende des 17. Jh. wurden die Andamanen und Nicobaren von den Marathen annektiert, die vom indischen Festland kamen. Die Dänen betraten als erste westliche Menschen die Inseln. Sie gründeten auf den Nicobaren eine Siedlung, die sie 1768 aber wieder aufgaben. 21 Jahre später legten die Briten eine Niederlassung auf den südlichen Andamanen an. Sie mußte wegen der ungesunden Lebensbedingungen bald wieder aufgegeben werden. Schließlich wurden beide Inselgruppen 1856 von den Briten annektiert. Ab 1858 diente die Südinsel der Andamanen den Briten als Strafkolonie für Aufständische. Die dadurch eingeschleppten Krankheiten dezimierten die Zahl der Negrito-Ureinwohner dramatisch. Während der Anglo-Burmesischen Kriege dienten die Nicobaren als Basis für die East India Company.

Im II. Weltkrieg wurden die Inseln von den Japanern erobert, die einen Grausamkeitsrekord aufstellten. Die von ihnen gebauten Betonbunker sind von Aussichtspunkten auf allen großen Inseln sichtbar. Sie führten auch Obstbäume, Reis und

Gemüseanbau ein. Nach der Unabhängigkeit Indiens wurden die Andamanen und Nicobaren 1947 in die Indische Union eingegliedert.

In ethnischer Hinsicht unterscheidet sich die Urbevölkerung der Inseln von der des indischen Subkontinents. Aborigine-Stämme – einige davon Negrito – lebten bis in die Neuzeit fast ungestört. Im 19. Jh. gab es noch etwa 5000 Ureinwohner, heute zählen die Stämme nur noch wenige Mitglieder. Sie sind Fischer, Jäger und Sammler, die den Kontakt mit der modernen Zivilisation scheuen.

Die Urbevölkerung der Nicobaren scheint mongolischer Abstammung zu sein. Auf Car Nicobar leben die Nicobaresen, und auf Great Nicobar die Shompen. Am geheimnisvollsten sind die Sentinelesen auf der Insel North Sentinel – steinzeitliche Jäger, die einst alle Ein-

Oben: Eine Elefantenkuh mit ihrem Jungen bei der Arbeit auf den Andamanen. Rechts: Rund um die Lakkadiven ist das Meerwasser noch immer kristallklar.

dringlinge mit ihren vergifteten Pfeilen angriffen. Sie bemalen ihre Körper mit Kalk und Ocker, und ihr Schmuck ist aus Knochen und Perlen gefertigt. Auch die Onge, die um den Dugong Creek und South Bay auf Little Andaman leben und zu den Negritos zählen, bemalen ihre Körper. Die Jarawa auf Middle und South Andaman zählen etwa 250 Mitglieder, die Onge knapp 100, während es nur noch knapp zwei Dutzend Ureinwohner auf Greater Andaman gibt.

Die Schutzgebiete der Urbevölkerung, die *Primitive Tribal Research Areas*, sind für Besucher nicht zugänglich; in Port Blair werden jedoch interessante Filme über das Leben der Stämme gezeigt: montags und donnerstags im Hotel Teal House, mittwochs und freitags im Megapode Nest, und dienstags im Hornbill Nest. (Adressen siehe Infobox Seite 195).

Seit der Unabhängigkeit hat sich die Bevölkerung der Andamanen durch einen ständig wachsenden Strom von Zuwanderern aus Indien, Burma und Malaysia vervielfacht.

Das lebhafte **Port Blair** hat einen Marinehafen, ein Krankenhaus, Schulen und ein College. Um den **Aberdeen Bazar** verlocken Geschäfte zum Einkaufen. Besucher können zwischen mehreren Hotels wählen, und das Angebot an Wassersportarten ist groß. Das **Anthropologische Museum** gibt faszinierende Einblicke in das Leben der Aborigines, außerdem findet man eine Sammlung von Fotos und primitiven Werkzeugen. Im **Marinemuseum** sind Muscheln und Korallen zu bewundern; Exponate beleuchten das empfindliche ökologische Gleichgewicht der Meereswelt. Das **Forest Museum** zeigt örtliche Holzarten und ihre Verwendung in der Holzverarbeitung. Die massive Struktur des **Cellular Jail** übt eine makabre Faszination auf die Besucher aus. Die Briten ließen das Gefängnis Ende des 19. Jh. für gefährliche Kriminelle errichten. Bis 1947 wurden hier indische Freiheitskämpfer gefangengehalten. Heute ist das Gefängnis eine nationale Gedenkstätte. Leute mit starken Nerven können in einem Museum die Gefangenenlisten, Zellen, Galgen und Folterwerkzeuge studieren. Eine *Sound and Light Show* findet in der Touristensaison sonntags um 19 Uhr statt.

In Stadtnähe sind holzverarbeitende Betriebe zu besichtigen, z. B. die **Chatham Saw Mill**, eine der ältesten Sägemühlen Asiens, oder die **Andaman Timber Industries**. Ein beliebter Ausflug führt nach **Madhuban** und **Burma Nalla**; dort kann man zusehen, wie im Dschungel die Elephanten beim Holzfällen eingesetzt werden. Den einst die gesamten Inseln bedeckenden Urwald hat die großflächige Abholzung der letzten Jahrzehnte stark dezimiert, und weite Gebiete werden heute als Plantagen genutzt. In der landwirtschaftlichen Forschungsstelle **Sippighat Farm** werden Gewürze gezüchtet. Im **Zoologischen Garten** und dem **Mini Zoo** kann man seltene einheimische Tiere, insbesondere Vögel, kennenlernen. Mit ihren palmengesäumten Stränden und üppigen Regenwäldern sind die Inseln ein Paradies für Ornithologen und Naturkundler. 242 Vogelarten

Andamanen, Nicobaren und Lakkadiven

Oben: Eine unverhoffte Begegnung unter Wasser bei den Lakkadiven.

wurden hier registriert. Orchideen, Farne, Mangroven, Palmen, tropische Früchte und wertvolle Hölzer wie Mahagoni und Teak gibt es im Überfluß. Die Strände sind aus feinem, weißem Korallensand; man braucht nur knietief ins Wasser zu waten, und schon ist man umgeben von farbenprächtigen Tropenfischen und Korallen. Die flachen, kristallklaren Gewässer sind ein Paradies für Schnorchler!

10 km außerhalb der Stadt liegt **Corbyn's Cove**. Der beliebte, palmengesäumte Badestrand ist ein idealer Platz zum Schwimmen und Sonnenbaden. **Chiriya Tapu** (35 km, Bus von Port Blair), die Südspitze der Insel South Andaman, eignet sich gut für einen Tagesausflug zu Picknickplätzen, Tropenwald-Pfaden und idyllischen Stränden; Ornithologen dagegen zieht die vielfältige Vogelwelt hierher. **Mount Harriet National Park** (55 km von Port Blair, 365 m hoch) ist ideal für eine Wandertour. Eine

Fähre verkehrt von Phoenix Bay zur Hope Town Jetty, von dort nimmt man den Bus zum (verfallenen) Viadukt. Ganz in der Nähe beginnt der Pfad zum Gipfel, der sich 1,5 Stunden durch tropischen Regenwald schlängelt.

Dienstags, mittwochs, freitags und samstags verkehrt eine Fähre von Phoenix Bay zur üppig grünen Insel **Havelock Island**. Im Women's Co-op Café bei der Anlegestelle werden köstliche indische Gerichte angeboten. Der weiße Sandstrand **Radhanagar Beach** gehört zu den schönsten der Inseln. Ein bescheidenes Gasthaus bietet Übernachtungsmöglichkeiten. **Neil Island**, südlich von Havelock, besitzt grüne Tropenwälder, Sandstrände an kristallklaren Gewässern und einfache Unterkünfte (3 Std. per Boot von Phoenix Bay) Zum nördlich gelegenen **Long Island** verkehrt eine Fähre von Rangut oder Port Blair. Einfache Unterkünfte gibt es bei der Anlegestelle. Ein längerer Spazierweg führt zur **Lamkunj Beach**. Die Inseln, die den **Mahatma Gandhi National Marine Park** bilden,

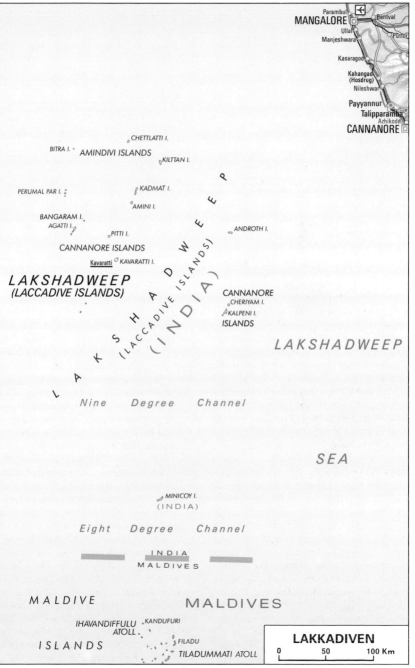

Parambul
MANGALORE
Bantval
Ullal
Puttur
Manjeshwara
Kasaragod
Kahangad
(Hosdrug)
Nileshwar
Payyannur
Talipparamba
Azhikode
CANNANORE

CHETTLATTI I.
BITRA I.   AMINDIVI ISLANDS
KILTTAN I.

PERUMAL PAR I.   KADMAT I.
AMINI I.

BANGARAM I.
AGATTI I.
PITTI I.   ANDROTH I.

CANNANORE ISLANDS
Kavaratti   KAVARATTI I.

LAKSHADWEEP
(LACCADIVE ISLANDS)

CANNANORE
CHERIYAM I.
KALPENI I.
ISLANDS

L A K S H A D W E E P
(LACCADIVE ISLANDS)
(INDIA)

LAKSHADWEEP

Nine   Degree   Channel

SEA

MINICOY I.
(INDIA)

Eight   Degree   Channel

INDIA
MALDIVES

MALDIVE   MALDIVES

ISLANDS

IHAVANDIFFULU   KANDUFURI
ATOLL
FILADU
TILADUMMATI ATOLL

LAKKADIVEN		
0	50	100 Km

Andamanen, Nicobaren und Lakkadiven

193

erreicht man von der Anlegestelle in **Wandoor**, südwestlich von Port Blair (regelmäßiger Busverkehr). Die Tropenwälder, Mangrovensümpfe, Flora und Fauna, Korallen und die farbenprächtige Unterwasserwelt stehen unter Naturschutz. Drei Inseln – Jolly Buoy, Red Skin und Cinque, allesamt Schnorchel-Paradiese – sind für Touristen zugänglich. Die kleine Insel **Jolly Buoy** mit ihren flachen Gewässern läßt sich in einer Stunde umrunden. Auf **Red Skin** gibt es Strände, Felshöhlen, Mangrovensümpfe und Waldpfade. **Cinque Island Sanctuary** mit seinem weißen Sandstrand und klaren Wasser ist ideal zum Schnorcheln und Bewundern von Korallengärten. Für einen Besuch von Cinque (nur mit Tourveranstaltern) benötigt man die Erlaubnis des Forest Department. Veranstalter: **Tourism Department**, Teal House, Port Blair, Tel. 20642; **Sagar Tours and Travels**, Haddo, Tel. 21704; **Shompen Travel**, Middle Point, Port Blair, Tel. 20425. Tauchkurse für Anfänger und Tauchexkursionen: **Scuba Diving Society**, Welcomgroup Bay Island Hotel, Port Blair, Tel. 20881.

Man kann sich ein gutes Boot und einen verläßlichen Führer mieten, tagsüber auf den Inseln campieren und sich nachts zum Schlafen auf das Boot zurückziehen.

LAKKADIVEN

Lakshadweep, besser bekannt als die Lakkadiven, liegt im Arabischen Meer vor der Küste Keralas und gehört ebenfalls zu den Unions-Territorien Indiens. Die 36 Inseln nehmen eine Landfläche von 32 km^2 ein, und nur 10 von ihnen sind bewohnt. Die Gesamtbevölkerung beträgt rd. 60 000. Die meisten Bewohner sind sunnitische Moslems der Shafi-Rechtsschule. Kokospalmen gibt es im Überfluß; die Kopra-Produktion aus Kokosnüssen ist die Haupteinnahmequelle.

Ali Raja von Cannanore, der zur einzigen islamischen Herrscherfamilie Kera-las gehörte, nahm die Inseln in seinen Besitz, was vielleicht erklärt, daß die Bevölkerung heute hauptsächlich dem Islam angehört. Seit dem 18. Jh., als eine Königin Cannanores die Inseln den Briten überließ, lebte die Bevölkerung nahezu isoliert vom indischen Subkontinent. Die Einwohner leben vom Fischen, von den Produkten der Kokospalmen und traditionellem Schiffsbau auf Minicoy.

Der Archipel bietet gute Erholungsmöglichkeiten, man kann im kristallklaren Wasser der Lagunen segeln, tropische Fische und Korallen von einem Glasboden-Boot beobachten und an einsamen weißen Stränden baden. Während des Monsuns sind die Lakkadiven vom Festland so gut wie abgeschnitten.

Die vier Inseln **Kavaratti**, **Kalpeni**, **Kadmat** und **Minicoy** stehen nur indischen Touristen offen, **Bangaram** jedoch ist für internationale Touristen (nur mit Gruppenreisen) geöffnet. Eine Aufenthaltserlaubnis erhält man vom Lakshadweep Office in Kochi, zusammen mit dem Ticket und der Hotelbuchung. Es gibt Flüge von Madras und Kochi. Die Reise mit den regelmäßig verkehrenden Schiffen zwischen Kochi und den Lakkadiven kann über 20 Stunden dauern.

Die unbewohnte Insel **Bangaram** ist der ideale Ort, um eine zeitlang den Streß der westlichen Zivilisation zu vergessen. Man genießt ein Sonnenbad an idyllischen Stränden, spaziert traumhaft schöne Lagunen entlang, erforscht die Unterwasserwelt mit atemberaubenden Korallengärten und einer Vielfalt tropischer Fische. Mit ein bißchen Glück bekommt man Mantas, Stachelrochen, Schildkröten und ungefährliche Haie zu Gesicht bzw. vor die Taucherbrille. Die einzige Übernachtungsmöglichkeit ist das **Bangaram Island Resort** mit Zimmern der Mittelklasse, Luxus-Bungalows und Vollpension. Die **Poseidon Neptune School** bietet Scuba Diving, Windsurfen und Bootstouren; Schnorchelausrüstung kann ausgeliehen werden.

ANDAMANEN (☎ 03192)

Govt. of India Tourist Office, 189 Junglighat, Main Road, Port Blair, Tel. 21006. Informationsschalter am Lamba Line Airport, Tel. 20414.

Indian Airlines und East West Airlines fliegen dreimal pro Woche von Madras und Calcutta. Buchungen für Schiffspassagen (zwei Paßbilder nötig): Shipping Corp. of India, Shipping House, 13 Strand Rd., Calcutta, Tel. 2842354, oder Deputy Director of Shipping Services, A&N Administration, 1006 Rajaji Salai, Madras, Tel. 044-5226873. Die Aufenthaltserlaubnis erhält man bei der Ankunft in Port Blair, für eine Dauer von 30 Tagen. Sie können sie auch bei der Indischen Botschaft Ihres Heimatlandes beantragen (6 Wochen vor Abreise), oder in Indien bei den Foreign Regional Registration Offices in Delhi, Calcutta, Bombay und Madras (Adressen siehe S 237). Das Permit erlaubt einen Aufenthalt in Port Blair, Havelock Island, Long Island, Neil Island, Mayabunder, Diglipur und Rangut. An diesen Orten gibt es auch Unterkünfte. Tagesausflüge sind nach Jolly Buoy Island, Cinque Island, Red Skin Island, Mount Harriet und Madhuban möglich.

Island Tourism Festival, Februar, 10-tägiger Kulturevent auf allen Inseln; klassischer Tanz, Musik, Kunsthandwerk. *Subhas Mela*, auf Havelock Island, einwöchiges Kulturfest, Jan. *Block Mela*, in Diglipur, North Andaman, Jan/Feb, Straßenfest mit Ständen. **Andaman Festival**, klassischer indischer Tanz, Musik, Infos vom Tourist Office.

WICHTIGE TELEFONNUMMERN: **Flughafen**, Tel. 21390. **Bus Terminus**, Tel. 20278. **Polizei**, Tel. 20233. **G. B. Pant Hospital**, Tel. 20102. **Flugauskunft**, Tel. 20319. **Shipping Corporation of India**, Tel. 21916/21317.

PORT BLAIR

⊟ 🕭🕭🕭 **Welcomgroup Bay Island**, Marine Hill, Tel. 20881, Fax 21389, am Strand; Pool, Gärten, Restaurant mit Fischspezialitäten, organisierte Tauchtouren in Wandoor. **Andaman Beach Resort**, Corbyn's Cove, 10 km von Port Blair, Tel. 21462, Fax 21463; Gärten, Tennis, angenehmes Restaurant. 🕭🕭 **Sinclair Bay View**, South Point, Tel. 21159, Resort-Hotel, Pool, Restaurant. **Shompen**, 2 Middle Point, Tel. 20360, Dachterrassen-Restaurant, hilfsbereites Personal. **Dhanalakshmi**, Aberdeen Bazar, Tel. 21953, zentral, Restaurant. **Nicobari Cottage**, Rundhütten auf Pfählen; und **Megapode Nest**, ruhig, Blick über Phoenix Bay, beide Tel. 20207, Reservierung: ANIDCO, New Marine, Dry Docks, Port Blair, Tel. 21659, Fax 20076. 🕭 **Teal House**, Delanipur, Tel. 20642, hübsche Zimmer, Restaurant, organisiert Touren. **Hornbill Nest**, auf dem Weg zu Corbyn's Cove, Tel. 20018, Reservierungen für die beiden letztgenannten Hotels: Directorate of Tourism, Administration Secretariat, Port Blair, Tel. 30933, 20747, Fax 20656.

🏛 **Anthropological Museum**, 11.00-12.30, 13.30-16.30 Uhr, Sa geschl. **Marine Museum** (Samudrika), gegenüber Andaman Tea House, 9.00-12.00, 14.00-17.30 Uhr, So geschl. **Forest Museum**, bei der Sägemühle, 8.00-12.00, 14.30-17.00 Uhr. **Cellular Jail**, nördl. von Aberdeen Jetty, 9.00-12.00, 14.00-17.00 Uhr, So geschl. **Zoological Garden** mit **Mini Zoo**, 8.00-17.00 Uhr. **Sippighat Farm**, staatl. Farm mit Besichtigungen, 6.00-11.00, 12.00-16.00 Uhr, Mo geschl.

HAVELOCK ISLAND

⊟ 🕭 **Dolphin Yatri Niwas**, Reservierung: Directorate of Tourism, Port Blair, Tel. 30933. Hübscher Garten, Restaurant, Hütten auf Pfählen.

LAKKADIVEN

Bangaram ist als einzige Insel für ausländische Besucher (nur mit Gruppenreisen) geöffnet. Das Permit erhält man mit dem Ticket und der Hotelbuchung vom **Lakshadweep Office**, c/o Casino Hotel, Willingdon Island, Kochi, Tel. 0484-666821, 668221, Fax 0484-668001, oder von indischen Reisebüros. NEPC Airlines fliegt Mo und Fr von Madras via Kochi zum Agatti airstrip. Transfer mit Boot oder Helicopter zur Insel. Pauschalreisen mit Schiff über die offizielle Touristenagentur SPORTS (Society for Promotion of Recreational Tourism and Sports).

REISE-AGENTUREN: Touren sollten zwei Monate vorher gebucht werden. **SPORTS**, Lakshadwep Tourism, Indira Gandhi Rd., Willingdon Island, Kochi, Tel. 0484-668387, Fax 0484-668155. **Mercury Travels India**, 191 Mount Rd., Madras, Tel. 044-8522993, Fax 044-8520988. **Raj Travels & Tours**, Chowpatty View Bldg., SVP Rd., Bombay, Tel. 022-363441, 367264/67. **Lakshadweep Tours & Travels**, Hi-Bon Plaza, Indira Gandhi Rd., Calicut, Tel. 0495-65582. **Clipper Holidays**, Wood House, Airlines Hotel Complex, 4 Madras Bank Rd., Bangalore, Tel. 080-2217053/54. **Lakshadweep Foundation**, K.S.R.M. Bldg., Light House Hill, Mangalore, Tel. 0842-21969.

BANGARAM

⊟ 🕭🕭 **Bangaram Island Resort** ist die einzige Unterkunft. Zimmer und Bungalows von Mittelklasse bis Luxus, moderne Ausstattung, Restaurant mit örtlichen Spezialitäten, Bar. Reservierung und Info: c/o Casino Hotel, Willingdon Island, Kochi, Tel. 0484-666821, 668221, Fax 0484-668001.

Andamanen, Nicobaren und Lakkadiven

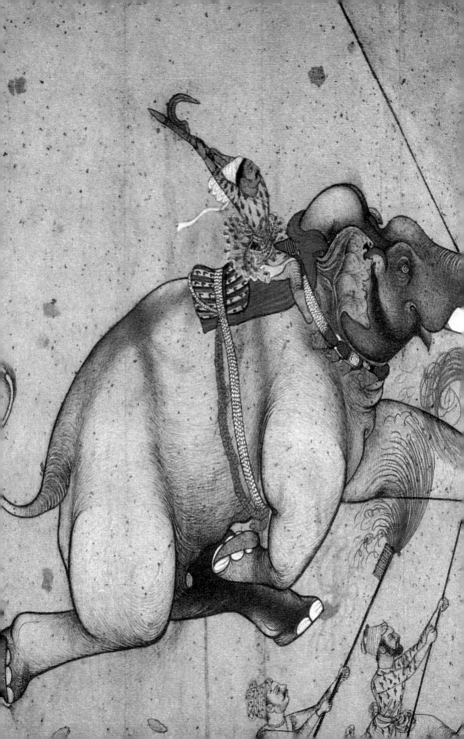

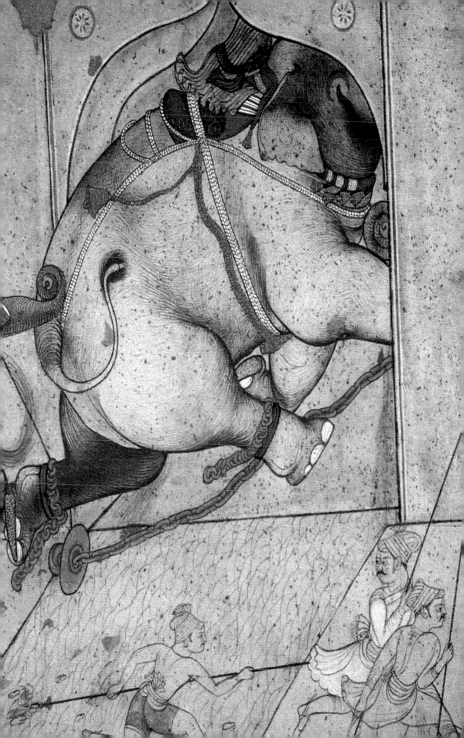

INDISCHE KÜCHE

Indische Kochrezepte wurden streng gehütet, von Generation zu Generation mündlich überliefert, und sind in den verschiedenen Regionen des Landes recht unterschiedlich. Aus diesen Gründen ist die indische Küche nicht so bekannt wie die französiche oder chinesische, und es wird ihr mit einigen falschen Vorstellungen begegnet. Indiens Küche steht vor allem im Ruf, „reichhaltig" (gemeint ist „fettig") und „gewürzt" (gemeint ist „chili-scharf") zu sein. Das indische Essen ist tatsächlich „reichhaltig", aber nicht fett. Manche Gerichte werden zwar mit sehr viel Öl zubereitet, doch soll dies lediglich den Kochprozeß erleichtern, und man läßt sie vor dem Servieren abtropfen. Die indischen Speisen sind „würzig", aber meistens nicht „chili-scharf", und sie erhalten ihren besonderen Geschmack durch die exotischen Gewürze.

Die Küche Nordindiens

Wir beginnen unsere kulinarische Safari mit der **Tandoori-Küche**, denn der *tandoor* hat dazu beigetragen, die indische Kochkunst in der ganzen Welt beliebt zu machen. Indiens traditioneller Lehmofen, der mit Holzkohle beheizt wird, ist ein vielseitiges Küchengerät. Ohne ihn gäbe es weder leckeres Fladenbrot, noch könnte man das beliebte *kebab* genießen (obwohl manche *kebabs* auch gebraten oder frittiert werden). Selbst Saucen und *dal* (Linsen) bekommen im *tandoor* einen einzigartigen Geschmack.

Der **Punjab**, Heimat des *tandoor*, besitzt eine deftige Küche, die von Eroberern aus dem Nordwesten beeinflußt wurde – von Griechen, Persern, Afghanen

und Mongolen. Man kann hier, wie auch in anderen Teilen des Landes, eine Vielzahl von *tandoori*-Gerichten probieren: *Tandoori Murgh* (Huhn), *Murgh Tikka* in vielen Variationen (mit Pfefferminze, Knoblauch oder Käse), *Shikh Kebab* (Röllchen aus Lamm-Hack, im *tandoor* gegrillt), *Tandoori Jhinga* (Garnelen), *Tandoori Pomfret*, ganzen oder *tikka*- (gewürfelten) Fisch, *Amritsari Machhli* (Fisch) und *Tawa ka Tikka*. Im Punjab gibt es aber auch ausgezeichnete Gerichte, die nicht aus dem *tandoor* stammen. Ihre Einfachheit ist das Bemerkenswerteste an dieser „anderen" Küche: *Sarson-da-Saag* (Gemüse aus Senfblättern mit weißen Butterflocken), *Makkiki-Roti* (Kornbrot) und *Lassi* (gequirlte Buttermilch). Die beliebtesten *Punjabi*-Gerichte sind *Murgh Makhani* (Huhn in Butter), *Raarha Meat* (geröstetes Lamm), *Kadhai Chhole* (weiße Kichererbsen oder Huhn, die im indischen *wok* geröstet sind), *Hara Chholia Te Paneer* (bengalische Kichererbsen mit gebratenen Käsewürfeln), *Bharta* (eine Holzkohlen-Delikatesse aus Auberginen mit Zwiebeln und Tomaten) und *Dal Makhani* (das populärste Linsengericht mit Butter).

Die **Mughlai-Küche** kommt vor allem aus Hindustans nördlichem Teil. Die Mogule förderten die indische Kochkunst und wurden deren begeisterte Anhänger. In Awadh, dem heutigen **Lucknow-Distrikt** in Uttar Pradesh, entwickelte sie sich zu ihrer vollen Blüte.

Die traditionelle **Awadh-Küche** fand ihren Meister in Indiens bekanntestem Gourmet – Nawab Wajid Ali Shah. Einige *Awadhi*-Köstlichkeiten sind *Murgh Mussalam* (gefülltes Huhn), *Gosht Qorma* (ein unvergleichliches Lamm-Curry, das mit Safran, Muskatblüte und Kardamom gewürzt ist), *Nahari* (Lamm-Curry, das zum Frühstück mit Sauerteig-Brot gegessen wird), *Sabzi Gosht* (Eintopf aus Lamm, Rüben – oder Zuchini – und Spinat, mit Senföl zubereitet), *Phaldari Kofta* (Bällchen aus rohen Bananen in einer

Vorherige Seiten: Wandgemälde einer Kampfszene, in der Elephanten eingesetzt werden. Rechts: Ein Mangohändler, der auf Kunden wartet.

reichhaltigen Tomatensoße) und *Dhingri Dulma* (eine Mischung aus Pilzen und Quark, die mit schwarzem Kreuzkümmel abgeschmeckt ist). *Kakori* und *Galouti* sind zwei *kebab*-Spezialitäten.

Die Küche Südindiens

Im kleinen Staat **Goa** stößt man auf eine erstaunlich vielseitige Küche – christliche, hinduistische und brahmanische (hinduistisch und auch christlich) und nicht-brahmanische Küche, außerdem islamische, portugiesische und sogar die Pandit-Küche Kashmirs, da die Saraswat-Brahmanen ursprünglich von dorther kamen. Es gibt feine Unterschiede in der Auswahl und im Gebrauch der Zutaten, wie auch bei der Bevorzugung der Speisen. Nicht-vegetarische Hindus mögen Huhn und Lamm, die Christen ziehen Schweinefleisch vor, aber beide essen lieber Fisch als Fleisch. Die Speisen von Goa sind *chili*-scharf. Die besten Gerichte Goas sind *Goa Curry* (Meeresfrüchte in einer exotischen Sauce), *Prawn Bal-*

chao (Garnelen-Pickle, das als Vorspeise serviert wird), *Vindaloo* und *Sarpatel* (die zwei beliebtesten Schweinefleisch-Gerichte).

An **Hyderabads** kulinarischen Genüssen hat sich in den letzten Jahrhunderten nichts geändert. Die Moslems von Hyderabad dulden keine Verfälschung ihres Kochstils. Obwohl sie auf ein üppiges kulinarisches Erbe zurückgreifen könnten, findet man in den Restaurants der Stadt kaum ein charakteristisches Gericht. Das Essen ist geschmackvoll, aber nicht sehr abwechslungsreich, und man hat in den meisten Lokalen die gleiche Auswahl – *Kachchi Biryani* (Hammel, Huhn und Ei), einfach oder spezial; morgens und abends serviert man *Nihari* mit *Zuban* (Zunge) und *Paya* (Schweine- oder Hammelfüße). Während des Ramzan (Ramadan) ersetzt man *Biryani* durch *Haleem*, ein Gericht, das während des Fastenmonats *tawanaee* (Stärke) und *rizai-yat* (Nahrung) geben soll.

Man findet zwar *Tandoori Chicken* auf der Speisekarte, typischer sind aber *ke-*

*Oben: Thali – eine Art „südindische Reistafel",
auf Bananenblättern serviert.*

babs, wie *Boti* und *Shikh*, *Shikampur* und
Dum ke Kebab. Als gängige Desserts gibt
es überall *Dabbal ka Mitha*, eine spezielle Zubereitungsart des Brotpuddings, und
Qubani ka Mitha, eine Süßspeise aus ge-
trockneten Aprikosen. Es lohnt sich besonders, das köstliche *Pakki Bir-yani* zu
probieren (für dessen Zubereitung fast 40
Zutaten nötig sind), aber auch *Pasande ka
Salan* (pikantes Lamm-Curry), *Dum ka
Murgh* (Huhn, im eigenen Saft mit Gewürzen gedünstet), *Kairi ka do Piaza*
(Lamm und rohe Mangos mit Zwiebeln
gekocht) und *Baghare Baingan* (Auberginen mit Erdnüssen und Tamarinde).

Andhra, **Karnataka**, **Kerala** und **Tamil Nadu** können sich einer großen Vielfalt hervorragender Kochstile rühmen –
es gibt die malabarische, tamilische und
die Küche von Coorg, auch die der syrischen Christen und der Juden von Cochin. Dennoch bestehen einige Fehlvor-
stellungen von der Küche des Südens, da

die westlichen Menschen nur den *Curry*,
die *Madras Soup* und die *Mulligatawny*
kannten, und auch viele Inder selbst nicht
wußten, daß es in in dieser Region viel
mehr gab als *Dosai* (Reispfannkuchen),
Idli (gedämpfter Reiskuchen), *Bonda*
(gewürzte Kartoffelbällchen), *Vadai*
(Linsenkrapfen mit schwarzem Pfeffer),
Sambhar (eine zum Reis gereichte Lin-
sensauce, die ganz unterschiedlich
schmecken kann) und *Rasam* (Tomaten-
saft), die allesamt nur Frühstücks-Ge-
richte, Snacks oder Beilagen sind.

Genauso falsch ist die Meinung, die
Küche des Südens sei streng vegetarisch.
Auch wenn im Süden ganz überwiegend
fleischlose Speisen angeboten werden, ist
die Auswahl an nicht-vegetarischen Deli-
katessen – besonders an Meeresfrüchten
– doch unübertroffen. Obwohl es auch ein
großes Angebot an Fleischgerichten gibt,
sind Reis und *dal* (Linsen) Herzstück und
Seele der südindischen Küche geblieben.

Eine weitere auffällige Eigenschaft der
südindischen Küche ist der großzügige
Gebrauch von Kokosnüssen, *kari*-Blät-

tern, Bockshornklee-Samen, Tamarinde und Asafoetida. Entgegen der vorherrschenden Meinung sind die Gerichte des Südens nicht chili-scharf, wobei jedoch Abweichungen in der Küche von Andhra (Hyderabad ausgenommen), sehr scharf, und Kerala, mäßig scharf, zu finden sind. Unter den Spezialitäten findet man *Iggaru Royya* (Garnelen, die mit Kreuzkümmel, Bockshornklee und Pfeffer gewürzt sind), *Nandu Masala* (Krabbencurry mit Kokos), *Milagu Kozhi Chettinad* (sehr scharf gewürztes Hühnercurry) und *Vendakka Masala Pachchadi* (Okragemüse in Joghurt-Sauce).

Übrigens ist „Curry" eine sehr vereinfachte Version des Tamil-Worts *kari*, das lediglich Sauce bedeutet – das Wort „Curry" existiert nicht einmal in einem indischen Küchen-Wörterbuch. Durch das Vermächtnis des Raj (der Zeit der britischen Herrschaft) wurde dieses Wort zum Synonym für die indische Küche, zum großen Ärger aller Inder. Die langweiligen, farblosen und faden Gerichte, die eine Handvoll *khansamah* (schlecht ausgebildete Köche) für den Geschmack der *sahibs* zubereiteten, wurden zur Schande Indiens, und das Durcheinander verschlimmerte sich noch mehr, als die *sahibs* selbst zu kochen begannen und dazu (was sonst?) Curry-Pulver benutzten, das ebenfalls auf der Liste der indischen Zutaten fehlt. Glücklicherweise beginnt die Welt langsam zwischen den vielfältigen Kochstilen Indiens und den verschiedenen Saucen – nicht „Curries" – zu unterscheiden.

Es gibt zwei Schulen der **bengalischen** Kochkunst – *Bangal* und *Ghoti*. Die Heimat der *Bangal*-Küche war die Gegend des heutigen Bangladesh, während die Westbengalen den *Ghoti*-Kochstil vertreten, dessen Gerichte meist mit Rohr- oder Palmzucker gesüßt sind. Eins ihrer bekanntesten Gerichte ist *Chenchki*, das mit geraspelten Kürbisschalen, kroß gebraten, zubereitet und mit *panch phoron* (fünf Gewürzen) und rotem Chili abge-

schmeckt wird. Beide Kochstile haben eine Vorliebe für Süßwasser-Fisch und Riesengarnelen sowie Senföl. Die folgenden Gerichte sollte man unbedingt probieren: *Lau Chingri* (Garnelen und Turban-Kürbis, mit *randhooni* oder *ajwain* gekocht), *Dohi Machch* (Süßwasser-Fisch in Joghurt), *Shukto* (gemischtes Gemüse mit Kokos) *Samukh Kumbra* (Schnecken und roter Kürbis mit Senf) und natürlich *Cholar Dal* (bengalische Kichererbsen).

Nachspeisen

Ein weiteres Vorurteil der westlichen Besucher ist, daß es in der indischen Küche keine nennenswerten Nachspeisen gäbe. *Phirni*, *Kulfi*, *Gajjar-ka-halwa*, *Gulab Jamun* und *Rasmalai* sind jedoch indische Süßigkeiten, die ihresgleichen suchen.

Die Rajasthaner bereiten sogar eine köstliche Nachspeise aus Knoblauch zu, und die Köche in Lucknow machen eine Nachspeise aus Hammel und Reis. Bei dem Gericht *Mushq-e-Tanjan* (*mushq* bedeutet Aroma des Himmels und *tanjan* Schatz) wird das Können eines Avadhi-Küchenchefs auf die Probe gestellt: Die besondere Kunst liegt nämlich darin, den Reis große Mengen Zucker aufnehmen zu lassen, ohne daß der Zucker karamelisiert und am Boden des *handi* festklebt. Ein Meisterkoch kann ein Verhältnis von vier Teilen Zucker zu einem Teil Reis herstellen.

Das Essen in indischen Restaurants ist hervorragend und fein aufeinander abgestimmt. Auch das Servieren von Sorbet zwischen den einzelnen Gängen kommt von der indischen Tradition, *sherbet* zwischen den einzelnen Gängen zu reichen. Schließlich sollten indische Mahlzeiten eine harmonische Mischung von Farben, Aromen, verschiedenen Geschmacksrichtungen, Formen und Beschaffenheiten sein, damit alle Sinne angesprochen werden.

Indische Küche

TEMPELREISE

Die Tempel Südindiens sollten nicht nur als faszinierende künstlerische Relikte der Vergangenheit verstanden werden, sondern auch als lebendige religiöse Einrichtungen, in denen Traditionen bewahrt werden, die zu einem festen Bestandteil des indischen Lebens geworden sind. Die im folgenden vorgeschlagene „Tempelreise" umfaßt vier Tempelgruppen, von denen jede auf ihre eigene Art interessant ist.

Die erste Gruppe besteht aus den Chalukya-Tempeln, die sich in Badami, Mahakuta, Pattadakal und Aihole befinden. In Badami, der alten Hauptstadt der Chalukya-Dynasten, stehen die ältesten Hindu-Tempel Südindiens, die durch ihre enorme Größe auffallen. Die Hindu-Heiligtümer des 6. bis 9. Jh. v. Chr. waren hauptsächlich Höhlentempel. Die vier Höhlentempel in Badami wurden unter der Schirmherrschaft der Chalukya-Herrscher im 6. Jh. aus dem Fels geschlagen. Das charakteristische Merkmal dieser Tempel ist die architektonische Kühnheit und die Verzierung der Decken und Kragsteine über den Säulen mit Figuren. In die Seitenwände der Höhlen wurden mächtige Göttergestalten eingemeißelt. Einige Tempel, deren Figuren weniger auffällig sind, treten durch ihre räumliche Gestaltung hervor. Die Tempel in Badami werden nicht mehr für religiöse Andachten benutzt, während in Mahakuta (10 km) einer der vielen Chalukya-Tempel steht, in denen seit fast 1500 Jahren heilige Zeremonien abgehalten werden. Das große Hauptheiligtum ist von mehreren kleinen umgeben, in denen jedoch keine religiösen Andachten mehr stattfinden. Auch die Tempel in Aihole und in Pattadakal, blühende Zentren religiöser Verehrung zur Zeit der Chalukyas, sind verwaist.

Rechts: Tempelpriester am heiligen Brunnen von Thirukalikundram.

Die Tempel an diesen vier Standorten unterscheiden sich zwar durch ihre Bauart voneinander, sind aber alle gruppenförmig in der Nähe einer alten Wasserstelle angelegt; und während in Pattadakal, der jüngsten der Städte, bereits sämtliche Tempel freistehend sind, gibt es in Aihole und Badami auch Höhlentempel. Auffallend ist das Nebeneinander von drei verschiedenen Tempelstilen – dem drawidischen Stil mit dem Turm über dem Sanktum, dem nördlichen Stil mit dem vertikal gegliederten *sikhara* (kurvilinear zulaufendes Dach), und dem Kadamba-Stil mit seinem pyramidenförmig geschichteten Aufbau.

Üppig gestaltete Skulpturen charakterisieren die nächste Tempelgruppe in der Nähe von Mysore, die von den Hoysala-Herrschern erbaut wurde. Die Tempel von Halebid, Belur und Somnathpur wurden fast 600 Jahre nach der Chalukya-Gruppe gebaut. In der dazwischenliegenden Zeitspanne veränderten sich die Baustile dramatisch: Die Höhlentempel sind verschwunden, die strukturellen Formen werden komplexer, innerhalb eines bestimmten Planschemas werden Elemente verdoppelt oder verdreifacht. Die einfache, realistische Ausdrucksweise, die bis dahin vorgeherrscht hatte, weicht einem Stil, der reich verziert und überladen ist. Die Wände sind fast gänzlich mit Blumenmustern und Figuren bedeckt, unter deren äußerst minutiös ausgearbeiteten Schmuck- und Kleidungsstücken man die Schönheit göttlicher und menschlicher Formen sieht, die durch fließende Linien und sinnliche Kurven akzentuiert werden. Mit ihrer Fülle an bildhauerischen Details sind die Hoysala-Tempel vielleicht einzigartig in der Welt.

Der *Gomatesvara* in Sravanabelgola hingegen ruft eher ehrfürchtiges Staunen hervor. Die nackte Kolossalfigur strahlt eine solche Gelassenheit aus, daß alles um sie herum an Bedeutung verliert. Der Geist dieses Jaina-Gottes symbolisiert die absolute Vollendung, die seit jeher

Ziel jedes Jaina war. Die Haltung des *Gomatesvara* ist bekannt als *kayotsarga* (den Körper auflösen) und symbolisiert das vollkommene Sein, das sich von allen individuellen Merkmalen gelöst hat. Der Jaina-Glaube, mit seiner Befürwortung eines einfachen, asketischen Lebens, hätte seinen Idealen kein eindrucksvolleres Denkmal setzen können.

Die südindischen Tempel folgen einem architektonischen Grundmuster und sind immer nach Osten hin ausgerichtet. Zwei *gopurams* (Türme), je einer im Osten und Süden, erheben sich an der rechteckigen Umgrenzungsmauer. Innerhalb des Tempelbezirks gibt es Pavillons, Zisternen, Innenhöfe und Heiligtümer. Am Haupteingang befindet sich der *balipitha*, „Darbringungs-Sitz", ein kleiner Steinaltar, auf dem die Brahmanen ihre Reis-Opfergaben ablegen. Dahinter steht der *dhvajastambha*, der „Flaggenmast", ein hoher Pfosten mit drei waagerechten Stangen, die auf das Haupttheiligtum weisen. In Shiva-Tempeln findet man zwischen Pfosten und Sanktuarium einen ruhenden

Nandi (der Stier, Shivas Reittier), der auf den Tempeleingang blickt. In Vishnu-Tempeln ist dies entweder der Garuda (Vishnus Reittier, ein mythologisches Wesen, halb Mann, halb Adler), oder der Affengott Hanuman. Das Haupttheiligtum ist quadratisch und mit Öllampen beleuchtet. Hier wird das menschenähnliche Bild des Gottes oder der Göttin aufbewahrt, oder, in Shiva-Tempeln, das *linga*. Andere Heiligtümer innerhalb des Tempelbezirks sind kleineren, mit der Hauptgottheit in Verbindung stehenden Göttern geweiht. Die Wände und Treppen dieser Bauten sind mit weißen und roten Streifen verziert.

Das auffälligste Element der Tempel ist der *gopuram* (Torbau), der zweimal so hoch wie breit ist. Diese mächtigen Torbauten sind oft mit Skulpturen geschmückt. Die Zahl der Stockwerke des *gopuram* ist immer ungerade, und jedes ist mit kleinen Pavillons verziert. Der mittlere Pavillon ist größer als die anderen und hat ein kleines offenes Fenster. In jedes Stockwerk sind Bilder von Göttern,

Göttinnen und *dvarpalas* (Türhüter) eingemeißelt.

Tamil Nadu ist das Land der Monumentaltempel, die immer Zentren religiöser Andachten geblieben sind. Bei Madras stehen der Kapalisvara-Tempel in Mylapore und der Parthasarathi-Tempel in Triplicane, in denen täglich Andachten und Zeremonien stattfinden. Beide Tempel sind mindestens 1300 Jahre alt und werden in den Hymnen der Heiligen gepriesen. Nicht-Hindus dürfen leider nur den äußeren Bereich des Kapalisvara-Tempels betreten.

Die Tempel in Mamallapuram (Mahabalipuram) und Kanchipuram können von Madras aus bequem erreicht werden. In Mamallapuram, weniger als eine Stunde Fahrzeit von Madras entfernt, haben die Pallavas des achten Jahrhunderts die besten Beispiele ihrer klassischen Felsbildhauer-Kunst hinterlassen. Religiöse Andachten werden zwar nicht mehr abgehalten, aber die Fülle der Statuen ist überwältigend, und sogar die monolithischen *rathas* sehen wie Skulpturen aus. Es gibt hier mehrere Höhlentempel, fünf monolithische freistehende Tempel und mehrere aus Steinen errichtete Tempelgebäude einschließlich des malerischen Strandtempels.

In Kanchipuram, der alten Hauptstadt der Pallavas, kann man am besten die Entwicklung der südindischen Tempelarchitektur vom 7. Jh. bis heute studieren. Es gibt dort über 100 Tempel, von denen die bekanntesten, der Kailasanatha-Tempel und der Ekambaresvara-Tempel, Shiva geweiht sind; im Varadaraja-Tempel wird Vishnu und im Kamakshi-Tempel die Göttin Parvati verehrt; weitere Heiligtümer sind der Subrahmanya-Tempel und ein Jaina-Tempel.

Chidambaram ist der Ausgangspunkt für die letzte Tempelgruppe, die hier vorgestellt wird. Chidambaram ist der Wohnsitz Natarajas, des „kosmischen Tänzers". Das Besondere an diesem Tempel ist, daß hier die Bronzefigur des Nataraja verehrt wird, und nicht, wie in anderen Tempeln, Shivas *linga*. Über ihm erhebt sich der Bau des Sanktuariums wie eine Blätterhütte, bedeckt mit vergoldeten Metallplatten. Nataraja war die Familiengottheit der Chola-Herrscher, die das Privileg besaßen, in Gegenwart des Gottes gekrönt zu werden. Chidambaram ist das Allerheiligste der Shivaiten; um diesen Tempel herum entwickelten sich Literatur, Religion, Philosophie, Musik und Tanz über einen Zeitraum von fast 2000 Jahren.

Von hier aus ist der Ort Gangaikondacholapuram nur eine Fahrstunde entfernt. Der prächtige Shiva-Tempel liegt auf der Strecke nach Kumbakonam, einer alten Stadt, in der es einige wichtige Tempel gibt. Zwei verdienen besondere Erwähnung – der Nagesvara-Tempel und der Ramaswamy-Tempel. Der erstere, mit einer Struktur aus dem 9. Jh., besitzt liebliche Statuen aus der frühen Chola-Epoche. Der Ramaswamy-Tempel ist ein Beispiel für die Nayak-Architektur des 17. Jh. und für seine kunstvollen Skulpturen bekannt.

In der Nähe von Kumbakonam, in Darasuram, liegt ein schöner Chola-Tempel aus dem 12. Jh. Die gewundene Straße führt weiter nach Tanjore, das im 9. Jh. als Hauptstadt der Cholas an Bedeutung gewann. Hier baute der berühmte Rajaraja I. um 1010 v. Chr. einen Tempel, der völlig aus Granit besteht. Sein *gopuram*, der stattlichste im Süden, wird von einem Kreuzgang mit zwei Eingangstürmen eingefaßt. In diesem Tempel entwickelten sich Künste wie Bildhauerei, Bronzeguß, Malerei, Musik, Tanz, schriftliche Tradition und Rituale auf einzigartige Weise.

Madurai ist bekannt durch den Tempel der Göttin Minakshi, die eine Inkarnation von Parvati ist, Shivas Begleiterin. Die Stadt Madurai wuchs kreisförmig um den Minakshi-Tempel herum. Jede Straße um den Tempel ist nach einem Monat des Jahres benannt.

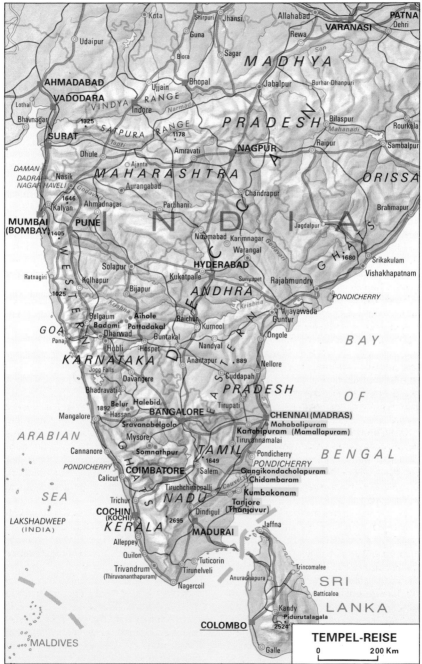

TEMPEL-REISE

0   200 Km

STRÄNDE

Indiens Strände säumen den Süden des Subkontinents mit einer glitzernden Girlande aus Sand, Fels und Kieselsteinen. Die dunklen Gewässer des Arabischen Meeres umspülen die westlichen Küsten; hier liegt auch die sogenannte Gewürzküste; sie wurde von wagemutigen Arabern als Ausgangsbasis für einen Dreiecks-Handel mit Afrika und Indien benutzt. Am Ostrand liegt die Coromandelküste mit den warmen Gewässern der Bucht von Bengalen, einst berühmt für ihre Perlenfischerei sowie für die altertümlichen Hafenstädte mit ihren mit Holzfeuern in Gang gehaltenen Leuchttürmen. Der äußerste Süden ist von der unvergleichlichen Schönheit des Indischen Ozeans geprägt. In **Kanniyakumari**, von den Briten Cape Comorin genannt, befindet sich auf **Land's End** ein Tempel der jungfräulichen Göttin. Es ist ein besonderes Erlebnis für den Reisenden oder Pilger, hier den Sonnenauf- oder -untergang zu betrachten. Am besten bereist man die Strandorte der 6000 km langen Küstenlinie im Winter.

Gujarat

Der **Chorwad-Beach** liegt an der Saurashtra-Küste von Gujarat. Sein Zauber rührt zum Teil von seiner Abgeschiedenheit her. Er liegt 70 km von der wenig besuchten, aber faszinierenden Stadt **Junagadh** entfernt. Vom Flughafen Keshod (47 km südwestlich) hat man täglich Verbindung nach Bombay. Das **Chorwad Palace Beach Resort** diente früher als Sommerpalast der Nawabs von Junagadh. Er besitzt 75 Zimmer und alle üblichen Annehmlichkeiten einschließlich eines Swimmingpools für diejenigen, denen die See ein wenig rauh erscheint.

Rechts: Gemeinsames Bad nach einem harten Arbeitstag.

Chorwad ist günstig gelegen, um **Palitana** zu besuchen, die phantastischen, auf einem Hügel gelegenen Jaina-Tempel, den Hindu-Tempel in **Somnath**, Mahatma Gandhis Geburtsort **Porbandar** und **Gir Forest**, das letzte Refugium der asiatischen Löwen. 20 Kilometer von Chorwad entfernt liegt auch der bezaubernde Fischerhafen **Veraval**.

Bombay

Etwas weiter südlich, in der Nähe von Bombay, liegen **Chowpatty** und **Juhu Beach**, die bei den Einheimischen sehr beliebt sind. Zum Schwimmen jedoch sind beide Orte nicht geeignet. Die abgelegeneren Strände von **Marve**, **Madh** und **Manori** (40 km nördlich von Bombay) erreicht man mit dem Zug oder mit dem Auto.

Marve und Madh sind an Feiertagen total überlaufen; es ist ratsam, sich dort ein Häuschen zu mieten, um dem Trubel zu entkommen. Auf einem Spaziergang durch Marve lassen sich interessante Überreste aus der portugiesischen Kolonialzeit entdecken. Von hier gibt es auch eine Fähre zur gebogenen Spitze von **Manori Island**, einem Landstreifen, der durch eine umwegreiche Straße mit dem Festland verbunden ist. Bei der Ankunft kann man sich einen Ochsenkarren mieten, um sich zu Privathäusern oder den ländlich anmutenden Bungalow-Siedlungen am Strand fahren zu lassen. Auch hier ist der Geist der Portugiesen spürbar. Man bemerkt ihn z. B. am Kleidungsstil der Frauen und in kleinen Bäckereien, die knuspriges Brot anbieten. Das **Manoribel Hotel** ist eines der besseren Häuser und lädt zum Verweilen ein.

Goa

Mit seinem feinsandigen Küstenstreifen und einladenden Palmenhainen führt **Calangute** die Liste von Goas beliebten Stränden an. Es ist schon fast Legende,

daß sich hier die Hippie-„Blumenkinder" niederließen. Rucksackreisende, die ihnen nachfolgten, findet man heute meist etwas weiter nördlich in **Baga** und **Anjuna**, bekannt durch einen großen Flohmarkt, sowie an den Stränden von **Vagator** oder **Arambol**. Gutsituierte Touristen bevorzugen das **Aguada Fort Hotel** südlich von Calangute an der Mündung des Mandovi, mit Blick auf die offene See. Dieses alte **Fort** erinnert an Alfonso de Albuquerque, der sich 1510 auf Gott und den portugiesischen König berief und die Provinz Goa eroberte. In Panjim (Panaji), am Südufer des Mandovi, liegen die kleinen Strände **Miramar** und **Dona Paula**. Es lohnt sich, ein Stück weiter zum kilometerlangen Strand von **Colva** zu fahren. Dazwischen liegt die abgeschiedene Bucht von **Bogmalo**, die für die Gäste des 5-Sterne-**Hotels Oberoi** Beach fast so etwas wie ein Privatstrand ist.

Da sie auch stark von Einheimischen besucht werden, geht es an Goas Stränden oft lustig zu, mit viel Musik und *feni*trinken. Die Menschen sind äußerst gastfreundlich, und an ihre ausgezeichnete Küche wird man sich gerne erinnern.

Kerala

Kerala nennt wundervolle Strände mit Aussichtspunkten für glutrote Sonnenuntergänge sein eigen. Das **Kovalam Ashok Beach Resort** (11 km von Trivandrum entfernt) wurde als ein de luxe-Ferienparadies konzipiert. Hotels aller Preisklassen warten außerdem auf Touristen. Die Einheimischen bieten Kleider, Souvenirs und Erfrischungen an den beiden großen Strandbuchten an. Es werden frisch gefangene Meeresfrüchte vor Ihren Augen zubereitet, außerdem gibt es reife Papayas, Ananas und Mangos zu kaufen. Mit einem Strohhalm kann man Kokoswasser direkt aus der Nuß trinken oder *toddy* probieren, den vergorenen Saft der Kokospalme. Vom November bis Februar ist Hochsaison – auch für indische Wochenendtouristen, die angesichts nur spärlich bekleideter „Westler" ins Staunen geraten.

Tamil Nadu

Die Strände an der Ostküste sind touristisch weniger gut entwickelt. In **Pichavaram** (15 km östlich von Chidambaram in Tamil Nadu) befinden sich die faszinierenden Mangrovensümpfe, die sich früher möglicherweise wie ein weicher grüner Schwamm die ganze Küste entlang erstreckten.

Hier hat die Touristenbehörde von Tamil Nadu ein paar Ferienhäuser und eine Jugendherberge errichtet. Mit dem Boot kann man durch die mit Mangrovenbäumen gesäumten Brackwasser rudern, man kommt auf diesen Wegen auch zum Schwimmen an den Strand. **Pichavaram**, ein bedeutendes historisches Zentrum, wird heutzutage kaum mehr besucht. Nördlich davon liegt die frühere französische Provinz **Pondicherry** mit **Karaikal**,

Oben: Ein Augenblick der Ruhe am Strand von Mahabalipuram. Rechts: Selbst Kühe zieht es von Zeit zu Zeit an den Strand.

einer kleinen Enklave südlich von Pichavaram. In **Tranquebar** steht ein romantisches, ehemals dänisches Fort, und über **Porto Nuovo** wehte früher die portugiesische Flagge.

Weiter nördlich an der Küste liegt **Mamallapuram** (oder Mahabalipuram), der einst prächtige Hafen der Pallava-Könige Südindiens. Ein aus Stein gehauener, ehemals mit Holzfeuern betriebener Leuchtturm steht, von weither zu sehen, auf einem Hügel neben dem neu errichteten Leuchtturm. Mamallapuram ist berühmt für seinen **Shore-Tempel**, dessen sieben Pagoden langsam vom Seewasser zerfressen werden und besitzt einige der schönsten Skulpturen Indiens. Im Stadtzentrum befindet sich das weltberühmte Felsrelief **Arjuna's Penance**. Die Strände erstrecken sich bis nach Madras hin. Man findet hier ausgezeichnete Hotels und schmackhafte Meeresfrüchte. Allerdings ist die See ab und zu rauh; es ist ein echtes Erlebnis, mit den hier ansässigen Fischern in ihren *catamarans* aufs Meer zu fahren. Diese Boote bestehen aus drei,

fünf oder sieben zusammengebundenen Baumstämmen. Hat man die Brandung hinter sich gelassen, ist das Wasser warm und nur leicht bewegt. Die Rückfahrt durch die tosende Brandung, unter Obhut der erfahrenen Fischer, ist so aufregend wie ein Ritt auf einem Surfbrett.

Orissa und Bengalen

Strandliebhaber dürfen sich den kleinen, aber wunderschönen Strand von Gopalpur an der Küste von Orissa nicht entgehen lassen, der von den Briten **Gopalpur-on-Sea**, von jedermann sonst einfach **Gopalpur** genannt wird. Für indische Pilger existiert in dieser Gegend allerdings nur der Ort **Puri** mit seinem berühmten **Jagannath-Tempel**, den sie besuchen. Am Strand von Puri geht man zur rituellen Waschung ins Meer. Gläubige, die vielleicht noch nie zuvor an der See waren, gehen voll bekleidet ins Wasser. Sie bekommen Hilfe von den *nolia*, den örtlichen Fischern mit ihren kegelförmigen Hüten, die als Bademeister für diejenigen bereitstehen, denen die Strömung gefährlich werden könnte. Die See kann hier sehr rauh sein. Am östlichen Teil des Strandes findet man fast nur westliche Touristen. Die gespenstisch wirkenden Überbleibsel von palastähnlichen Wohnsitzen längst verstorbener reicher Grundbesitzer und Prinzen verleihen dem Ort einen unheimlichen Anstrich.

In **Digha** (185 km südwestlich von Calcutta) gibt es einen flachen Sandstrand von sechs Kilometern Länge. Dort umschließt das fächerartige Delta des Ganges mehrere Inseln. **Ganga Sagar**, an der Hauptmündung, ist Ausgangs- und Endpunkt von Pilgerreisen, und wird von Tausenden von Gläubigen besucht.

Für Strandliebhaber ist es vielleicht überraschend, daß verhältnismäßig wenige indische Strände bekannt sind. Sie sind eben immer noch ein gut gehütetes Geheimnis, das darauf wartet, entdeckt zu werden. Die meisten Inder ziehen einen Urlaub in den Bergregionen vor; deshalb sind die meisten Strandorte paradiesisch leer.

MALEREI

Eine unerwartete Überraschung für den Indienreisenden bietet das differenzierte und reichhaltige Angebot an moderner Kunst, das sich mit internationalem Niveau durchaus messen kann. Ihre lebhaften Farben und eigenwilligen Formen nehmen unwillkürlich das Auge gefangen. Obwohl sie eine uns allen verständliche Sprache sprechen, haben sie eine lebendige Verbindung zu einer uralten Vergangenheit. Die Eigenheiten der zeitgenössischen Kunstszene sind am besten zu verstehen, wenn man die Wurzeln kennt, aus der sie entstanden sind.

Die frühesten Anfänge der Malerei in Indien dokumentieren großartige Wandgemälde in den Höhlen von Ajanta und Ellora (1. Jh. v. Chr.). Diese Malereien wurden von den *Jatakas* und anderen buddhistischen Themen inspiriert. Sie sind künstlerisch hochentwickelt und im wahrsten Sinne des Wortes klassisch zu nennen. Die Figuren wurden in einem fließenden Rhythmus gemalt, und mit ihren sanften Kurven und plastischen Modellierungen besitzen sie ein fast bildhauerisches Volumen. In Südindien überlebte dieser klassische Stil bis ins 11. Jh., z. B. in den Wandgemälden des Tempels in Tanjore.

Um etwa 800 n. Chr. verändert sich die Malerei auf dramatische Weise. In den westindischen Jaina-Manuskripten werden die Figuren räumlich gemalt, die Künstler entwickeln jedoch eine Vorliebe für scharfe Linien und eine fast modern anmutende Verzerrung von Perspektiven. Bild, Text und Zwischenräume harmonieren mit der zurückhaltenden Kalligraphie. Die Palmblatt-Manuskripte aus Ostindien zeigen sehr kleine, aber kompakte Zeichnungen mit vorwiegend buddhistischer Thematik. Rot, Gelb, Ul-

tramarinblau, Gold und Silber leuchten auf den Oberflächen dieser religiösen und weltlichen Texte und zeigen erstmals die Farbenfreude der indischen Künstler.

Die königlichen Ateliers der Mogule wurden um 1550 gegründet. Ihre großen Schirmherren waren Akbar (1556-1605) und Jehangir im 17. Jh. Der Malstil dieser Ateliers war von üppiger Farbigkeit und einer strengen Eleganz der Form geprägt. Die Themen behandelten das Hofleben, die Hindu-Epen, Tierstudien und erstmals Portraits. Während dieser Zeit entstanden auch die sogenannten Rajput-Miniaturen in Rajasthan und in den Bergstaaten. Die Komposition dieser lyrischen Werke ist überraschend in ihrem Einfallsreichtum. Vorwiegend wurden Liebesszenen gemalt.

In der Mitte des 17. Jh. verfiel die Mogul-Malerei zusehends. Im 18. Jh. entwickelte sich ein europäisierter Stil, denn die Maler wurden immer abhängiger von den ansässigen britischen Offizieren und Kaufleuten. Die Themen dieser „company"-Gemälde beschränkten sich meist auf die angenehmeren Seiten des indischen Lebens.

Die Briten bewunderten zwar das indische Kunsthandwerk, aber der indischen Kunst begegneten sie mit hoffnungslosem Unverständnis. Die Lage der Künstler verschlechterte sich weiter durch das Heranwachsen einer gebildeten indischen Mittelschicht-Elite, die unkritisch den verwässerten Geschmack und die Haltung der Briten übernahm. Dazu kam, daß das eigene kulturelle Erbe nur mangelhaft dokumentiert war. Die erste Studie über indische Architektur erschien 1876, die über Ajanta 1897. Im Bereich der Miniaturmalerei sah es noch schlimmer aus. Die erste Arbeit über die Mogul-Miniaturen erschien erst 1908, und die über Rajput- Miniaturen erst 1912.

1905 wurde Bengalen geteilt, und eine patriotische Welle überflutete das Land. Raja Ravi Verma (gestorben 1905) begann, indische Themen in seine großen

Malerei

Ölgemälde einzuführen. Bengalen wurde nun das Zentrum einer starken kulturellen Rückbesinnung, der „bengalischen Renaissance". Man entdeckte Indiens verschollene Kultur neu.

Rabindranath Tagore brachte die indischen Künstler dazu, sich gegen die akademische Einstellung der Briten aufzulehnen. Leider waren sie mehr von nationalistischen Gefühlen als von ernsthafter Beschäftigung mit künstlerischen Aussagen bewegt. Nicht verwunderlich, daß die Ergebnisse mittelmäßig waren. Heute sind die kleinen glanzlosen Aquarelle – das bevorzugte Genre dieser Periode – nur noch als Kuriositäten zu betrachten. Die von Ajanta beeinflußten Figuren und die Themen aus der klassischen indischen Literatur wurden ziemlich willkürlich ins Format der Mogul-Miniaturen gepreßt.

1927 fand ein einzigartiges Ereignis statt. Rabindranath Tagore war zu diesem Zeitpunkt schon ein international aner-

Oben: Eine Zeichnung von Ram Kumar aus dem Jahr 1966.

kannter Dichter und der führende Schriftsteller Bengalens. Mit 67 Jahren begann er zu malen; zweifellos war er Indiens erster moderner Maler. Er fand es töricht, eine vergangene Kunst wieder aufleben lassen zu wollen. „Wenn wir, im Namen der indischen Kunst, mit vorsätzlicher Aggressivität eine gewisse Engstirnigkeit kultivieren, die aus den Gewohnheiten vergangener Generationen stammt, dann ersticken wir unsere Seele unter dem Ballast vergangener Jahrhunderte. Das ist, als würden wir Masken mit übertriebenen Grimassen tragen, die sich dem ständigen Wechselspiel des Lebens nicht anpassen können." Tagore besaß keine akademische Ausbildung als Maler. Er wandte sich instinktiv an die richtige Quelle, „in den Bereich der Intuition, des Unbewußten, des Überflüssigen." Zwischen 1927 und 1941 entstanden so 2000 Aquarelle, die uns noch heute beeindrucken.

Den Künstlern der 30er und 40er Jahre waren die Werke van Goghs und Gauguins aus englischen und amerikanischen Zeitungen, die ihren Weg nach Indien fanden, bekannt. Pionierhafte Künstler wie Nandalal Bose, Ramkinkar Baij und Benode Behari Mukherjee wurden jedoch entscheidend von der chinesischen und japanischen Kunst beeinflußt.

Mit gedämpften, lasiert aufgetragenen Farben und ausdrucksvoller kalligraphischer Strichführung beschrieben sie die Üppigkeit der bengalischen Landschaft und die Anmut der Dorfbewohner. Jamini Roy, der sich von der dörflichen Kunst Bengalens beeinflussen ließ, vereinfachte Linie und Form auf äußerst kühne Weise. Er wechselte von Ölfarbe zu Tempera und benutzte auch die Farben der dörflichen Kunsthandwerker.

Die erste indische Künstlerin, deren Gemälde man mit den besten Europas vergleichen kann, war Amrita Sher-Gil. Von 1929 bis 1934 studierte sie Kunst in Paris. Trotz einer kurzen Lebensspanne (1913-1941) hinterließ sie eine kleine eindrucksvolle Sammlung von Kunstwerken. Indische Menschen in ruhender Haltung waren ihr bevorzugtes Thema. Die Farben und das Volumen der Figuren spiegeln den Einfluß von Ajanta wider. In der Stilisierung und Anordnung der Formen wie auch in der Handhabung der Pigmente wird ihr Vorsatz deutlich, „sich der Malerei auf einer mehr abstrakten Ebene als des ausschließlich Bildlichen zu nähern."

Delhi und Calcutta waren die Kunstzentren der späten 40er Jahre, aber die bedeutendsten künstlerischen Aktivitäten fanden in Bombay statt. Dort wurde die Progressive Artists Group (PAG) gegründet, für die sich auch Künstler engagierten, die nur lose mit dieser Gruppe verbunden waren. Hier war das kosmopolitische Klima der Stadt förderlich, wie auch Europäer, die als erste begannen, moderne indische Malerei zu sammeln.

In der Vergangenheit hat die indische Kultur erfolgreich fremde Einflüsse wie die Griechenlands oder Persiens verwertet und wurde dadurch bereichert. In diesem Sinne wandten sich auch moderne

Künstler westlichen Meistern wie Picasso, Braque, Klee, de Staël und den Expressionisten zu.

Etablierte Künstler haben in den vier Jahrzehnten ihrer Arbeit das Ansehen der indischen Kunst gehoben. Die eindrucksvolle Erkundung der menschlichen Gestalt und die kühne graphische Qualität von M. F. Hussains und Tyeb Methas Werken sind bemerkenswert. In den Werken von K.G. Subramanyam und den expressionistischen Gemälden von F.N. Souza werden die erotischen Aspekte der menschlichen Figur aufgegriffen. Ram Kumars abstrakte Bilder erinnern mit ihrer stark linearen Struktur und den reifen Farbtönen an Erde, Himmel und Wasser. Die schimmernden Oberflächen von Akbar Padamsees und J. Swaminathans Gemälden behandeln die Landschaft als Metapher. Im Bereich völliger Abstraktion sind die Maler V.S. Gaitonde und S.H. Raza unübertroffen.

In den späten 60er Jahren wandte sich die neue Generation junger Künstler vom Westen ab, um sich stärker auf ihre eigene Tradition zu berufen. Die heutigen jungen Künstler wurzeln fest in der indischen Kultur. Als Quelle der Inspiration dienen ihnen die Tantra-Kunst, eine breite Spanne von Folklore und Stammeskunst, die subtile Geometrie der Stoffmuster, die vielfältige indische Kalligraphie und, auf eine einzigartig neue Weise, die Miniaturen.

Die künstlerische Thematik wird seither erweitert: Man sieht jetzt Frauen in ihrem sozialen Umfeld, die städtische Umgebung, Traumlandschaften und eine neue Interpretation der Mythen und Legenden. Der zeitgenössische indische Maler schöpft auf tiefgreifende Weise die Möglichkeiten seiner eigenen Tradition aus. Gleichzeitig sind ihm die internationalen Kunsttrends gut bekannt. Dadurch entsteht eine neue Bandbreite von Formen und Strukturen, die nicht nur für die indische Kunst, sondern für die Kunst der ganzen Welt eine Bereicherung ist.

Malerei

ASHRAMS

Der **Raman-Ashram** in Tiruvannamalai ist eine Stätte der Ruhe am Fuß des hohen Berges Tiruvannamalai, der auch Arunachalam genannt wird. Der Ashram wurde von dem großen Weisen Ramana Maharshi gegründet, der hier bis vor einigen Jahrzehnten lebte. Er wurde 1879 als Sohn von Brahmanen im Dorf Tiruchuliyal, etwa 70 km von Madurai, geboren und war in seiner Jugend als Venkataraman bekannt. 1896 hatte er eine außergewöhnliche mystische Erfahrung: Er spürte, daß sein Körper und seine Seele zwei verschiedene Dinge waren. Diese Erkenntnis brachte ihn dazu, seine Studien abzubrechen und sein Zuhause zu verlassen, um nach Tiruvannamalai zu gehen, dessen Berg schon seit Urzeiten als heilig gilt und wo es einen wichtigen, Shiva geweihten Tempel gibt. In einem unterirdischen Schrein des Tempelbezirks verbrachte Venkataraman über ein Jahr in Meditation, wonach man ihn nur mit größter Mühe dazu bewegen konnte, sich wieder der Welt zuzuwenden. Während dieser Zeit hatte er erkannt, „daß das eigene Wesen ein unendliches Bewußtsein besitzt." Den Pilgern, die zu ihm kamen, riet er: „Lerne, dich selbst zu erkennen", oder er forderte sie auf, sich zu fragen: „Wer bin ich?" Ramana, wie er später genannt wurde, machte keinen Gebrauch von Ritualen, Mythen oder Wundern, und die Menschen von denen viele seine Hilfe auf ihrem spirituellen Weg suchten, fühlten sich von seiner heiteren Gelassenheit angezogen. Er gab ihnen keine tiefschürfenden philosophischen Antworten, sondern brachte sie auf seine einfache und geradlinige Weise dazu, ihr eigenes Wesenspotential zu entdecken. „Du bist das Selbst", sagt er, „nichts als das Selbst. Alles andere ist Einbildung. Es ist nicht notwendig, sich in die Wälder zurückzuziehen. Fahrt fort mit euren notwendigen Beschäftigungen, aber befreit euch von der Vorstellung, daß ihr mit der Handlung identisch seid. Sucht immer nach dem Ursprung eures Ich, dem anscheinend Handelnden. Und wenn ihr dieses Ziel erreicht habt, wird das Ich von selbst abfallen, und nur das glückselige Selbst wird euch bleiben."

Ramana Maharshi starb 1950, aber der Ashram am Fuß des Berges ist weiterhin für alle geöffnet und bietet vegetarische Küche sowie Unterkunft an. Tiruvannamalai ist etwa 100 km von Madras entfernt und ist von dort aus mit einem regelmäßigen Busservice zu erreichen.

Aurobindo Ashram

Aurobindo Ghosh, der in Bengalen geboren und als Nationalist, Humanist, Denker und Dichter bekannt wurde, vereinigte in sich die Lebhaftigkeit des Westens mit der Abgeklärtheit des Ostens. Er ging nach einer brillanten akademischen Karriere nach London, um sich beim Indian Civil Service ausbilden zu lassen, doch sein Wunsch nach der eigenen Freiheit und der seines Landes (diesen Begriff erweiterte er später zur Freiheit der menschlichen Seele) führte ihn nach Indien zurück und machte ihn zu einem aktiven Teilnehmer im Kampf für die Unabhängigkeit. Die Briten klagten ihn daraufhin wegen Verschwörung an und warfen ihn ins Gefängnis, wo er eine Vision von Krishna hatte. Gegen Ende des Jahres, nach seiner Freilassung, war er ein völlig veränderter Mann, der sich von allem loslöste und nach **Pondicherry** ging. Aurobindo wurde bald einer der führenden Philosophen Indiens, die überzeugt waren, mit Hilfe der körperlichen, geistigen und seelischen Kräfte die Grenzen des Wissens erweitern zu können. Er war kein Lehrstuhl-Philosoph und vertrat die Auffassung, daß „es nicht notwenig ist, die Existenz Gottes zu beweisen. Er existiert. In ihm ist unser Leben, unsere

Rechts: Sadhus in der stillen Abgeschiedenheit ihres Domizils.

Entwicklung und unser Sein." „Wenn die philosophische Erkenntnis nicht gelebt werden kann," sagte er weiter, „hat sie lediglich theoretischen Wert." Seine letzten Worte waren, daß „wir, ob wir es wollen oder nicht, miteinander verbunden sind. Wenn wir diese Wahrheit nicht erkennen und danach handeln, werden wir auf Erden niemals friedlich zusammenleben können."

Sri Aurobindo schrieb mehrere Bücher; seine Essays über die *Gita* und *The Life Divine* sind hervorragende Interpretationen. Besonders fühlte sich eine Französin, die von Paris nach Pondicherry kam, von Aurobindos Philosophie angezogen und wurde seine Schülerin. Sie übernahm später die Verwaltung und Organisation des Aurobindo-Ashrams, der sich unter ihrer tüchtigen und mütterlichen Leitung zu einem internationalen Zentrum des gemeinschaftlichen Lebens entwickelte und dem eine Anzahl von Gebäuden in Pondicherry gehörten. Später wurde sie als „die Mutter" verehrt. Als Sri Aurobindo 1950 starb, wurde für ihn eine Gedenkstätte (*samadhi*) gebaut. Nach dem Tod der Mutter 1973 wurde dort auch für sie ein *samadhi* errichtet. Vor ihrem Tod hatte sie die Vision eines idealen Auroville als Ort des harmonischen, internationalen Zusammenlebens, „an dem Männer und Frauen in Frieden und Harmonie, unabhängig von Religion, Politik und Nationalität zusammenleben können."

Am 28. Februar 1968 wurde **Auroville** in einer feierlichen Zeremonie eingeweiht. Es liegt im einst kargen Hinterland von Pondicherry, wo heute intensiver Obst- und Gartenbau betrieben wird. Sein Zentrum ist das Matri Mandir, eine monumentale Beton-Hohlkugel, die als Meditationszentrum dient.

Kanchi Sankaracharya Math

Im Gegensatz zu den obigen Ashrams bietet das **Sankaracharya math** in **Kanchipuram** einen Einblick in eine der traditionellsten klösterlichen Institutionen. Das Sankaracharya *math* wurde im 8. Jh.

von Adi Sankara gegründet, dem Begründer der philosophischen Schule des Advaita Vedanta. Der Überlieferung nach legte Sankara fünf *maths* an – vier *maths* in den Kardinalrichtungen Indiens wurden von seinen Jüngern geleitet, während er selbst dem fünften *math*, genannt Sarvanja Pitha (Sitz des transzendentalen Wissens), vorstand. Seit Sankaras Zeiten ist diese Institution von einer ununterbrochenen Linie von *sannyasins* geleitet worden. Der letzte Acharya, Seine Heiligkeit Sri Chandrasekharendra Sarasvati war der am höchsten verehrte Weise Indiens. Für die heutigen Hindus symbolisiert er den Rishi des vedischen Zeitalters. Er war der Anführer einer großen Bewegung, deren Ziel es war, die verschiedenen Sekten zu vereinigen und sich dem „göttlichen Zustand durch das Bewußtmachen des Inneren" zu nähern. Er segnete alle Pilger, die zu ihm fanden, unabhängig von Kaste, Glaube oder Geschlecht, und hatte auch zwei Nachfolger zur Fortsetzung seines Werks benannt. Das *math* ist sehr einfach; Besucher solten besser in der Stadt um Unterkunft bemühen, denn viele Menschen pilgern zu der ehemaligen Wirkungsstätte des Weisen um Kanchi, dessen Wissen sowohl über die Weltphilosophie wie auch über religiöse und Allgemeinfragen außergewöhnlich war.

Narayana Guru Ashram

Narayana Guru, dessen hundertjähriger Geburtstag 1987 gefeiert wurde, ist in Kerala als Sohn einer Ezhava-Familie, die der Tradition nach zu den Ausgestoßenen gehörte, geboren worden. Er rebellierte gegen die Unterdrückung durch das Kastensystem und wurde der Anführer einer Bewegung zur Befreiung der Unterdrückten, die er überzeugte, daß sie keineswegs niedrige, sondern gleichrangige menschliche Wesen seien. Es gehörte mit zu seinem Ziel, den Angehörigen seiner Sippe den Status von Brahmanen zu ver-

leihen. Narayana Guru setzte Männer aus niederen Kasten als Tempelpriester ein und verbot seinen Anhängern, den Göttern und Göttinnen Tieropfer darzubringen. Auch wurden auf seine Veranlassung hin seine Jünger ermutigt, Sanskrit zu lernen, und sie wurden in ihrem Anspruch auf Gleichberechtigung in allen Wissensgebieten unterstützt. Er gründete mehrere Zentren und Tempel in Kerala und wurde schon bald zu einem Symbol für soziale Gleichberechtigung. Seine Weisheit und sein Scharfsinn wurden hochgeschätzt, und man nannte ihn den *Guru* oder den Erleuchteten. Sein Ashram steht in Varkala, auf einem Hügel zirka 45 km von Trivandrum entfernt.

Puttaparthi Ashram

Der nicht unumstrittene Puttaparthi Sai Baba ist ein Phänomen im spirituellen Leben der südindischen Menschen. Er wird als Mystiker verehrt und vollbringt – laut seinen Anhängern – Wunder, die Tausende von Menschen anziehen. Er integriert die Lehren aller Religionen – des Hinduismus, Christentums, Islams, des Sikhismus und anderer in seine eigene, spricht über die Weisheit der *Gita* und ruft den Menschen ins Gedächtnis, daß Gott allgegenwärtig sei und all ihre Handlungen beobachte. Ebenso wird von ihm der religiöse Gruppengesang gefördert wie auch das Ausführen menschenfreundlicher Taten, so daß seine Jünger glauben, er sei eine göttliche Inkarnation. Satya Sai Babas Hauptashram – er hat Zentren in der ganzen Welt gegründet – liegt im Dorf Puttaparthi (160 km von Bangalore) im Anantapur-Bezirk von Andhra Pradesh und heißt Prasanti Nilayam. Es ist ein Ort, an dem viele Aktivitäten stattfinden, wo man fast immer eine Unterkunft bekommt, außer an Festtagen, bei denen großer Andrang an Besuchern herrscht. Der Ashram liegt am Ufer des Chitravarti, in der Nähe des Hügels Vidyagiri und der Universität.

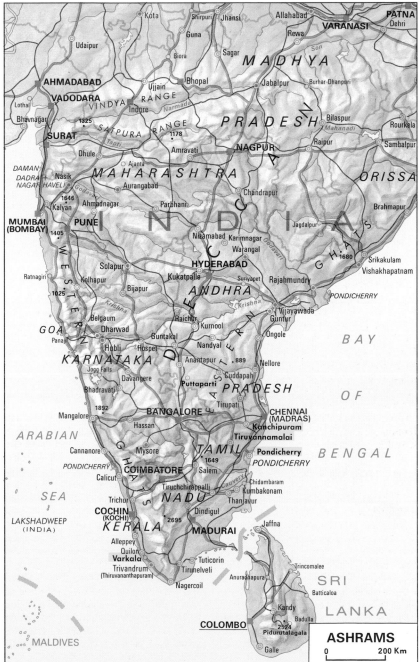

TANZFORMEN

„Das Wesentlichste des indischen Denkens liegt in der ständigen Erkenntnis der Einheit allen Lebens und in der fest verankerten Überzeugung, daß die Erkenntnis dieser Einheit das höchste Gut ist." (Ananda K. Coomaraswamy). Für ein Land, dessen Philosophie durch die überlieferten Kunstformen wie Tanz, Musik und Drama erhalten bleibt, bekommen diese Worte eine tiefere Bedeutung, wenn man dem vielfältigen Spektrum des indischen Tanzes begegnet. Diese hochentwickelten und stilisierten Tempelkünste sind weder einfache Fertigkeiten, die man lernen und perfektionieren kann, noch sind sie dazu da, Zuschauer zu unterhalten. Sie symbolisieren Indiens Geisteshaltung und spiegeln die soziale und religiöse Überzeugung sowie die Entwicklung einer Gesellschaft über Generationen wieder. Verbunden miteinander sind alle Tanzformen des Landes durch eine Einheit des Gedankens, des Gefühls, der Philosophie, des Mythos und der Sitten. Trotzdem nimmt jede von ihnen den Duft, die Farbe, die Struktur und die Äußerlichkeiten der Gegend an, auf deren Nährboden sie gewachsen ist.

Die südindischen Tanzformen sind einerseits ähnlich, andererseits unterscheiden sie sich voneinander. Man kann sie grundsätzlich in eine von drei breitgefaßten visuellen Kategorien einordnen: die Solo-Darbietung, in der der Künstler jeweils einen klassischen Stil vertritt, die Tradition des Tanz-Dramas innerhalb dieses klassischen Stils, getanzt von einer Gruppe von Künstlern, und die verschiedenen folkloristischen Tanztraditionen mit ihren kleineren oder größeren Tanzgruppen.

Man kann keine dieser drei Formen mit einer ausschließlich analytischen Einstellung betrachten, noch kann man sie von

der Literatur, Skulptur, Musik und den Gebräuchen der Menschen des jeweiligen Staates getrennt sehen. Das *Natya-Shastra*, eine alte Sanskrit-Abhandlung über Dramaturgie aus dem 2. Jh. v. Chr., liefert zum Beispiel klare Grundregeln für Theater, Musik, Dichtung, Literatur und Tanz und wird im ganzen Land von den Lehrmeistern dieser Fächer als Bezugsquelle benutzt. Gleichzeitig ist jede Tanzform mit dem Geist der überlieferten Texte erfüllt, durch den sie ihre besondere Identität erhält. Dasselbe gilt auch für die Musik, die Dichtung, die Instrumente und Kostüme dieser Tanzstile. In den südlichen Teilen Indiens, wo die verschiedenen Traditionen anmutiger als im Norden miteinander harmonieren, findet man in jedem Staat einen besonderen Stil: *Bharata-Natyam* in **Tamil Nadu**, *Kathakali* und *Mohini-Attam* in **Kerala**, *Kuchipudi* in **Andhra Pradesh** und *Odissi* in **Orissa**. *Bharata- Natyam*, *Mohini-Attam* und *Odissi* bildeten einen Teil der Tradition der *devadasis*, jungen Mädchen, die mit der Tempelgottheit „verheiratet" wurden. Dieser Brauch wird schon in frühen Texten, z. B. in den *Puranas*, erwähnt und entwickelt sich als Teil des Tempelrituals.

Auch in **Karnataka** gab es *devadasis*, unter denen die Mädchen, die im Tempel tanzten, das größte Ansehen genossen. Andere tanzten auf Hochzeiten oder bereiteten die Opfergaben für den Tempel vor. In **Kerala** gehörte auch das Arrangieren der Blumen zu den Pflichten einer *devadasi*. In **Tamil Nadu** wurden nur die Tänzerinnen in den Shiva-Tempeln *devadasis* genannt, während die Tänzerinnen am Hof des Königs *rajadasis* hießen, „Dienerinnen des Königs." Die Tänzerinnen bei anderen Festlichkeiten wurden *svadasis* genannt. Trotz dieser strengen Hierarchie bildeten sie eine geachtete und beneidete Gemeinschaft, denn in einer Gesellschaft, in der die Frauen streng eingeschränkt lebten, konnte eine *devadasi* sich frei ausdrücken und da sie die Ge-

Rechts: Ein Odissi-Tanz. Ganz rechts: Ein Bharatanatyam-Tanz.

mahlin eines Gottes war, auch nie Witwe werden. Vor Antritt einer Reise warf man einen Blick auf sie, denn das verhieß Erfolg. So entwickelte sich aus dem Tanz der *devadasis* die Tradition der Solo-Darbietung, einer Hauptströmung des indischen Tanzes.

Shiva – der Gott des Tanzes – gilt als Schöpfer, Erhalter und als Zerstörer der Welt. Als Nataraja erschuf er dem Glauben nach das Universum durch seinen Tanz, erhält es mit seinem Rhythmus und gewährt Erlösung; aber er zerstört es auch. Jeder Tempel, und es gab Tausende, mußte ein Bildnis des Erhabenen besitzen, damit man es verehren und bei Festlichkeiten in einer Prozession herumtragen konnte. Diese Bildnisse wurden durch tägliche Verehrung geheiligt. Sie sind nicht nur Kunstwerke, sondern auch durchdrungen von tiefer religiöser Hingabe. Obwohl ihnen menschenähnliche Formen gegeben wurden, war ihre Haltung und ihr Ausdruck glückselig, und ihre Perfektion ist von einem Tänzer nur schwer zu übertreffen.

Bharata-Natyam

Bharata-Natyam ist eine lebhafte und hochentwickelte Tanzform aus **Tamil Nadu**, deren Inhalt durch die Musiker des Thanjavur-Hofes seine Form bekam. Die begleitende Musik wird im klassischen Stil des Südens gesungen, die die Karnatische Musikschule genannt wird. Auch die Instrumente sind typisch für dieses Gebiet – die Becken, das *mrindangam* (eine einzelne Trommel), die Flöte, die *veena* (ein langes Seiteninstrument mit 22 Bünden) und die Violine. Der Stil eignet sich sowohl für Solo-Darbietungen als auch für die Tradition des Tanz-Dramas.

In Tamil Nadu findet man auch die traditionellen Tanz-Dramen, die *Bhagavata-Mela* von Thanjavur, und das *Therukootu*, das auf der Straße aufgeführt wird. Die Darsteller der *Bhagavata-Mela* waren nur Männer einer bestimmten Gemeinschaft, die Geschichten aus den *Puranas* spielten. *Therukootu* war größtenteils eine Oper, die durch improvisierte

Dialoge zwischen dem *komali* (Clown) und dem *kattiakaran* (Spielleiter) aufgelockert wurde. Die beliebtesten dieser Stücke sind vor allem Episoden aus dem *Mahabharata*.

Bharata-Natyam ist auch in **Karnataka** weit verbreitet, und die Tanzdrama-Tradition von *Yakshagana*, ein sehr lebendiges Mittel des Geschichtenerzählens, ist eine der beliebtesten Künste. Wie in der *Kathakali*-Tradition von Kerala gibt es auch hier sorgfältig ausgearbeitete Kostüme. Die Kronen ähneln denen, die im *Otanthullal* von Kerala benutzt werden, die Trommeln gleichen jedoch denen des *Kathakali chenda*. Eine Besonderheit dieses Dramas liegt in der Fähigkeit des Darstellers zu tanzen, zu singen und einen Dialog zu sprechen, um somit dem Drama dieselbe Geschlossenheit zu

Oben: Ein dramatischer Augenblick während einer Kathakali-Aufführung. Rechts: Radha und Raja Reddy während der Aufführung eines Kuchipudi-Tanzes.

verleihen, die schon in den überlieferten Texten zu finden ist.

Der *Kuchipudi*-Tanz stammt aus **Kuchelapuram** in **Andhra Pradesh**. Er basiert auf den Epen, und obwohl er eine Verbindung verschiedener Aspekte des Dramas ist, werden heute auch einzelne Passagen daraus in Solo-Darbietungen gezeigt. Wie *Kathakali*, *Yakshagana* und die *Bhagavata-Mela*-Dramen, wurde auch *Kuchipudi* von Männern aufgeführt, die oft durch ihre Darstellung weiblicher Charaktere berühmt wurden.

Kathakali ist das großartige Schauspiel von **Kerala**. Diese kraftvolle, männliche Tanzform erkennt man sofort an den wogenden Röcken und dem expressiven Make-up, durch das diese hochentwickelte und stilisierte Kunst zwischen Mensch und Gottheit, Tier und Vogel, sowie Gut und Böse unterscheidet. Die Inder glauben, daß diese Charaktere aus einer anderen Welt stammen. Sobald das maskenhafte Make-up aufgetragen ist, verläßt der Darsteller sein Selbst und tritt in die Welt des Übermenschlichen ein. Dann

werden Urkräfte sichtbar gemacht; die Schreie des Bösen messen sich mit den Kräften der Götter; Schwerter prallen aufeinander, Sprünge und dramatische Bewegungen werden vollführt, und man hört die Trommeln laut geschlagen. Auch die Farben haben eine besondere Bedeutung: Grün steht für Beweglichkeit, Grün mit roten Mustern und weißen Bällchen auf Nase und Stirn für edle Charaktere in Wut, Schwarz für Dämonen und Jäger, Orange für Frauen und Brahmanen.

Krishnattam, *Teyyam* und *Kudiyattam* sind andere, ähnliche Formen, die aus derselben Tradition stammen. *Mohini-Attam* bedeutet „Tanz der Zauberin" und entwickelte sich zu einer eigenständigen Solo-Form.

Odissi

Der *Odissi*-Tanz erinnert an die Wellen des Ozeans bei **Konarak** in Orissa, wo der prächtige Sonnentempel eine weitere Fülle philosophischen Gedankenguts verkörpert, an sorgfältig ausgearbeitete Skulpturen tanzender Frauen und den *dharma* des Jagannath, der wichtigsten Gottheit von Puri. Es ist ein Tanzstil, sinnlich und lyrisch, der früher von jungen Männern getanzt wurde und heute das Lebendigwerden der Skulptur versinnbildlicht.

Zum Schluß sei noch die Tradition der Kampfkunst und die des Maskentanzes erwähnt. Nenneswert sind auch die vielen Folklore-Richtungen, auf denen die stilisierteren Formen aufbauen und die zum Glück heute wieder mehr Beachtung finden. Sofern man sie nicht auf einer kultivierten Bühne erleben kann, besteht die Möglichkeit, ihnen in ihrer heimatlichen Umgebung zu begegnen. *Kalaripayattu*, die strenge Kampfkunst von Kerala, setzt die Disziplinierung von Körper und Geist zur Schärfung der Reflexe ein. Visuelle Konzentration und ein kontrollierter Energiefluß halten den Körper in ständiger Bereitschaft. Reizvoll sind auch die ostindischen Maskentänze *Purulia* und *Seraikela Chhau* mit ihren schönen Masken.

TEMPELFESTE

Im früheren Indien gab es wahrscheinlich keine andere Institution, die eine derart wichtige Rolle im Leben der Dorfbewohner spielte, wie der Tempel. Sein starker kultureller Einfluß stand seiner Geräumigkeit in nichts nach; hier verschmolzen gesellschaftliche Ereignisse, wirtschaftlicher Nutzen und moralische Handlungen zu einer Einheit. Ein altes tamilisches Sprichwort verbietet es, in einem Dorf ohne Tempel zu wohnen.

In der letzten Zeit hat er viel von dieser Bedeutung verloren und dient nur noch religiösen Zwecken. Jedoch gehört der tägliche Tempelbesuch noch immer zum gewohnten Tagesablauf, ganz besonders in Südindien, wo die Rituale sorgfältig gepflegt werden. Diese richten sich nach dem Standort des Tempels sowie seiner Verbindung zu anderen Tempeln und Gebäuden; seine Planung und Bauweise symbolisiert verschiedene metaphysische Ideen, die sich in den täglichen Riten und den Festen widerspiegeln.

Diese Rituale sind in den *Agamas* (Texten) niedergelegt, einige davon stammen schon aus dem 1. Jh. vor Christus. Mittels dieser Schriften sind zwei verschiedene Zeremonien erkennbar: das Ritual im Tempel, das von den Priestern durchgeführt wird und der individuelle Gottesdienst zuhause. Die verschiedenen Teile des Tempels sieht man als Offenbarungen des Wissens und die gesamte Tempelstruktur als die Gesamtheit des Wissens an.

Dreimal täglich wird eine Zeremonie abgehalten, am frühen Morgen, am Mittag und am Abend. Je nach der wirtschaftlichen Lage sogar fünf bis sechsmal, mindestens jedoch einmal täglich. Die morgendliche Zeremonie beginnt mit der Anrufung der im Allerheiligsten befindlichen Gottheit und den „Fünf Reinigungen": der Reinigung der Bezirke, der Gegenstände, der Priester, des Bildes und der Hymnen. Dies geschieht, indem der Priester Verse rezitiert und Wasser verspritzt. Das Höchste Wesen wird durch das symbolische Bildnis angefleht, die Opfer anzunehmen und Segen zu spenden. Es erhält ein zeremonielles Bad und wird mit Kleidung, Juwelen und duftenden Girlanden geschmückt. Dann werden die verschiedenen Namen des Gottes (gewöhnlich 108) der Reihe nach vorgelesen und bei jedem wird ihm eine Blume oder *kumkum*, das rote Puder, das mit Gelbwurz zubereitet wird, angeboten. Nach Darbringung von Weihrauch wird Essen geopfert, das hauptsächlich aus gekochtem Reis und Süßigkeiten besteht. Anschließend werden Lampen angezündet und zuletzt das Große Licht mit Kampfer (*Deeparadhana*). Dieses Ritual besteht aus 16 Teilen und wird mit der Rezitation vedischer Hymnen und von besonderen Handbewegungen begleitet. In manchen Fällen wird parallel dazu Instrumentalmusik gespielt und gesungen. Früher gehörte auch der Tanz zum täglichen Gottesdienst, daher gibt es die weiblichen Tempeltänzerinnen. Das Beste an Kleidung, Nahrung, Musik und Tanz wird der Gottheit geopfert und dann als sein Geschenk wieder angenommen.

In allen Tempeln gibt es Metallbildnisse, tragbare Offenbarungen des Unbeweglichen im Allerheiligsten. Während festlicher Veranstaltungen werden diese Bildnisse bei Prozessionen mitgetragen, und beim täglichen Fest werden sie innerhalb des Tempelgeländes mit Begleitmusik herumgeführt. Die alljährlichen Festlichkeiten dauern fünf, sieben, neun oder noch mehr Tage, und jeden Tag wird das Bildnis auf ein mit Silber oder Gold beschlagenes Holzfahrzeug gestellt und in den Hauptstraßen bei einer Prozession zur Schau gestellt. Am letzten Tag des Festes wird das Bildnis auf einen großen, geschmückten Tempelwagen gehoben

Vorherige Seiten: Fütterung der heiligen Vögel in Tirukalikundram. Rechts: Ein Lingayat. Rechts: Ein Shiva-linga.

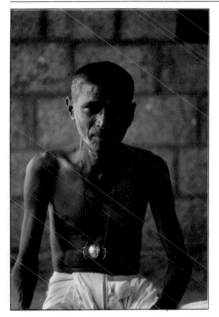

und dann durch die Hauptstraßen gefahren. Diese *ratha yatra* genannte Fahrt zieht besonders die Menschen aus entlegenen Gegenden an.

DER LINGA-KULT

Ein wichtiger Aspekt des Shiva-Kultes ist die zeremonielle Verehrung des *linga*, das als Phallus-Symbol bis in die vor-vedische Zeit (ca. 2000 v. Chr.) zurückverfolgt werden kann. Mythen zufolge liegt der Ursprung der *linga*-Verehrung wahrscheinlich aber in den jüngeren Heldengeschichten, die sich schnell verbreiteten.

Die Sage, in der das *linga* die streitschlichtende Lichtsäule darstellt, ist die bekannteste: Brahma, der Schöpfer, und Vishnu, der Beschützer, stritten einst um die Vormachtstellung. Als der Streit immer schlimmer wurde, bohrte sich vor ihnen eine Feuersäule in den Boden. Von diesem Anblick überrascht, suchten beide nach dem Anfang und dem Ende der Feuersäule. Brahma flog hierfür als Schwan in den Himmel, Vishnu tauchte

als Wildschwein tief in den Urozean. Ihr Versuch mißlang, und sie kehrten entmutigt zurück. Da erschien aus der Mitte der Feuersäule Shiva und verkündete, ihr Streit beruhe allein auf dem Egoismus, der ihr Wissen gefangen halte.

Dieser Mythos faßt den Ursprung und das Wesentliche des *linga*-Kultes anschaulich zusammen, wobei die Säule als Symbol für Shiva, den immer gütigen Gott, steht. Dem shivaitischen Glauben nach birgt jede einzelne Seele unbeschränktes Wissen und Glückseligkeit, doch verhindert das Ego die Erkenntnis und hüllt sie in Dunkelheit. Erst wenn die Person ihre wahre, eigene Natur erkennt, wird der Schleier der Unkenntnis weggezogen, und die Erkenntnis Shivas tritt hervor. Diese metaphysische Vorstellung wird bildlich als *linga* symbolisiert, der im Allerheiligsten aufbewahrt wird. Er ist unten viereckig, in der Mitte achteckig und oben, für den Betrachter sichtbar, zylindrisch; die beiden anderen Teile werden von dem *pitha* verdeckt. Das Viereck steht für den Gott Brahma, das Achteck

225

für Vishnu und der zylindrische Schaft für Shiva. Dadurch verkörpert das *linga* die heilige Dreieinigkeit des hinduistischen Glaubens.

Es gibt noch einen weiteren Aspekt, der durch das *linga* vermittelt werden soll: Shiva als die kosmische Energie der höchsten Gottheit. Er wirkt durch seine Kraft (shakti), die als das weibliche Prinzip gesehen wird. Die duale Natur wird auch als Vereinigung des männlichen und des weiblichen Aspektes dargestellt, wobei das *linga* für das männliche und der Altar, auf dem es steht, für das weibliche Prinzip in seinem metaphysischen und geistigen Sinn steht. Daher wird das *linga* auf dem *pitha* als „das kosmische Symbol" bezeichnet. In einigen traditionellen Legenden wird ihm noch eine weitere Bedeutung nachgesagt, es heißt dort, er verkörpere den Phallus, das Fortpflanzungsorgan von Shiva. Interessanterweise steht diese Legende für die Entsagung von se-

xueller Zügellosigkeit, wobei Shiva als Asket und der Phallus als Zeichen für die totale Überwindung des Sexus gedeutet wird. Shiva ist mit Rudra, dem vedischen Gott, identisch, der das Feuer Agni verkörpert, und sowohl für die wohltätigen als auch die zerstörerischen Seiten des Feuers steht. Das *linga* ist diesem Glauben nach nicht nur mit den fünf Grundelementen identisch; in einigen Tempeln hält man ihn sogar selbst für ein solches.

Wenn die Hindus das *linga* verehren, sehen sie es als Symbol des Wissens und der Macht. Sie flehen dabei um das Ende ihrer Unwissenheit und um Gnade. Es symbolisiert die erleuchtende Lichtsäule und die entfachte Energie im Betrachter. In ikonographischer Hinsicht kann das *linga* auch die Verschmelzung verschiedener Strömungen des Hinduismus darstellen. Mit den Darstellungen auf allen vier Seiten, die die verschiedenen Götter abbilden und der *linga*-Form, die Shiva verkörpert, steht er für das Eine und Absolute in seinen verschiedenen Manifestationen.

Oben: Straßenszene in Bombays Bordellviertel Kamatipura.

DAS KASTENWESEN

Obwohl Völkerkundler kastenähnliche Gesellschaftssysteme in vielen Teilen der Welt erforscht haben, ist den meisten Menschen nur das Kastenwesen Indiens bekannt. Da es tief verwurzelt ist im Leben der Inder, hat es auch viele beeinflußt, die zum Islam oder Christentum überwechselten. Kennzeichnend für das indische Kastensystem ist, daß es eine hierarchische Schichtung darstellt, in die der Einzelne hineingeboren wird und aus der er nicht entrinnen kann.

Es ist somit ein festes soziales Gefüge, in dem höhere Kasten als zeremoniell „rein" und niedere Kasten als zeremoniell „unrein" angesehen werden. Nach dem Glauben der Hindus wurden vier Kasten (*varnas*) am Beginn der Geschichte eingesetzt, die ewig bestehen sollen: *Brahmanen* (die Priester), *Kshatriyas* (die Kriegsherren), *Vaishyas* (die Bauern und Kaufleute) und *Shudras* (die Handwerker und Knechte). Noch unterhalb dieser Ordnung stehen die Unberührbaren, die fürs Saubermachen, Gerben etc. zuständig sind.

Obwohl das Kastensystem bei den Hindus eine lange Tradition hat, ist die Feststellung interessant, daß es in den *Veden*, die zum Teil älter als 3000 Jahre sind, in einer recht unentwickelten Form existierte. Zu Buddhas Zeit, um das 6. Jh. v. Chr., war es jedoch bereits weitverbreitet. Den Griechen fiel das Kastenwesen einige Jahrhunderte später auf. Jeder Versuch, das Kastensystem mit einer einzelnen Ursache zu erklären, würde in die Irre führen.

Auch die hinduistische Religion wurde von ihm tief beeinflußt; besonders in den Gedanken über die unsterbliche Seele und deren Wiedergeburt unter den moralischen Gesetzen von Handlung und Wirkung (*karma*).

Mitglieder der höheren Kasten werden als „zweimal geboren" bezeichnet, da sie im Jugendalter mit dem feierlichen Anle-gen der „heiligen Schnur" spirituell ein zweites Leben beginnen.

In praktischer Hinsicht jedoch sind es die *Jatis*, (Unterkasten, manchmal auch nur als „die Kasten" bezeichnet), die ins Auge fallen. Die *Jatis* sind lokale Bevölkerungsgruppen, innerhalb deren die Regeln des Kastenwesens immer noch wirksam sind. Verbesserte Kommunikationsmittel ermöglichen es jetzt den *Jatis*, sich über die engen geographischen Grenzen hinweg auszubreiten, was zu einer wichtigen Basis für ihre soziale und politische Aktivität geworden ist.

Indische Politik hat sich, wenn sie auch demokratisch ist und auf dem allgemeinen Wahlrecht basiert, im Verlauf der politischen Entwicklung nur schwer vom Kastenwesen lösen können. Obwohl sich die gebildete Mittelklasse gern öffentlich vom Kastensystem distanziert, bleiben die Kasten ein bedeutsames soziales Phänomen und bieten eine gute Basis etwa für Geschäftsverbindungen.

Es wurde bereits erwähnt, daß das Kastensystem auch die Moslems und Christen in Indien beeinflußt hat. Die Christen der Malabar-Küste, die der syrischen Kirche angehören und in verschiedene Gruppen aufgeteilt sind, essen vielleicht zusammen, heiraten aber nicht untereinander. Bei den Katholiken haben Konvertiten aus den früher als unberührbar geltenden Kasten manchmal sogar eigene Kirchen.

Bei den Moslems wird ein grundsätzlicher Unterschied gemacht zwischen den *ashraf*, angeblich Nachfahren der arabischen Einwanderer, und den Nicht-*ashraf*, die Hindu-Konvertiten sind. Die *ashraf*-Gruppe ist weiter unterteilt in Sayyids, Shaikhs, Pathans und Mughals. Die Nicht-*ashraf* sind entsprechend ihrem Status vor dem Übertritt zum Islam in drei Gruppen aufgeteilt. Die zwei Hauptideen der Hindus, das Zusammenleben der Kasten und deren Heiratsordnung, tauchen im islamischen System allerdings kaum auf.

Kastenwesen

DIE UNBERÜHRBAREN

Das Phänomen der „Unberührbarkeit" ist so einzigartig wie das ganze indische Kastensystem, mit dessen Entstehung und Entwicklung es untrennbar verknüpft ist. Durch die soziale Bewertung verschiedener Arbeiten wurden diejenigen, die traditionsgemäß Berufen nachgingen wie Reinigung, Gerberei, Abtransport toter Tiere usw., als „unberührbar" angesehen in dem Sinn, daß ein körperlicher Kontakt mit ihnen die „Reinheit" der oberen Kasten verletzen würde. In einigen Landesteilen gilt sogar der Anblick eines Unberührbaren oder seine Gegenwart in einem bestimmten Körperabstand für einen Brahmanen als „unrein". Die Unberührbaren, die *Shudras*, mußten daher am Dorf- oder Stadtrand leben. Seit der Unabhängigkeitsbewegung werden diese Kasten als rückständig bezeichnet, um ihre unterdrückte Position deutlich zu machen. Mahatma Gandhi wollte die Unberührbarkeit durch Sozialreformen während der Freiheitsbewegung abschaffen und taufte die Unberührbaren *Harijans*, „Menschen Gottes."

Unberührbarkeit in ihrer ursprünglichen Form bedeutete, daß alle anderen Kasten in einem genau reglementierten und nicht überschreitbaren sozialen Abstand von den Unberührbaren standen. Erst in der Verfassung der indischen Republik wurde das Festhalten an der Unberührbarkeit als strafbares Vergehen geahndet. Artikel 17 der indischen Verfassung besagt: „Die Unberührbarkeit wird abgeschafft, und ihre Anwendung in jedweder Form ist strafbar". Artikel 46 besagt: „Der Staat soll mit besonderer Sorgfalt die kulturellen und sozialen Interessen der Unterpriviligierten fördern... und soll sie dann vor sozialer Ungerechtigkeit und allen Formen der Ausbeutung schützen". Die „Unberührbarkeitsakte" aus

Rechts: Das Wasserschöpfrad, Symbol für den Kreislauf des Lebens.

dem Jahr 1955 und das Nachtragsgesetz aus dem Jahre 1976 verschärften die verfassungsmäßigen Bestimmungen. Die Regierung von Indien ernennt auch einen Sonderbeamten, den „Bevollmächtigten für klassifizierte Kasten und klassifizierte Stämme". Die Provinz- oder Staatsregierungen haben eigene Sozialämter, die sich um das Wohlergehen der „Unberührbaren" kümmern.

Ein bedeutender Aspekt des politischen Systems im heutigen Indien ist die Politik der „Reservations". Mit diesem System „positiver" Diskriminierung will der Staat sicherstellen, daß die früheren „Unberührbaren" und – trotz heftigster Proteste der höheren Kasten – seit 1993 generell alle als arm eingestuften Bevölkerungsgruppen, die „backward classes", jetzt eine gesellschaftliche Chance durch Bildung und Beschäftigung bekommen. Während diese Politik im sozialen Leben der unterdrückten Kasten beträchtliche Veränderungen bewirkt hat, geht der Kampf um die gleiche und unteilbare Menschenwürde weiter. Seit dem Mittelalter sind die „Unberührbaren" aus der Hindu-Gesellschaft zum Islam, Buddhismus und Christentum übergewechselt, um der verhaßten „Unberührbarkeit" zu entgehen. Innerhalb des Hinduismus sind von Zeit zu Zeit Reformversuche durchgeführt worden. Dr. B. R. Ambedkar, einer der Gründerväter der indischen Verfassung, war ein großer Verfechter der Rechte der „Unberührbaren". Er wurde Buddhist und widersetzte sich der Politik der „positiven" Diskriminierung mit der Begründung, daß die Trennung zwischen den unterdrückten Kasten von der restlichen Gesellschaft damit nie enden würde. Denn nur eine kleine Elite trat jetzt an die Öffentlichkeit und fand einen Arbeitsplatz entweder bei den Behörden oder im Geschäftsleben. Wenn man den Statistiken der unbelegten Plätze folgt, die in Hochschulen „reserviert" sind, wird es offenkundig, daß die Unberührbaren noch immer keine Position erlangt haben,

aus der heraus sie die Einrichtungen, die der Staat zu bieten hat, nutzen können.

LEBENSSTANDARD

Indien ist eines der ärmsten Länder der Erde, wobei es innerhalb seiner Landesgrenzen erhebliche Unterschiede im Lebensstandard gibt. Die wirklich Reichen machen nur einen kleinen Prozentsatz aus. Ihre Schicht setzt sich aus Geschäftsleuten und Industriellenfamilien zusammen, die beträchtliche Vermögenswerte sowie Ländereien besitzen.

Diese Klasse, die nur 2 % der Bevölkerung ausmacht, spiegelt die wachsende Bedeutung des internationalen Marktes in Indien wider. Auf diese Klasse folgt unmittelbar die obere Mittelschicht, die aus kleineren Geschäftsleuten, aber vor allem aus Spezialisten und höheren Beamten besteht. Ohne sie gäbe es die Konsumindustrie in Indien nicht. Sie besitzen Häuser und Autos, machen Urlaub und führen ein angenehmes Leben, ohne den Überfluß der wirklich Reichen zu teilen.

Diese Gruppe macht nicht einmal 10 % der Gesamtbevölkerung aus.

Was man als Mittelschicht oder untere Mittelschicht bezeichnen könnte, sind hauptsächlich Angestellte in Stadtgebieten, aber auch kleine Händler und Ladenbesitzer. Zu dieser Klasse gehören auch die wohlhabenden Schichten der Landbevölkerung. Ihre Gruppe ist weitestgehend schulisch gebildet und mißt der Bildung und sozialen Mobilität eine große Bedeutung zu. Sie macht ungefähr 30 % der Bevölkerung aus, und man kann sagen, daß sie die ideologische Stütze des Wohlfahrtsstaat-Modells in Indien ist. Manchmal zählt man die besser bezahlten Arbeiter auch zu dieser Klasse.

Der sechste Fünf-Jahres-Plan (1980 bis 1985) zeigte, daß 50 % der Landbevölkerung und ungefähr 40 % der Stadtbevölkerung 1979 unter dem Existenzminimum lebten. Das Existenzminimum wurde dabei folgendermaßen bestimmt: Man ging von einem täglichen Pro-Kopf-Kalorienverbrauch von 2400 Kalorien für Landleute und 2100 für Städter aus.

Die Unberührbaren / Lebensstandard

Nachdem man behauptet hatte, daß in den Jahren 1984/85 die Bevölkerung unterhalb der Armutsgrenze auf 36,9% zurückgegangen sei, wurden die Zahlen von 1979-86 überprüft, und man mußte feststellen, daß insgesamt noch immer 339 Millionen Inder (damals 51,1%) unter dem Existenzminimum lebten. Wie hoch heute der Anteil der Bevölkerung ist, die sich nicht ausreichend ernähren kann, ist unklar, doch ist offensichtlich, daß die im letzten Fünf-Jahres-Plan vorgesehene Verringerung auf 28% nicht erreicht worden ist. Die Früchte des relativ langsamen, aber stetigen Wirtschaftswachstums und der vermehrten landwirtschaftlichen Produktion werden schon durch den fortgesetzt hohen Bevölkerungszuwachs weitgehend aufgebraucht. So ist Indien, obwohl nach der jüngsten Schätzung die sechstgrößte Wirtschaftsnation der Erde, auch weiterhin das Land mit der größten Anzahl armer Bewohner.

Oben: Eine gute Ernte ist der Wunschtraum der Landbevölkerung.

Ungeachtet dieser entgegen amtlichen Verlautbarungen sich nur allmählich verbessernden und wohl noch für geraume Zeit fortbestehenden Notlage eines großen Teils der Bevölkerung hat sich in den letzten Jahren der Lebensstandard vieler Inder deutlich gehoben. Die Mittelschicht, die sich besonders seit den 80er Jahren etabliert hat, vergrößert sich stetig. Obgleich viele als Aufsteiger erster Generation kaum über einen gesunden finanziellen Rückhalt verfügen und schon bei geringfügigen wirtschaftlichen Rückschlägen der Familie in ihrer Existenz bedroht sind, sind die Angehörigen dieser Schicht außerordentlich konsumfreudig. So kommt diesen auch die jüngst vollzogene wirtschaftliche Liberalisierung Indiens und dessen Öffnung zum Weltmarkt sehr gelegen, da nun immer mehr ausländische Produkte erhältlich sind und durch den Wettbewerb auch das indische Warenangebot vielfältiger ist als früher. In der Mittelschicht verfügen heute viele Familien bereits über die meisten der bei uns üblichen Konsumartikel.

BEVÖLKERUNGSEXPLOSION

Indiens Bevölkerung hat im Jahr 2000 die Milliardengrenze überschritten; 2002 gab es bereits 1 031 400 000 Inder. Die Wachstumsrate der Bevölkerung ist zwar gesunken, beträgt aber immer noch etwa 1,4 % pro Jahr, was angesichts der vielen Inder im reproduktiven Alter immer noch viel zu hoch ist.

Zwar ist die Durchschnittgröße der Familie gesunken, Verbesserungen bei der allgemeinen Hygiene haben jedoch zu einer höheren Lebenserwartung beigetragen und die Kindersterblichkeitsrate gesenkt. Aber diese Umstände allein erklären noch nicht Indiens Bevölkerungsexplosion. Eine weitere Erklärung liegt in der sozialen und wirtschaftlichen Struktur einer Gesellschaft, die hauptsächlich aus armen Bauern besteht. Diese wirtschaften so gut wie ohne Geld ausschließlich für ihre eigene Ernährung. Kinder sind für sie unverzichtbare kostenlose Arbeitskräfte, die das Überleben der Familie garantieren. Für die Bauern bedeutet es größere Sicherheit, viele Kinder zu haben.

Ernährung und Fruchtbarkeit

Unter diesen Bedingungen müssen Anreize zur Familienplanung ins Leere laufen, denn die Wurzeln des Problems liegen in der Armut begründet. Heute ist es so, daß in den Dörfern und Kleinstädten versucht wird, die Menschen mit finanziellen Anreizen dazu zu verlocken, sich an der Planung zu beteiligen.

Der Mangel an Bildung hat die Veränderung von traditionellen Ansichten über Mannbarkeit und Fruchtbarkeit, besonders in ländlichen Gebieten, sehr behindert. In den Stadtgebieten ist der Familienplanung viel mehr Erfolg beschieden, teils, weil dort moderne Verhütungsmaßnahmen weiter verbreitet sind, teils auch deswegen, weil die Wohnmöglichkeiten für Stadtfamilien sehr begrenzt sind.

Mehr Stadtkinder gehen zur Schule, und obwohl der Unterricht für die Ärmeren überwiegend kostenlos ist, erinnert er die Eltern an die Investitionen, die sie zu machen haben, um ihre Kinder aufzuziehen. Im Gegensatz dazu besuchen auf dem Land weniger Kinder die Schule, da ihre Eltern sie als Hilfe für die Feldarbeit betrachten.

Familienplanung

Indiens demokratisches System erlaubt keine Zwangsmaßnahmen bei der Familienplanung. Während des konstitutionellen Notstandes in den Jahren 1975 – 1977 förderte man die Sterilisation. Dies warf ein schlechtes Licht auf die Regierung. Andererseits können die wirtschaftlichen Anreize, die die Regierung für Familienplanung zur Verfügung stellt, in einem Entwicklungsland wie Indien nicht sehr groß sein. Es wird immer wieder darauf hingewiesen, daß man die Lebensbedingungen der armen Bauern verbessern muß. Denn nur größere wirtschaftliche Sicherheit wird die Einstellung zur Familiengröße verändern. Da jetzt auch bessere Arzneien auf dem Lande erhältlich sind, verringert sich die Kindersterblichkeit. Somit geht man auch auf die Befürchtungen der Eltern für deren Altersfürsorge ein.

Es ist bekannt, daß die schnell ansteigende Bevölkerungszahl für Länder wie Indien ein großes Problem ist, da jedes Jahr 20 Mio. hungrige Menschen mehr gesättigt werden müssen. Dadurch verlangsamt sich der Prozeß der Kapitalbildung, der für den industriellen Aufschwung unerläßlich ist. Aus diesem Grund werden zusätzlich zum Familienplanungsprogramm auch Versuche unternommen, den Armen wirtschaftliche Sicherheit durch Beschäftigungsprogramme zu verschaffen. Der systematischen Aufklärung besonders der Frauen über die Vorzüge der Familienplanung soll in Zukunft Vorrang eingeräumt werden.

INDISCHE FRAUEN

In Indien werden Frauen in fast allen Berufszweigen beschäftigt, und die Gesetzgebung sieht die gleiche Bezahlung für Männer und Frauen bei gleicher Arbeitsleistung vor. Der lange Kampf gegen die Kolonialregierung veranlaßte viele Frauen zu politischen Aktivitäten. Daher findet man auch heute viele Frauen im öffentlichen Leben. In der Verwaltung haben sie einige der höchsten Positionen inne, und sie sind auch in der Medizin, der Rechtssprechung und Entwicklung tätig. Auf privatem, kommerziellem und industriellem Gebiet arbeiten Frauen als Führungskräfte, Manager und Wissenschaftlerinnen.

In der Mittelklasse ist es üblich, daß die Frauen einen höheren Schulabschluß machen, und trotz der Vorbehalte, die viele

Oben: Für die meisten indischen Frauen bedeutet das Leben harte Arbeit. Rechts: Wo auch immer gebaut wird, indische Frauen sind mit am Werk.

traditionelle Familien der Mittelklasse gegen berufstätige Frauen haben, selbst wenn sie in höheren Berufen arbeiten, steigt die Zahl derer, die sich etwa als Lehrerinnen ausbilden lassen oder in Büros arbeiten.

Die meisten Frauen arbeiten jedoch in der Landwirtschaft und verdienen gewöhnlich weniger als Männer. Millionen von Frauen arbeiten auch in Fabriken, Gruben und auf Plantagen. Dort sind die Gesetze und Bestimmungen in bezug auf die Rechte der weiblichen Arbeitnehmer allerdings teilweise so, daß es für den Arbeitgeber billiger und einfacher ist, Männer zu beschäftigen. In der oberen Arbeiterschicht gibt es eine Tendenz, Frauen aus dem Erwerbsleben herauszuhalten, da die nichtberufstätige Hausfrau einen höheren sozialen Status hat. Hindu-Frauen aus den oberen Klassen verrichten außerhalb des Hauses keine Arbeiten.

In zunehmendem Maße lassen die Gesetze den Frauen die gleiche Rechtssprechung bei Erbschaften, Heirat und Scheidung zukommen, besonders bei den Hin-

dus. Moslems unterliegen in Familienangelegenheiten einem etwas anderen Gesetzessystem, dem islamischen Familienrecht.

Im großen und ganzen ist das indische Sozialsystem jedoch hauptsächlich für den Mann von Vorteil. Eine Mitgift, obwohl für illegal erklärt, ist bei den meisten Hindu-Hochzeiten üblich. In den Stadtgebieten nimmt diese Praxis ein immer bedrohlicher werdendes Ausmaß an; die Familie des Mannes verlangt große Geldbeträge und Haushaltswaren von der Familie der Braut – bei der Hochzeit und auch danach. Das führt oft zu ehelichen Streitigkeiten und in Extremfällen zum Verbrennen der Ehegattin oder zum Selbstmord der Frau.

Als Antwort auf Themen wie Mitgift, Tod, Zwietracht und Frauenprobleme im allgemeinen gibt es eine ständig größer werdende Frauenbewegung. Einige feministische Organisationen sehen sich als Teil des überall aufflammenden demokratischen Kampfes gegen die Ausbeutung, während sich andere allein auf

Frauenangelegenheiten konzentrieren. Die größeren Zeitungen Indiens sind Frauenfragen gegenüber sehr aufgeschlossen, besonders weil es viele feministische Journalistinnen gibt, die sich auf diese Themen spezialisiert haben. Auch unabhängige Frauenmagazine wie *Manushi* und *Equality* werden veröffentlicht. Führend in der Frauenbewegung sind gesamtindische, demokratische Frauenvereinigungen wie der „Janwadi Mahila Sangh" und „Saheli". Es gibt auch viele Zentren, die einzig und allein für Frauen eingerichtet sind.

Bereits in den 80er Jahren kam es durch das zunehmende politische Engagement der Frauen zu einer interessanten Entwicklung. Einige Bundesstaaten haben eine beachtliche Anzahl der örtlichen Verwaltungspositionen für Frauen reserviert. Mittlerweile müssen zudem lokale Selbstverwaltungskörperschaften zu einem Drittel mit Frauen besetzt sein. Durch diese Beteiligung von Frauen an der Verwaltung hofft man, daß sich die Qualität der Politik verbessern wird.

Indische Frauen

MEDIEN

Der staatliche Rundfunk und die staatliche Fernsehanstalt stehen völlig unter der Kontrolle der Zentralregierung, während sich die Presse fast ausschließlich in privater Hand befindet. Radio und Fernsehen sollen jedoch in Kürze eine gewisse Autonomie erhalten, und auch den Forderungen der einzelnen Bundesstaaten nach einem größeren Mitspracherecht bei der Programmgestaltung will man entgegenkommen. Diese Veränderungen dienen auch dazu, der neuen Konkurrenz durch private Fernsehsender zu begegnen, die seit 1992 per Satellit oder Kabel empfangen werden können. Nach der jahrzehntelangen Eintönigkeit der staatlichen Programme, die die Video-Industrie blühen ließ, sind die neuen Privatsender überaus beliebt. Bisher sind sie allerdings nur einem Teil der Bevölkerung zugänglich. Doch die zahllosen neuen indischen Sender mit wenig Niveau und ausländische Satellitensender wie CNN oder MTV wirken nachhaltig auf die Vorstellungswelt, zeigen sie doch täglich westliche Lebensgewohnheiten und werben aggressiv für Konsumartikel, die sich allerdings bisher nur relativ wenige leisten können.

Ein Land wie Indien, in dem es viele Sprachen und Dialekte gibt und große Teile der Bevölkerung Analphabeten sind, braucht ein umfassendes Rundfunk- und Fernsehnetz mit einer Vielzahl von Programmen. Das „Gesamtindische Radio" und „Doordarshan" (Indiens Fernsehgesellschaft) konnten diesen Forderungen weitgehend gerecht werden. 1947 gab es nur sechs Rundfunkstationen, heute gibt es 180, die 96 % der Bevölkerung und 86 % des Staatsgebiets erreichen.

„Doordarshan" begann 1959, seine 542 Sender erreichen ungefähr 82 % der Bevölkerung. Man schätzt, daß es im ganzen Land etwa 47 Millionen Fernsehgeräte gibt. Indiens eigenes Satellitensystem ermöglicht es „Doordarshan", auch abgelegene Gebiete zu erreichen. Obwohl „Doordarshan" dazu neigt, die offizielle Meinung zu senden, hat es dem Großteil der indischen Bevölkerung einen Einblick in das Weltgeschehen ermöglicht. Neben den üblichen Nachrichten und Kulturprogrammen gibt es Programme über Bildung, Landwirtschaft und wissenschaftliche sowie technologische Entwicklung im Land. Es gibt einen allgemeinen Informationsdienst namens INTEXT auf Kanal II.

Die Presse ist das mächtigste Medium in Indien. Sie verbreitet nicht nur lokale, nationale und internationale Informationen von vier großen Nachrichtenagenturen, sondern ist oft auch gegenüber der Zentral- und den Provinzregierungen besonders kritisch. Obwohl es einen autonomen Presserat gibt, der Herausgeber und Journalisten rügen kann, wird die Presse von den Regierungen oft als „unverantwortlich" bezeichnet.

Es gibt 18 wichtige englischsprachige Tageszeitungen. Einige wie *The Hindu*, *The Indian Express* und *The Times of India* werden von 10 verschiedenen Zentralen herausgegeben. Der größte Teil der Tageszeitungen erscheint in Hindi (9695), gefolgt von Englisch (4777), Bengali (1917), Urdu (1884) und Marathi (1385). Boulevardblätter und Nachrichtenmagazine (wie z. B. *India Today*) erscheinen in verschiedenen Sprachen. Sie haben beträchtlichen Einfluß auf die Meinung der Mittelklasse.

Filme sind das populärste Medium in Indien, und mit der Anzahl der Spielfilme, die hier produziert werden, ist Indien auf dem Weltmarkt führend. Das kommt daher, daß sie in allen 18 Hauptsprachen Indiens gedreht werden. Bombay und Madras sind die Zentren der Filmindustrie. Trotz großer technischer Qualität sind die meisten der Filme anspruchslos.

Gleichzeitig gibt es ein anspruchsvolles Kino mit Regisseuren, die nicht nur künstlerisch wertvolle Filme drehen, sondern auch soziale Themen behandeln.

DIE KOLONIALZEIT

Indiens Begegnung mit den westlichen Ideen und Wirtschaftspraktiken während der britischen Herrschaft führte zu vielen bemerkenswerten Veränderungen des indischen Gedankengutes. Christliche Missionare kamen in ein Land, das verwurzelt war in Hinduismus und Islam und den damit verbundenen Gesellschaftsordnungen. Der Kolonialismus brachte die Ideen der europäischen Aufklärung mit sich, die zu einer rationalistischen Auslegung des indischen Glaubens führten. Damit kündigte sich auch die indische „Renaissance" an, besonders in Bengalen und Maharashtra. Raja Rammohun Roy lehnte viele traditionelle Hindu-Praktiken einschließlich des Sati (Witwenverbrennung auf dem Scheiterhaufen des Ehemannes) ab. In den neugegründeten Colleges von Calcutta und Poona studierten Inder nun Naturwissenschaften, Geographie und Mathematik. Moslems wie Sir Syed wollten den Islam dem westlichen Gedankengut nahebringen, und Hindu-Reformgruppen wurden gegründet.

Die Landwirtschaft wurde neu geordnet, und die allgemeine Betonung der Kommerzialisierung führte zu wichtigen Veränderungen innerhalb der traditionellen Machtstrukturen der Dörfer sowie im Verhältnis zwischen Stadt und Land. Die Landwirtschaftsproduktion wurde nun mit dem internationalen Markt verbunden, und die Preisschwankungen verursachten viel Unruhe bei den Produzenten, deren Wirtschaftswelt bis dahin auf den Umkreis des Dorfes beschränkt war.

Der internationale Arbeitsmarkt öffnete sich, als „Vertragsarbeitskräfte" für Arbeiten in anderen britischen Kolonien herangezogen wurden. Die Einführung maschinell hergestellter Waren aus England in den indischen Markt führte zu einem Rückgang des Handwerks.

Die Einführung des englischen Bildungssystems hatte den gewünschten Effekt: Eine neue indische Elite entstand, die ursprünglich für untergeordnete Positionen in der britischen Machtstruktur bestimmt war, nun aber allmählich höhere Positionen als Nachwuchs für den mächtigen indischen Civil Service anstreben konnte. Der Council Act von 1862 führte die indische Beteiligung an der Regierung durch die Bildung eines Stadtrats ein. Doch hatte sich die englisch gebildete, indische Elite nicht von ihren Wurzeln losgesagt. Ihr Auftreten hat die politische Sensibilität der Inder gefördert, die allmählich die britische Herrschaft in Frage stellten. Der 1885 gebildete indische Nationalkongreß hat die Kolonialmacht zwar nicht zurückgewiesen, war jedoch der Meinung, daß die Inder selbst befähigt seien, Indien zu regieren.

Mahatma Gandhis Auftritt in der indischen Politik führte zu einer Verbreiterung der sozialen Basis des Nationalismus. Er übernahm viele westliche Ideen für seinen Standpunkt, „daß die Verwirklichung des Nationalismus die Demokratisierung der Gesellschaft erfordert und die Aufhebung der Unberührbarkeit".

Er setzte sich auch für den Aufbau einer vertrauensvollen Beziehung zwischen Hindus und Moslems ein und für ein tieferes Verständnis des Ursprungs der indischen Kultur und die Vielfalt der indischen Bevölkerung. Er wies westliche Ideen und Praktiken zurück, die als Instrumente der westlichen Dominanz angesehen wurden. Er wollte eine für jeden verständliche Basisdemokratie und die Förderung der „Graswurzelindustrialisierung" mit einfacher und mittlerer Technologie. Die meisten nationalistischen Führer waren allerdings überwältigt von den Vorbildern USA und Sowjetunion. Sie schufen eine moderne Demokratie nach britischem und amerikanischem Vorbild, gemischt mit einer sozialistischen Wirtschaftsform, mit der Förderung staatlicher Schwerindustrie, die damals als der Ursprung allen nationalen Wohlstands gesehen wurde.

VORBEREITUNGEN
Klima / Reisezeit

Die beste Zeit für eine Südindienreise ist von Ende Oktober bis März. Gegen Ende März wird es schon sehr heiß; Ende Juni beginnt der Monsunregen, der in den letzten Jahren jedoch etwas unzuverlässig eingesetzt hat. Regenwolken hängen von Juni bis Mitte Oktober über dem Land, und die Luftfeuchtigkeit ist hoch. Es regnet jedoch nicht durchgängig, immer wieder bricht stunden- und tageweise die Sonne hervor. Wer sich an Pfützen nicht stört und kühleres Wetter schätzt, kann auch die Monsunperiode als angenehme Reisezeit empfinden.

Bekleidung

In den südlichen Küstenregionen benötigt man ultra-leichte, nicht zu eng anliegende Kleidungsstücke sowie Sandalen, verzichten sollte man auf synthetische Materialien. In den Basaren kann man sich zudem sehr billig mit luftigen, bequemen Baumwollhosen und Indienhemden einkleiden. Leichte lange Hosen und langärmelige Hemden schützen abends vor Moskitos. In Hotels und Bussen mit Aircondition ist es oft kühl, ein langärmeliges T-Shirt oder eine Strickjacke tun dann gute Dienste. An heiligen Stätten sollte man auf kniefreie Shorts und ärmellose Tops verzichten. Für alleinreisende Frauen gestaltet sich das Reisen angenehmer, wenn man sich eher „bedeckt" hält. Bei Männern wird ein nackter Oberkörper als beleidigend empfunden. An Stränden, die von westlichen Besuchern frequentiert werden, ist die Bekleidungsordnung lockerer.

Botschaften und Konsulate

Deutschland: Indische Botschaft, Büro Bonn, Willy-Brandt-Allee 16, 53113 Bonn, Tel. 0228/54050, Fax 0228/233292, www.indianembassy.de. Indisches Generalkonsulat, Mittelweg 49, 60318 Franfurt/M, Tel. 069/1530050, Fax 069/554125. Konsularabteilung der Indischen Botschaft, Tiergartenstr. 17, 10785 Berlin, Tel. 030/257950, Fax 030/

25795102. Indisches Generalkonsulat, Raboisen 6, 20095 Hamburg, Tel. 040/338036, Fax 040/323757. **Österreich**: Indische Botschaft, Kärtner Ring 2, 1015 Wien, Tel. 01/50586660, Fax 222/5059219. **Schweiz**: Consulate General of India, 9 rue de Valais, 1202 Geneva, Tel. 022/7315129. Indische Botschaft, 45 Effingerstr., 3008 Bern, Tel. 031/3823111.

Einreisebestimmungen / Permits

Visum: Ein gültiger Reisepaß und ein Visum, das man bei den Vertretungen Indiens im Heimatland beantragt, sind die Voraussetzung für die Einreise. Dem Antrag auf Erteilung des Touristenvisums (erhältlich bei den Visastellen) sind zwei Paßfotos beizufügen. Ein Transitvisum (15 Tage gültig) kostet 12 €, das Touristenvisum für sechs Monate (vom Tag der Ausstellung) 50 € mit mehrmaliger Einreise (*multiple entry*). Ein einjähriges Visum für Geschäftsleute kostet 80 €. Für eine Visumsverlängerung innerhalb Indiens sind die Foreigners' Registration Bureaus zuständig (Adressen siehe S. 237). Darüberhinaus gibt es noch eine Anzahl verschiedener Visa, z. B. wenn man eine Yoga- oder Tanzausbildung machen, einen Film drehen oder studieren möchte. Visa-Bestimmungen können sich schnell verändern – informieren Sie sich deshalb bei der Indischen Botschaft über den aktuellsten Stand.

Es ist ratsam, Fotokopien der wichtigsten Dokumente (evtl. auch Telefonnummern) auf die Reise mitzunehmen.

Permits: Ein Besuch der Nicobaren ist Ausländern nicht erlaubt. Für den Besuch der Andamanen und Lakkadiven ist eine Sondergenehmigung (Restricted Area Permit) erforderlich. Das Permit für die Andamanen erhält man bei der Indischen Botschaft im Heimatland oder bei der Ankunft in Port Blair auf South Andaman, für eine Dauer von 30 Tagen. Bangaram ist die einzige Insel der Lakkadiven, die für ausländische Besucher (nur im Rahmen von Gruppenreisen) zugänglich ist. Adressen von Reiseveranstaltern:

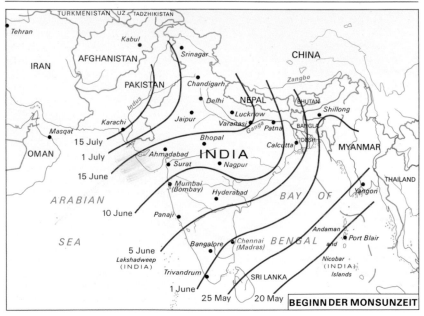

TURKMENISTAN UZ TADZHIKISTAN
Tehran
Kabul
IRAN
AFGHANISTAN
Srinagar
CHINA
PAKISTAN
Chandigarh
Zangbo
Delhi
NEPAL
BHUTAN
Lucknow
Shillong
Jaipur
Karachi
Varanasi
Ganga
Patna
BANGLA
Masqat
15 July
Bhopal
Calcutta
DESH
OMAN
1 July
Ahmadabad
INDIA
MYANMAR
Surat
Nagpur
15 June
Mumbai
(Bombay)
Hyderabad
BAY OF
Yangon
THAILAND
ARABIAN
10 June
Panaji
Andaman
Port Blair
SEA
5 June
Bangalore
Chennai
(Madras)
BENGAL
and
Nicobar
Lakshadweep
(INDIA)
Trivandrum
(INDIA)
Islands
1 June
SRI LANKA
25 May
20 May
BEGINN DER MONSUNZEIT

siehe Infobox S. 195. Das Permit erhält man zusammen mit dem Ticket und der Hotelreservierung.

Aufenthaltsgenehmigungen für Restricted Areas können auch vor der Abreise bei der Indischen Botschaft oder einem Konsulat im Heimatland beantragt werden (mindestens 6 Wochen vor Abreise), oder bei einem der Foreigners' Regional Registration Büros in Indien. *New Delhi:* 1st Floor, Hans Bhavan, Tilak Bridge, New Delhi 110002, Tel. 3319489. *Bombay:* 2nd Floor, 414 V.S. Marg, Prabhadevi, Bombay 4000001, Tel. 4801331. *Calcutta:* 9/1 Gariahat Rd., Calcutta 700020, Tel. 443301, 2470549. *Madras:* 9 Village Rd., Nungabakkam, Madras 600034, Tel. 8277036. In den Distrikthauptstädten kann man sich für Permits sowie für Visaverlängerungen auch an den Polizeichef (Superintendent of Police) des Polizeihauptquartiers wenden.

Zoll: Auch wer durch die grüne Zollschranke geht, muß mit stichprobenartigen Gepäckuntersuchungen rechnen. Als zollfreie Artikel gelten Gegenstände des persönlichen Bedarfs wie Schmuck, eine Kamera mit Filmen, Brillen, eine Reiseschreibmaschine, ein Radio, ein Kassettenrecorder, ein Notebook, Trekkingausrüstung, Skier usw. 200 Zigaretten und 0,95 l Alkohol dürfen eingeführt werden.

Fahrzeuge kann man nur mit dem Carnet eines Automobilclubs (gegen Baroder Bankbürgschaft) nach Indien einführen. Teure Wertgegenstände müssen deklariert werden. Die Einfuhr von Drogen, lebenden Pflanzen, Elfenbein, ungemünztem Silber und Gold und von Waffen ohne Waffenschein ist verboten. Diese Zollbestimmungen gelten auch für verschicktes Gepäck. Aus Indien ausführen darf man weder Antiquitäten, die über 100 Jahre alt sind, noch Tierhäute, Goldschmuck im Wert von über 20 000 Rs oder anderen Schmuck im Wert von über 10 000 Rs.

Währung / Devisen

Die indische Landeswährung ist die Rupie, die in 100 Paise unterteilt wird. Im Umlauf sind Münzen zu 5, 10, 20, 25 und 50 Paise sowie 1, 2, 5 und 10 Rupies, und

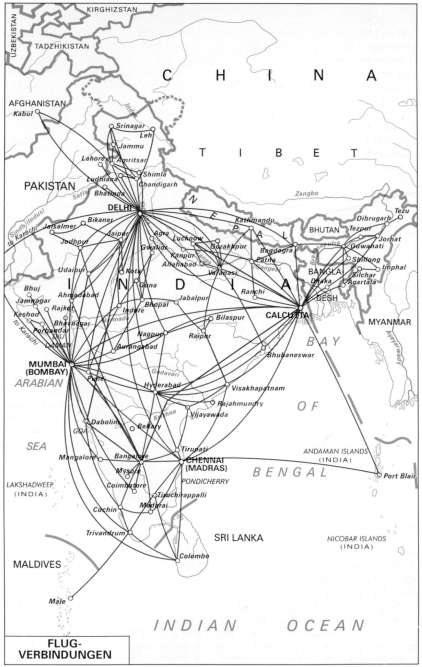

FLUG-
VERBINDUNGEN

Scheine im Wert von 1, 2, 5, 10, 20, 50, 100 und 500 Rupies. Indisches Geld darf weder ein- noch ausgeführt werden.

Devisenvorschriften: Fremdwährung darf in Form von Scheinen oder Reiseschecks in beliebiger Höhe eingeführt werden – vorausgesetzt, man deklariert den Betrag beim Zoll. Geld im Wert von bis zu 10 000 Dollar ist nicht deklarationspflichtig. Man muß zumindest einen Tauschbeleg in Höhe der zurückzutauschenden Summe bei Ausreise am Flughafen vorweisen können, sonst kann man seine restlichen Rupies dort nicht zurücktauschen. Bei einem Aufenthalt von mehr als 6 Monaten muß man bei Ausreise eine Steuererklärung vorlegen, aus der hervorgeht, daß man vom eigenen Geld gelebt und nicht gearbeitet hat. Mit Paß, Visum und Geldumtausch-Quittungen ausgestattet, läßt sich das nötige Formular bei der örtlichen Steuerbehörde oder dem Foreigners' Registration Office ausfüllen.

Gesundheitsvorsorge

Schließen Sie vor der Reise eine Auslandskrankenversicherung ab. Eine Impfung ist nur dann notwendig, wenn Sie zehn Tage vor Einreise nach Indien ein Gelbfiebergebiet besucht haben (vor allem Gebiete in Afrika und Südamerika). Gegebenenfalls müssen Sie mit einer 6tägigen Quarantäne rechnen. Impfungen gegen Cholera, Typhus und Tetanus sowie eine Gamma-Globulin-Injektion gegen Hepatitis A sind jedem Indienreisenden anzuraten; für einige Gebiete ist eine Malaria-Prophylaxe ratsam (Tropeninstitut konsultieren!). Lassen Sie vor Abreise Ihre Zähne checken, Brillenträger sollten eine Ersatzbrille oder das Rezept für die Gläser dabeihaben. Da auch in Indien AIDS auf dem Vormarsch ist, achten Sie darauf, daß in Krankenhäusern die Injektionsnadeln sterilisiert worden sind oder Einwegspritzen benutzt werden. Die Reiseapotheke sollte folgende Medikamente enthalten: Malaria-Tabletten, Mittel gegen Übelkeit und Durchfall (häufige Erreger: Salmonellen, Bakterien, Amöben,

Lamblien, Würmer), Elektrolyt-Pulver, Antibiotika, Lotion gegen Insekten, Sonnenschutzmittel, ein Antiseptikum, Verbandszeug, Chlor oder Micropur-Tabletten zum Sterilisieren von Wasser. Diese Medikamente erhält man auch in Apotheken der großen Städte in Indien selbst. Apotheken, die an Krankenhäuser angeschlossen sind, haben rund um die Uhr geöffnet. In den meisten Krankenhäusern findet man einen Arzt, der Englisch spricht.

Wasser sollte man abkochen (oder sterilisieren), ansonsten empfehlen sich Soda, Mineralwasser oder Getränke aus der Flasche oder Dose. In jedem Fall vermeiden sollte man den Genuß von Salat, ungeschälten Früchten oder von Früchten, die Sie nicht selbst geschält haben, von Produkten aus nicht-pasteurisierter Milch, Eis und Eiswürfeln. Frisch gekochte Gerichte direkt vom Herd sind relativ ungefährlich.

Ausreise

Reservierungen für die Ausreise müssen 72 Stunden vor der Abreise bei der Fluggesellschaft bestätigt werden. Man sollte für die Abfertigung am Flughafen mindestens drei Stunden veranschlagen, da die Sicherheitsüberprüfungen lange dauern. Bei Inlandsflügen genügt eine Stunde. Jeder Passagier (auch Kinder) muß vor dem Einchecken in ein Flugzeug oder in ein Schiff eine Hafen- oder Flughafengebür von 500 Rupien zahlen, bei Flügen nach Afghanistan, Bangladesh, Bhutan, Burma, Nepal, Pakistan und Sri Lanka zahlt man nur die Hälfte.

REISEWEGE NACH INDIEN

Mit dem Flugzeug: Über 50 internationale Fluggesellschaften fliegen Calcutta, Bombay, Delhi und Madras mit mehr als 150 Flügen wöchentlich an. Madras wird von British Airways, Air India und Lufthansa direkt angeflogen. Es gibt direkte Charterflüge nach Goa und Trivandrum. Anschriften der Fluggesellschaften finden Sie unter ADRESSEN.

REISE-INFORMATIONEN

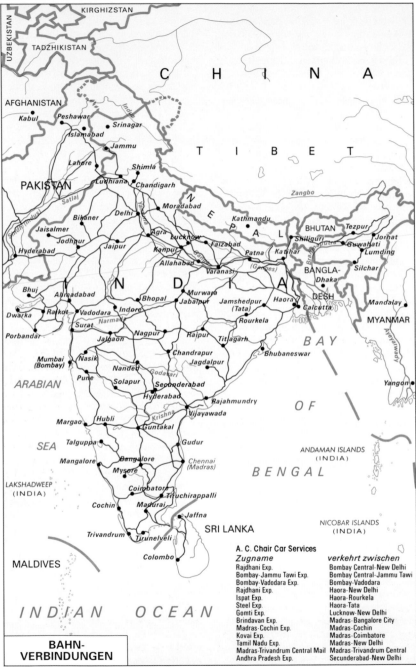

A. C. Chair Car Services

Zugname	verkehrt zwischen
Rajdhani Exp.	Bombay Central-New Delhi
Bombay-Jammu Tawi Exp.	Bombay Central-Jammu Tawi
Bombay-Vadodara Exp.	Bombay-Vadodara
Rajdhani Exp.	Haora-New Delhi
Ispat Exp.	Haora-Rourkela
Steel Exp.	Haora-Tata
Gomti Exp.	Lucknow-New Delhi
Brindavan Exp.	Madras-Bangalore City
Madras-Cochin Exp.	Madras-Cochin
Kovai Exp.	Madras-Coimbatore
Tamil Nadu Exp.	Madras-New Delhi
Madras-Trivandrum Central Mail	Madras-Trivandrum Central
Andhra Pradesh Exp.	Secunderabad-New Delhi

BAHN-
VERBINDUNGEN

Mit dem Schiff: Die Hafenstädte an der Küste dienen hauptsächlich der Handelsschiffahrt. Das einzige Passagierschiff, das Indien ansteuert, ist die *Queen Elizabeth II.*

REISEN INNERHALB INDIENS
Fluglinien

Die wichtigste innerindische Fluglinie ist die staatliche *Indian Airlines*. IA fliegt 70 inländische Ziele an, außerdem fliegt sie nach Afghanistan, Bangladesh, den Malediven, Nepal, Pakistan, Singapore, Sri Lanka, Thailand und in die Golfstaaten. In den letzten Jahren wurden mehrere regionale Privatfluggesellschaften gegründet, die allerdings nicht billiger sein dürfen als *IA*. Deswegen verschwinden sie auch häufig wieder. Zu den Privatfluglinien gehören Archana Airways, Jagson Airlines, Jet Airways, Citylink Airways, Goa Way, Sahara India. Jetair und Citylink unterhalten eigene Büros in Deutschland. Während der Touristensaison (Oktober-März) muß man sich bei allen Gesellschaften rechtzeitig um Plätze bemühen. *IA* bietet Flugpässe an, die man im Ausland kaufen kann. *Discover India*: nahezu uneingeschränkte Flugreisen in ganz Indien (bestimmte Routen sind ausgeschlossen), 750 US$ für 21 Tage. *India Wonderfare*: 7 Tage durch *eine* indische Region, US$ 300. Diese Angebote lohnen nur für Vielflieger, zumal man sich nach wie vor um Tickets auf dem gewünschten Flug bemühen muß. *Youth Fare:* 25%ige Ermäßigung für Touristen von 12 bis 30 Jahren. *South India Excursion*: 30% Discount auf verschiedene Flugstrecken in Südindien.

Eisenbahn

Das indische Eisenbahnnetz ist mit über 62 000 km das größte Asiens und das viertgrößte der Welt. Es gibt mehrere Bahnklassen; am besten für Langstrecken geeignet sind die 1. Klasse mit Aircondition und klimatisierten Liegewagen (*a/c-2 tier sleeper*), und 1. Klasse mit klimatisierten Großraum-Liegesesseln (*a/c chair car*). Bettzeug und Decken bringt man am besten selber mit. Weniger komfortabel ist die 1. Klasse ohne Aircondition, da es hier heiß und stickig werden kann. Die preiswerten Liegewagen der 2. Klasse ohne Aircondition sind ideal für hartgesottene Traveler. Essen gibt es auf allen Langstreckenzügen. Mitnahme von Mineralwasser wird empfohlen.

Indrail-Pässe (Preislagen von 24 US $ für 1/2 Tag bis zu 530 US $ für 90 Tage) gelten für die oben genannten Klassen. Erhältlich von Asra-Orient, Kaiserstraße 50, 60329 Frankfurt/M., Tel. 069/ 253098, www.asra-orient.com.

In großen Bahnhöfen wie z. B. Bombay, Delhi und Madras befinden sich spezielle Buchungsschalter für Ausländer (*Tourist Quota Counter*), die auf vielen Strecken bei der Reservierung Vorrang erhalten. Für Frauen gibt es auf größeren Bahnhöfen auch ein *Ladies Counter,* an kleineren Stationen eine separate Warteschlange für Frauen (*Womens' Queue*). Alleinreisende Frauen, die mit einem Nachtzug fahren, können bei der Buchung darum bitten, daß man ihnen einen Platz in einem Abteil mit anderen weiblichen Reisenden zuteilt. In manchen Zügen gibt es auch separate Frauenabteile.

Tickets sollte man möglichst früh reservieren (www.indianrail.gov). Bei Problemen mit Reservierungen oder „angeblich vollen Zügen" wendet man sich an den Station Superintendent oder den Chief Reservations Supervisor. Lange Warteschlangen und Zugverspätungen sind „normal", hier hilft nur Geduld.

Rundreisen

Sightseeing-Touren durch die Städte und in die unmittelbare Umgebung werden von fast jedem State Tourism Department veranstaltet. Daneben gibt es auch Tourenpakete, die verschiedene Ziele im Land ansteuern. Rundreisen, die zwischen einer Woche und zehn Tagen dauern, werden in großer Anzahl angeboten. Sollten Sie besondere Vorlieben haben – Tierwelt, Museen oder Abenteuersportarten wie Drachenfliegen, Trekking oder Floßfahrten – wenden Sie sich an eins der folgenden Reisebüros: Sikkar Travels; Wildlife Adventure Tours: Alpine Travels & Tours; High Points Expedition & Tours; Sita World Travel und Travel Corporation of India.

PRAKTISCHE TIPS
Alkohol

Nur in Gujarat, dem Geburtsland von Mahatma Gandhi, besteht noch die Prohibition, Alkohol ist dort fast ausschließlich nur in Luxushotels erhältlich. Ansonsten ist der Alkoholkonsum grundsätzlich zulässig, doch – abgesehen von den großen Hotels und Restaurants, in denen eine Vielfalt von Alkoholika angeboten wird – oft nur in besonders ausgewiesenen *Permit Rooms* und zu bestimmten Stunden möglich. Man sollte Alkoholika nur in staatlichen Alkoholgeschäften erstehen, die „English Wine, Brandy or Liquor" oder „Indian made Foreign Liquor" (IMFL) anbieten. Die „harten" indischen Alkoholika, u. a. Arrak und Toddy, sind mit Vorsicht zu genießen. Seit dem Jahr 1996 ist der Genuß von Arrak in Kerala verboten.

Banken / Geldumtausch

Die Schalter der ausländischen und inländischen Banken sind von Montag bis Freitag 10 bis 14 Uhr geöffnet, am Samstag von 10 bis 12 Uhr. An gesetzlichen Feiertagen, am 30. Juni und am 31. Dezember bleiben die Banken geschlossen.

Geld sollte man nur bei Banken oder autorisierten Geldwechslern tauschen. US Dollars sind die gängigste Fremdwährung, gefolgt vom Euro. Große Hotels wechseln Geld zu jeder Tageszeit, allerdings zu einem schlechteren Wechselkurs. In größeren Städten werden die wichtigsten Kreditkarten von vielen Hotels, Geschäften und Restaurants akzeptiert. Auch Reiseschecks werden meist problemlos eingelöst. In allen Städten gibt es Banken, die Bargeld auf Kreditkarte ausgeben. Bei Reisen in abgelegene Gebiete ist es ratsam, vorher einige Travellerschecks in Rupien bei einer Bank einzukaufen.

Einkaufen

Indien hat eine lange kunsthandwerkliche Tradition. Selbst die Gegenstände des täglichen Bedarfs werden kunstvoll hergestellt. Der Unterschied zwischen handgewebten Textilien und Fabrikkleidung ist nicht zu übersehen. Falls Sie befürchten, beim Einkauf „übers Ohr gehauen" zu werden und einen Touristenpreis" bezahlen zu müssen, kaufen Sie nur in staatlichen Kaufhäusern oder bei amtlich lizensierten Geschäften; eine Liste dieser Geschäfte gibt es beim GITO.

Essen

Die meisten Restaurants bieten gute bis hervorragende südindische Küche an, besonders regionale Spezialitäten sollte man versuchen. Chinesische Restaurants sind eine gute Alternative, um dem von vielen Curries strapazierten Magen eine Verschnaufpause zu gönnen. In Spezialitäten-Restaurants der großen Hotels bekommt man auch internationale Küche. Es gibt einige 24-Stunden-Coffee-Shops und Fast-Food-Ketten. Kaltes Bier oder Wein zum Essen findet man nur in den Restaurants der Großstädte. Das Essen der *dhabas*, die am Straßenrand stehen, sollte mit Vorsicht genossen werden.

Feste / Ferien

Da sich die Termine für die indischen Feste nach dem Mondkalender richten, ist es ratsam, sich beim GITO eine Liste mit den Fest- und Ferienterminen zu besorgen. Einige Feiertage sind allerdings festgelegt, so der Tag der Republik (26. Januar), der Unabhängigkeitstag (15. August), Gandhi Jayanti (2. Oktober) und Weihnachten (25. Dezember). Die wichtigsten Termine indischer Feste finden Sie auch in den Info-Boxen.

Fotografieren

Fotografieren ist an den meisten Orten ohne Einschränkung erlaubt, an manchen Sehenswürdigkeiten darf man Kameras nur gegen eine Gebühr benutzen. Verboten ist das Fotografieren militärischer Anlagen, Brücken und bestimmter Heiligtümern; große Tafeln weisen auf das Fotografierverbot hin. Die meisten Filme kann man in Indien auch entwickeln lassen. Bevor Sie jemanden fotografieren – und dies gilt besonders bei Frauen – sollten Sie vorher um Erlaubnis bitten.

Führer

Touristenführer, die Englisch oder eine andere Fremdsprache beherrschen, kann man in allen größeren Touristenzentren über ein Reisebüro oder über GITO mieten. Diese Führer sollten im Besitz einer Lizenz des Indian Department of Tourism sein; nichtzugelassene Führer werden in geschützten Gedenkstätten nicht eingelassen. Für einige historische Bauwerke hat der Archaeological Survey of India Handbücher herausgegeben.

Gewichte und Maße

In Indien gilt für Gewichte und Maßeinheiten das metrische System. Goldschmuck und bestimmte Silberartikel werden nach Gewicht verkauft, ausgedrückt in *tola*, einer traditionellen Gewichtseinheit, die etwa 11,5 Gramm entspricht. Der Wert der Edelsteine hängt von ihrem Karat ab (ein Karat entspricht 0,2 g). Die Inder haben für die Zahl 100 000 ein eigenes Wort, *lakh*; 10 Millionen heißen *crore*.

Kino

Täglich gibt es vier Vorstellungen. In den größeren Städten werden englischsprachige Filme gezeigt, in den Provinzkinos oft nur Filme in Hindi oder in der entsprechenden Landessprache.

Museen und Kunstgalerien

Die Nationalgalerien vermitteln ein Bild von den Kunstepochen und Kunststilen Indiens. Einige Museen befinden sich unmittelbar an den historischen Stätten, andere konzentrieren sich als Heimatmuseen auf das lokale Kunsthandwerk und Brauchtum. Die meisten Museen sind sonntags geöffnet, schließen dafür aber an einem Wochentag und an den Nationalfeiertagen.

Nahverkehr

Taxis: Die offiziellen Taxis sind gelb und schwarz lackiert, sie unterscheiden sich von den privaten Taxis der Reiseveranstalter, die teilweise mit Klimaanlage ausgerüstet sind. Die Gebühren variieren von Bundesstaat zu Bundesstaat. In einer dreirädrigen Autoriksha können bis zu drei Personen (ohne Aufpreis) mitfahren. Da die Benzinpreise schwanken und die Fahrer ihre Taxameter manchmal nicht sofort neu einstellen, zeigen die Taxameter nicht immer den tatsächlichen Preis. Bitten Sie den Fahrer um die Preistafel. Zwischen 22 Uhr und 6 Uhr morgens werden Zuschläge verlangt.

An den Flughäfen werden die Taxikennzeichen sowie Name und Ziel des Fahrgastes notiert. An internationalen Flughäfen gibt es einen *prepaid* Taxiservice (im voraus zu bezahlendes Taxiticket für ein registriertes Taxi zum Festpreis) und für Transitreisende einen Zubringerbus zu den Inlands-Flughäfen. Bevor Sie mit einem Taxi losfahren, achten Sie darauf, daß das Taxameter vor der Fahrt auf Null bzw. auf den Mindestpreis zurückgestellt wurde.

Busse: Während der Stoßzeiten sollten die Nahverkehrsbusse gemieden werden. Busverbindungen zwischen den Städten werden von verschiedenen Busunternehmen unterhalten, eingesetzt werden komfortable und einfache Busse. Luxusbusse haben meist Aircondition. Expressbusse verkehren auf Langstrecken, oft sorgen Videofilme für die Unterhaltung der Fahrgäste – ein zweifelhaftes Vergnügen bei langen Nachtfahrten.

Netzspannung

Die Stromspannung beträgt in den meisten Städten 220 Volt (200-260 V). Darüber hinaus gibt es in manchen Teilen Indiens noch Gleichstrom. Die besseren Hotels stellen Adapter für Niedervoltgeräte zur Verfügung. Schuko-Stecker passen selten, da die Steckdosen dreipolig sind. Es ist ratsam, sich vor Abreise einen Universal-Adapter zu besorgen, evtl.

Reise-Informationen

auch einen Batteriebetriebenen Rasierapparat.

Post

Die Post arbeitet recht zuverlässig, Briefe kann man sich an die Hauptpostämter der Großstädte schicken lassen, wo sie bis zur Abholung gelagert werden: Name (Nachname unterstreichen), General Post Office – poste restante. Briefe sollte man nicht in einen Briefkasten werfen, sondern zum nächsten Postamt bringen und sofort entwerten lassen.

Presse

Die große Anzahl englischer und einheimischer Veröffentlichungen macht deutlich, welches Interesse Indien dem Zeitgeschehen entgegenbringt. Täglich in englischer Sprache erscheinen *The Times of India*, *Hindustan Times*, *The Hindu*, *The Telegraph* und *Indian Express*. Die Zeitschriften *India Today* (vierzehntägig) und *Sunday* (wöchentlich) greifen neben indischen Problemen allerdings kaum das Weltgeschehen auf. *Destination Traveller* ist die Zeitschrift für Reisende und Touristen.

Telekommunikation

Auslandsvorwahl nach Indien: 0091. Telefonieren ist in Indien kein Problem mehr. Für Orts-, Inlands- und Auslandsgespräche gibt es *Public Call Offices* (PCOs) in Flughäfen, Bahnhöfen und Postämtern. Selbst in kleineren Städten in ländlichen Gegenden gibt es privat betriebene Fernsprechzellen (durch die Aufschrift STD/ISD gekennzeichnet), von denen auch Anschlüsse im Ausland direkt angewählt werden können. Die Gebühren werden automatisch errechnet. Fast in jeder Stadt findet man einen Fax-Service, Privatfirmen bieten Fax- und auch ISDN-Verbindungen an.

Touristen-Information

Im Internet: www.india-tourism.com
Das Department of Tourism der indischen Regierung hat 18 überseeische Büros (siehe Adressen) und 21 inländische Informationsbüros (siehe Info-Boxen). Sie stehen Indien-Besuchern in allen Belangen helfend zur Seite – seien es Fragen zum Visum, zur Gesundheit oder zu Exportbestimmungen. Außerdem geben sie Informationsbroschüren über jedes Reiseziel in Indien heraus. Allerdings sind sie leider nicht alle gleichermaßen effizient.

Beim GITO (Government of India Tourist Office) erhält man Listen der Unterkünfte einschließlich Preisliste, Taxigebühren, Entfernungstabellen und andere nützliche Informationen über Nahverkehr, Einkauf, Banken, Geldumtausch und Restaurants. Die Adressen (mit Telex oder Fax Nummer) ermöglichen es, im voraus Zimmer zu buchen. Die GITO-Büros und andere staatliche Touristenbüros dienen nur als Informationstellen, man kann hier weder Rundreisen noch Hotels buchen. Diesbezüglich muß man sich an einen Reiseveranstalter wenden.

Unterkunft

Indien bietet für jeden Geldbeutel und jeden Geschmack eine Übernachtungsmöglichkeit, vom teuren Luxushotel bis zu einfachen Hütten. Eine Hotelliste erhalten Sie in den GITO-Büros. Falls Sie einen gewissen Luxus wünschen, sollten Sie in einem der teureren Hotels im voraus reservieren – namentlich in der Saison von Oktober bis März. Bei größeren Hotelketten werden die Reservierungen zentral bearbeitet und gegebenenfalls Ausweichmöglichkeiten angeboten.

Hotels finden Sie auch rund um die Flughäfen der Metropolen und bei den Bahnhöfen. YMCA, YWCA, Jugendherbergen und Unterkünfte des State Tourism sind billig und bequem. In einigen Gebieten gibt es auch Campingplätze.

In kleineren Städten kann man sich sechs Wochen vorher bei der Stadtverwaltung um Inspection Houses und Dak Bungalows bewerben, die eigentlich für die Beamten bestimmt sind. Die Bezahlung erfolgt über das GITO.

Viele Bahnhöfe haben (billige) *Railway Retiring Rooms*, mit Bett und Deckenventilator. Reisende mit einem Zugticket können hier einmal übernachten.

Übernachtungen bis zu drei Tagen sind in einigen religiösen Hostels (*dharamsalas*) – oft in der Nähe von Tempeln – möglich. Unterkunft und vegetarische Verpflegung ist meist kostenlos, eine Spende wird jedoch erwartet.

Budget-Reisende sollten folgende Dinge im Gepäck haben: einen dünnen Baumwoll-Schlafsack, eine Taschenlampe, ein Vorhängeschloß und einen Geldgurt.

Verhaltensregeln

Beim Betreten von Tempeln, Moscheen, Gedenkstätten und Heiligengräbern muß man die Schuhe ausziehen und allenfalls Socken tragen – vereinzelt muß man barfuß gehen. In *gurudwaras* (Sikhtempeln) muß man den Kopf bedecken. Mancherorts wird an Ledergürteln o.ä. Anstoß genommen, anderswo ist Fotografieren verboten. Meist sind Verbots- und Gebotstafeln ausgehängt, und Besucher sollten sich danach richten.

Die Inder wissen es zu schätzen, wenn man ihren Gruß *namaste* (in Malayalam: *namaskaram*, in Tamil: *vanakkam*) erwidert. Man grüßt mit aneinandergelegten Handflächen, die bis zur Brust oder zur Stirn erhoben werden; per Handschlag grüßt man nur Männer. Indische Frauen schütteln nicht einmal den einheimischen Männern die Hand.

Ist man zu einer Mahlzeit mit Einheimischen eingeladen, bei dem die Gerichte mit der Hand gegessen werden, sollte man nur die rechte Hand benutzen, die linke gilt als unrein. Auch wenn man Gegenstände erhält oder gibt oder jemandem die Hand schüttelt, wird nur die rechte Hand benutzt.

Nacktbaden ist verboten, und obwohl man sich an einigen von westlichen Gästen frequentierten Stränden nicht daran hält, fühlen sich die Inder peinlich berührt. Auch öffentliche Zurschaustellung von Zärtlichkeiten ist verpönt. Im Allgemeinen sind die Inder äußerst gastfreundlich und hilfsbereit, mit einem ausgepräg-

ten Hang zur Neugier. Man muß sich sogar in Zügen oder im Bus auf persönliche Fragen über Beruf, Einkommen und Familienstatus gefaßt machen.

Zeit

Trotz der Größe des Landes hat Indien nur eine Zeitzone. Indian Standard Time (IST) liegt 4,5 Stunden vor der mitteleuropäischen Zeit. (Wenn es in Delhi 12 Uhr ist, ist es in Berlin 7.30 Uhr).

INDIEN IN DER STATISTIK

Gesamtfläche: 3 287 263 km^2; Bevölkerung: ca. 1,031 Milliarden; Unionsstaaten: 25, daneben noch 7 sogenannte Territorien. Religion: Hindus – 82,64 %, Moslems – 11,35 %, Christen – 2,43 %, Sikhs – 1,96 %, Buddhisten – 0,71 %, Jainas – 0,48 % und andere 0,42 %.

ADRESSEN
Botschaften und Konsulate

Deutschland. *Bombay:* Hoechst House, 10th Floor, Nariman Point, Tel. 2832422, 2832517. *Delhi:* 6 Shantipath, Chanakyapuri, Tel. 6871831, Fax 6873117. *Calcutta:* 1 Hastings Park Road. Alipore, Tel. 4791141, 4791142. *Madras (Chennai):* 46 Ethiraj Rd, Mico Bldg, Tel. 8271747, 8273593. **Nepal**. *Delhi:* Barakhamba Rd., Tel. 3329969. *Calcutta:* 19 Woodlands, Alipore, Tel. 452024. **Österreich**. *Bombay:* 206-210 Balaaram Bldg., 2nd Floor, Bandra Kurla Complex, Bandra East, Tel. 6442291/92. *Delhi:* EP-13 Chandra Gupta Mg. Chanakyapuri, Tel. 66889050. *Goa:* Kamat Center, 2nd Floor, D. B. Bandodkar Rd., Campal, Panaji, Tel. 0832/232000 *Madras:* Kothari Bldg. Nungambakkam High Rd., Tel. 8276036. *Calcutta:* 96/1 Sarat Bose Rd., Tel. 4752795. **Schweiz**. *Bombay:* 102, Maker Chamber IV, 222 Jamnalal Bajaj Marg, Nariman Point, Tel. 2884563. *Delhi:* Nyaya Marg, Chanakyapuri, Tel. 6878372. *Madras (Chennai):* The Grove, 224 T.T.K. Rd., Tel. 4332701. **Sri Lanka**. *Bombay:* Sri Lanka House, 34 Homi Modi St., Tel. 2045861/8503.

Delhi: 27 Kautilya Marg, Chanakyapuri, Tel. 3010201/2/3.

Fluggesellschaften

Air France. *Bombay*: Maker Chambers VI, 220 Nariman Point, Tel. 2024818. *Delhi:* 7 Atma Ram Mansion, Kasturba Gandhi Marg, Tel. 3317054. *Madras:* Thapar House, 43/44 Montieth Rd, Egmore, Tel. 8250295. **Air India**. *Bangalore:* Unity Bldg., Jayachamarajendra Rd., Tel. 2224143. *Bombay:* Air India Bldg, Nariman Point, Tel. 2024142. *Delhi:* Jeevan Bharati Bldg, 124 Connaught Circus, Tel. 3311225. *Goa:* 18 June Rd., Panaji, Tel. 225172. *Madras:* 19 Marshalls Rd, Egmore, Tel. 8554477. *Madurai:* Tel. 24947. *Trivandrum:* Air India Bldg., Museum Rd., Tel. 434837. **Air Lanka**. *Bombay:* Mittal Towers C', Nariman Point, Tel. 2844156. *Delhi:* Room No. 1, Hotel Janpath, Tel. 3326843. *Madras:* Mt. Chamber, 758 Anna Salai, Tel. 8261535. *Tiruchirapalli:* Hotel Femina, 14-c Williams Rd., Cantt. Bldg., Tel. 40852. *Trivandrum:* T.C. 15/ 1897 Geethanjali Bldg., Vazhuth Acaud, Tel. 64495. **Alitalia**. *Bombay:* Industrial Assurance Bldg, Vir Nariman Rd, Churchgate, Tel. 2045023. *Delhi:* D.C.M. Bldg, Barakhamba Rd, Tel. 334789. **British Airways**. *Bombay:* Vulcan Insurance Bldg. 202 B Vir Nariman Rd., Tel. 2820888. *Delhi:* DLF Center, Parliament St, Tel. 3327428. *Madras:* Alsa Mall, Khaleoli Centre, Montieth Rd, Egmore, Tel. 8554680. **Indian Airlines**. *Bangalore:* Cauvery Bhawan, Tel. 2211914. *Bombay*: Air India Bldg, Nariman Point, Tel. 2876161. *Calicut:* Eroth Centre, Bank Rd., Tel. 55265. *Cochin:* Durbar Hall Rd., Ernakulam, Tel. 370236. *Delhi:* P.T.I. Bldg, Parliament St, Tel. 3310517. *Goa:* Dempo House, Compal, Panaji, Tel. 224067. *Madras:* 19 Marshall's Rd, Egmore, Tel. 8553039. *Pune:* 155 Sadhu Vaswani Marg, Tel. 659939. *Trivandrum:* Mascot Junct., Tel. 438288. **KLM**. *Bombay:* 198 J. N. Tata Road, Churchgate, Tel. 2833338. *Delhi:* Prakash Deep Bldg, 7 Tolstoy Marg, Tel. 3326822. *Madras:* Tel. 8524427. **Lufthansa**. *Bombay:* Express Towers, Nariman Point, Tel. 2023430. *Delhi:* 56 Janpath, Tel. 3323310. *Madras:* 167 Anna Salai, Tel. 8525095. **Royal Nepal Airlines**. *Bombay:* 222 Maker Chamber 5, Nariman Point, Tel. 2835489. *Delhi:* 44 Janpath, Tel. 3320817. **Swissair**. *Bombay:* Maker Chamber VI, 220 Nariman Point, Tel. 2872210 *Delhi:* DLF Center, Parliament St, Tel. 3325511. *Madras:* 191 Anna Salai, Hamid Bldg, Tel. 8261583.

Informationen im Ausland

Deutschland: Indisches Fremdenverkehrsamt, Baseler Str. 46, 60329 Frankfurt, Tel. 069/2429490, Fax 24294977.

Schweden: Sveavagen 9, 11157 Stockholm, Tel. 08215/081.

REDEWENDUNGEN IN TAMIL UND MALAYALAM

In Indien gibt es 18 Hauptsprachen und über 200 Dialekte. Tamil, Malayalam, Kannada und Telugu sind die am weitesten verbreiteten südindischen Sprachen. Tamil wird in allen südlichen Staaten verstanden, ebenso Englisch (eher als Hindi).

	Tamil	**Malayalam**
Begrüßung	*Vannakkam, namaskaram*	*Namaskaram*
Auf Wiedersehen	*Poitt vaare*	*Varate*
mehr	*Konjam kudi kodu*	*Aeniim*
Wo ist das?	*aenge irk apa?*	*evede?*
Wie weit ist ... entfernt?	*Aevlav duram ... ?*	*... ettaradooram ana?*
Wie komme ich nach ...?	*Aeppadi poi varla ... ?*	*illekya en ganiye ana ponade?*
Wieviel kostet das?	*Inda villa?*	*Enthu vila?*
Das ist teuer!	*Raemba villa.*	*Vila Kudutal anu*
Kann ich die Speisekarte haben?	*Konjam menu kaat?*	*Menu kanikyamo*
Bitte ohne Eis!	*Ice poda venda.*	*Ice venda*
Weniger Zucker bitte!	*Shakara konkama podu*	*Panjasara korekyuga*
Die Rechnung bitte!	*Konjam bill tarunge!*	*Bill kondu veru*

	Tamil	**Malayalam**		**Tamil**	**Malayalam**
ich	*aennake*	*njan*	Kaffee	*kapi*	*kapi*
du	*nningal*	*nningal*	Reis	*saadam*	*choru*
ja	*amma*	*sari*	Tee	*chaya*	*chaya*
nein	*venda*	*venda*	Milch	*paale*	*paalu*
bitte	*daevayi*	*dayavayi*	Zucker	*shakara*	*panjasaara*
danke	*nandri*	*nandi*	Joghurt	*taiire*	*taiire*
groß	*perithu*	*valuthu*	Essen	*sapad.*	*bakshanam*
klein	*chinna*	*cherriyade*	kommen	*inga va*	*varu*
heute	*indr*	*innu*	gehen	*ange po*	*po*
morgen	*nallikye.*	*naale*	Salz	*uppe.*	*uppu*
gestern	*naete.*	*innale*	Chilis	*mellagu*	*mulagu*
heute nacht	*inne raatike*	*innu ratri*	weniger	*konjama*	*kurachu*
Woche	*vaaram.*	*azcha*			
Monat	*maatham*	*maasam*			
Jahr	*varudam*	*varsham*			
sauber	*shuttam*	*virti*	1	*onuru*	*onne*
schmutzig	*ashinnam*	*virtikaettade*	2	*irandu*	*rande*
heiß	*chude*	*chude*	3	*munru*	*mune*
kalt	*tannupe*	*thanupu*	4	*naale*	*naale*
Geschäft	*kadaa*	*kadaa*	5	*ainthu*	*anju*
Medizin	*marinnyu*	*marunnu*	6	*aaru*	*aaru*
wieviele	*aettana*	*ethra*	7	*aeru*	*ezhu*
Ei	*mutta*	*kozhimutta*	8	*aettu*	*ettu*
Gemüse	*tarkali.*	*pacchakaari*	9	*onpathe*	*umbude*
Wasser	*tanni*	*wellam*	10	*paththu*	*pathe*

Reise-Informationen

AUTOREN

Shalini Saran ist Project Editor dieses *Nelles Guides* und eine bekannte Reiseschriftstellerin und Fotografin. Ihre Artikel und Fotografien erschienen in *The India Magazine, Namaste, Swagat, Namaskaar, Udit, The Taj Magazine* und *Soma* (veröffentlicht in Indien) und in *Orientations, Discovery* und *Sawasdee* (veröffentlicht in Hong Kong). Frau Saran lebt in Delhi und hat dort als Redakteurin eines Verlagshauses gearbeitet.

Varsha Das arbeitet als Redakteurin beim National Book Trust in New Delhi. Sie hat Sanskrit und Hindi studiert und schreibt für diverse Tageszeitungen und Magazine in Gujarati, Hindi und Englisch. Ihre Themen reichen von Kunst über Kultur bis hin zur Literatur. Sie veröffentlichte Bücher in Gujarati und Hindi und hat an mehreren Übersetzungen mitgewirkt. Sie verfaßte das Kapitel „Orissa".

Ashis Banerjee hat Politische Wissenschaft an der Allahabad-Universtität studiert und lehrte dort einige Jahre. In Oxford machte er den Magister der Literaturwissenschaft, in New Delhi war er Gastdozent am Centre for Policy Research und beschäftigte sich mit Fragen der nationalen Integration. Er ist Dozent am Nehru Memorial Museum and Library in New Delhi. Gegenstand seiner Veröffentlichungen ist die Politik und Gesellschaft Indiens. Er verfaßte die Features „Kastenwesen", „Die Unberührbaren", „Lebensstandard", „Bevölkerungsexplosion", „Indische Frauen", „Medien" und „Kolonialzeit".

Dr. R. Nagaswamy hat zuletzt als Direktor des Department of Archeology in Tamil Nadu gearbeitet. Er ist einer der führenden Gelehrten auf dem Gebiet des Sanskrit und ein Experte für südindische Kunst und Kultur. Als Archäologe hat er einige südindische Bronzefiguren ausgegraben und sie chronologisch zugeordnet. Über 20 Bücher in Englisch und Tamil und über 300 Forschungsberichte

sind von ihm veröffentlicht worden. Zur Zeit ist er Vorsitzender eines Forschungsprojektes am Brihadesvara-Tempel in Tanjore, das vom Indira Gandhi National Centre for Arts gefördert wird. Darüberhinaus ist er Mitglied verschiedener Kommissionen, die sich mit Kunst und Kultur beschäftigen. Dr. Nagaswamy ist auch ein Poet und schreibt Tanzdramen in der klassischen Tradition. Er verfaßte die Kapitel „Streifzug durch die indische Geschichte", „Karnataka", „Andhra Pradesh", „Madras", „Tamil Nadu" sowie die Features „Tempelreise", „Ashrams", „Tempelfeste" und „Linga-Kult".

Helmut Köllner, Indologe, Studienreiseleiter, Fotograf und Reisejournalist bereist seit über 20 Jahren regelmäßig Südindien. Er übernahm die Aktualisierung des Textes für diese Ausgabe des *Nelles Guide Südindien.*

Shiraz Sidhva ist freie Journalistin in New Delhi. Nach Abschluß ihres Studiums in Bombay war sie bei führenden Magazinen und Zeitungen des Landes wie *Imprint* und *Business India* angestellt und arbeitete als Redakteurin für den *Sunday Observer.* Ihre Veröffentlichungen befassen sich mit dem Medien-, Kultur- und Sozialbereich. Artikel von Sidhva sind im *Sunday, Indian Express, The Times of India* sowie in verschiedenen Reisemagazinen erschienen. Sie verfaßte die Kapitel „Bombay", „Maharashtra" und „Goa".

Geeta Doctor hat Indien und das Ausland intensiv bereist. Sie lebt als freie Journalistin in Madras und schreibt regelmäßig für Tageszeitungen und Magazine wie *Swagat, Namaskaar, Silver Kris, The Sunday Observer* und *Taj Magazine.* Ihre Interessensgebiete sind Malerei, Reisen, Theater und Literatur. Ferner hat sie prominente Persönlichkeiten interviewt. Die Kapitel „Kerala", „Inseln wie Smaragde" und das Feature „Strände" stammen von ihr.

Mamta Saran ist seit mehreren Jahren im Verlagswesen tätig. Da sie außerdem noch Künstlerin ist, gilt natürlich ihr großes Interesse der Kunst. Sie schrieb das Feature „Malerei".

J. Inder Singh Kalra stammt aus einer Feinschmeckerfamilie und ist Vorsitzender der International Wine, Food and Travel Writer`s Association für Asien. Er schreibt beliebte Restaurantkolummnen in führenden Tageszeitungen und ist einer jener Kritiker, die wahre Kochkust zu würdigen wissen. Für den Shiv Niwas-Palast des Maharana von Udaipur stellte er ein Menü zusammen. Kadra hat die traditionelle indische Küche wieder zum Leben erweckt. Der Berater in Reise- und Gastronomieangelegenheiten ist spezialisiert auf Feinschmecker- und andere Touren. Er schrieb „Indische Küche".

In der klassischen Tanzwelt Indiens ist **Leela Samson** als begabte Interpretin und einfühlsame Lehrerin des *Bharata Natyam*-Tanzes bekannt. Ihre Studienjahre verbrachte sie am Kalakshetra College of Fine Arts in Madras, wo sie von Rukmini Devi, der Institutsgründerin, geprägt wurde. Auch in den verwandten Kunstgattungen Musik und Literatur gut bewandert, trat Leela in größeren Rollen bei Kalekshetras berühmten Tanzdramen auf, die weltweit aufgeführt wurden. Als Solistin wird sie auch im Ausland geschätzt. In Europa war sie auf dem Norway's Kuopio Dance Festival sowie dem Kulturfest in Wien zu bewundern und wurde auch mit dem *Sanskrit Award for the Performing Arts* ausgezeichnet. Neben ihrer Arbeit auf der Bühne steht Leela der Tanzfakultät an der Shriram Bharatiya Kala Kendra-Schule in New Delhi in der Sparte *Bharata Natyam-Tanz* vor. Dort lehrt und schreibt sie. Zu ihren Veröffentlichungen zählt ein Werk über die klassischen Tänze Indiens: *Rhythm in Joy*. Von ihr stammt das Feature „Tanzformen".

Ulrike Teuscher, Indologin und Studienreiseleiterin, überarbeitete große Teile des Textes und trug zur Aktualisierung bei.

FOTOGRAFEN

Arya, Aditya	27, 42, 87, 88, 102 / 103, 107, 110
Becker, Frank	222 / 223
Braunger, Hans-Peter	92, 99
Chwaszcza, Joachim	179
Dilwali, Ashok	154, 190
Höbel, Robert	8 / 9, 61, 66 / 67, 73, 162, 185, 187, 200
Hörig, Rainer	12/13
Israni, Prakash	130, 137
Kaempf, Bernhard	21, 30, 39, 40, 43, 45, 49, 52, 59, 68 / 69, 79, 106, 112 / 113, 119, 123,124, 132, 140 / 141, 153, 159,160, 161, 166 / 167, 172, 178, 203, 208, 229
Kiedrowski, Rainer	142 / 143, 182, 209
Klein, Wilhelm	23, 53, 139, 164, 171, 173L, 173R, 174, 199, 215, 226, 230
Köllner, Helmut	16/17, 118
Lahr, Günther	cover
Mazzoni, Leandro	81, 83, 232R
Mlyneck, Werner	133, 152, 207
Mitra, Santanu	157
Pasricha, Avinash	219L, 219R, 220, 221
Reuther, Jörg	92, 95, 104, 192, 232L
Roth, Hans-Georg	14 / 15, 50, 63, 65, 70, 78, 95, 97, 126 / 127, 131, 136, 146, 183, 191, 233
Sahai, Kamal	57
Saran, Shalini	10 / 11, 18, 22, 28, 32, 37, 55, 121, 135, 170, 212, 225L, 225R

Reise-Informationen

Freude am Reisen

NELLES MAPS

Explore the World
NELLES MAPS
1 : 650.000 / 1 : 1.500.000
NORTHERN INDIA
SPECIAL MAPS: LADAKH / SRINAGAR
CITY MAPS: DELHIHAAS, AGRA, DELHI

Explore the World
NELLES MAPS
1 : 1.500.000
WESTERN INDIA
SPECIAL MAP: MUMBAI (BOMBAY)
CITY MAP: DELHI

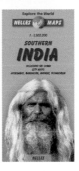

Explore the World
NELLES MAPS
1 : 1.500.000
SOUTHERN INDIA
INCLUDING SRI LANKA
CITY MAPS:
HYDERABAD, BANGALORE, MADRAS, TRIVANDRUM

Explore the World
NELLES MAPS
1 : 4.200.000
INDIAN SUBCONTINENT
SPECIAL MAPS: DELHI / NEW DELHI, MUMBAI (BOMBAY), CALCUTTA

LIEFERBARE TITEL

Afghanistan 1 : 1 500 000
Argentina *(Northern)*, **Uruguay** 1 : 2 500 000
Argentina *(Southern)*, **Uruguay** 1 : 2 500 000
Australia 1 : 4 500 000
Bangkok - *and Greater Bangkok* 1 : 75 000 / 1 : 15 000
Bolivia - Paraguay 1 : 2 500 000
Burma → *Myanmar*
Caribbean - **Bermuda, Bahamas, Greater Antilles** 1 : 2 500 000
Caribbean - **Lesser Antilles** 1 : 2 500 000
Central America 1 : 1 750 000
Central Asia 1 : 1 750 000
Chile - Patagonia 1 : 2 500 000
China - *Northeastern* 1 : 1 500 000
China - *Northern* 1 : 1 500 000
China - *Central* 1 : 1 500 000
China - *Southern* 1 : 1 500 000
Colombia - Ecuador 1 : 2 500 000
Crete - Kreta 1 : 200 000
Cuba 1 : 775 000
Dominican Republic - Haiti 1 : 600 000
Egypt 1 : 2 500 000 / 1 : 750 000
Hawaiian Islands 1 : 330 000 / 1 : 125 000
Hawaiian Islands - **Kaua'i** 1 : 150 000 / 1 : 35 000
Hawaiian Islands - **Honolulu - O'ahu** 1 : 35 000 / 1 : 150 000

Hawaiian Islands - **Maui - Moloka'i - Lāna'i** 1 : 150 000 / 1 : 35 000
Hawaiian Islands - **Hawai'i, The Big Island** 1 : 330 000 / 1 : 125 000
Himalaya 1 : 1 500 000
Hong Kong 1 : 22 500
Indian Subcontinent 1 : 4 500 000
India - *Northern* 1 : 1 500 000
India - *Western* 1 : 1 500 000
India - *Eastern* 1 : 1 500 000
India - *Southern* 1 : 1 500 000
India - *Northeastern - Bangladesh* 1 : 1 500 000
Indonesia 1 : 4 000 000
Indonesia **Sumatra** 1 : 1 500 000
Indonesia **Java - Nusa Tenggara** 1 : 1 500 000
Indonesia **Bali - Lombok** 1 : 180 000
Indonesia **Kalimantan** 1 : 1 500 000
Indonesia **Java - Bali** 1 : 650 000
Indonesia **Sulawesi** 1 : 1 500 000
Indonesia **Irian Jaya - Maluku** 1 : 1 500 000
Jakarta 1 : 22 500
Japan 1 : 1 500 000
Kenya 1 : 1 100 000
Korea 1 : 1 500 000
Malaysia 1 : 1 500 000
West Malaysia 1 : 650 000
Manila 1 : 17 500
Mexico 1 : 2 500 000
Myanmar (Burma) 1 : 1 500 000
Nepal 1 : 500 000 / 1 : 1 500 000
New Zealand 1 : 1 250 000

Pakistan 1 : 1 500 000
Peru - Ecuador 1 : 2 500 000
Philippines 1 : 1 500 000
Singapore 1 : 22 500
South America - The Andes 1 : 4 500 000
Southeast Asia 1 : 4 500 000
South Pacific Islands 1 : 13 000 000
Sri Lanka 1 : 450 000
Taiwan 1 : 400 000
Tanzania - Rwanda, Burundi 1 : 1 500 000
Thailand 1 : 1 500 000
Tunisia 1 : 750 000
Uganda 1 : 700 000
Venezuela - Guyana, Suriname, French Guiana 1 : 2 500 000
Vietnam - Laos - Cambodia 1 : 1 500 000

IN VORBEREITUNG

Cambodia - Angkor 1 : 1 500 000
Canary Islands 1 : 150 000 / 1 : 200 000
Croatian Coast 1 : 200 000 / 1 : 525 000
Madeira 1 : 60 000
Spain - Mediterranean Coast - Costa Brava, Costa Dorada 1 : 400 000 / 1 : 1 250 000

Nelles Maps in europäischer Spitzenqualität!
Reliefdarstellung, Kilometrierung, Sehenswürdigkeiten.
Immer aktuell!

Freude am Reisen

NELLES GUIDES

Freude am Reisen
NELLES GUIDE

INDIEN
NORD-, NORDOST- UND
ZENTRALINDIEN

Freude am Reisen
NELLES GUIDE

MALEDIVEN

Freude am Reisen
NELLES GUIDE

SRI LANKA

LIEFERBARE TITEL

Ägypten
Australien
Bali - Lombok
Berlin mit Potsdam
Burma → *Myanmar*
Brasilien
Bretagne
China - Hong Kong
Costa Rica
Dominikanische Republik
Florida
Griechenland - *Festland -
Peloponnes*
Griechische Inseln
Hawai'i
Indien - *Nord-, Nordost-
und Zentralindien*
Indien - *Südindien*
Indonesien - *Sumatra, Java,
Bali, Lombok, Sulawesi*
Irland
Israel - *Westjordanland,
Ausflüge nach Jordanien*
Kalifornien - *Las Vegas,
Reno, Baja California*
Kambodscha - Laos
Kanada - *Ontario, Québec,
Atlantikprovinzen*
Kanada - *Nordwesten,
Pazifikküste, Rockies,
Prärieprovinzen*

Kanarische Inseln
Karibik - *Große Antillen,
Bermuda, Bahamas*
Karibik - *Kleine Antillen*
Kenia
Korsika
Kreta
Kroatische Adriaküste
Kuba
London, England und
Wales
Malaysia - Singapur -
Brunei
Malediven
Mallorca
Marokko
Mexiko
Moskau - St. Petersburg
München - *Ausflüge zu
Schlössern, Bergen,Seen*
Myanmar *(Burma)*
Nepal
Neuseeland
New York - New York
State
Norwegen
Paris
Peru
Philippinen
Polen
Portugal
Prag, Böhmen und Mähren
Provence - Côte d'Azur

Rom
Schottland
Schweden
Spanien - *Pyrenäen, Atlantik-
küste, Zentralspanien*
Spanien - *Mittelmeerküste,
Südspanien, Balearen*
Sri Lanka
Südafrika
Südsee
Syrien - Libanon
Tanzania
Thailand
Toskana
Türkei
Ungarn
USA - *Ostküste, Mittlerer
Westen, Südstaaten*
USA - *Westküste, Rocky
Mountains, der Südwesten*
Vietnam
Zypern

IN VORBEREITUNG

Baltische Staaten
*Estland, Lettland, Litauen,
Kaliningrad*
Südengland - London
Tschechien

*Nelles Guides – anspruchsvoll, aktuell und informativ. Immer auf dem
neuesten Stand, reich bebildert und mit erstklassigen Reliefkarten ausgestattet.
256 Seiten, ca. 150 Farbbilder, ca. 25 Karten*